AMIGO MIGUELITO

SCHEUßLICH BESTE FREUNDE

WIE ALLES BEGANN

Bibliografische Information der Deutschen Nationalbibliothek:
Die Deutsche Nationalbibliothek verzeichnet diese Publikation in der Deutschen Nationalbibliografie; detaillierte bibliografische Daten sind im Internet über dnb.dnb.de abrufbar.

Illustrationen und Umschlaggestaltung: Amigo Miguelito
www.amigomiguelito.de
Herstellung und Verlag: BoD – Books on Demand, Norderstedt

ISBN: 978-3-750-43593-3

„Ein Freund, ein guter Freund,
das ist das Beste, was es gibt auf der Welt.
Ein Freund bleibt immer Freund,
auch wenn die ganze Welt zusammenfällt.“

\- Robert Gilbert -

Für meinen besten Freund
F.C.C.

INHALTSVERZEICHNIS

PROLOG

JULI 2014

VOM ENDE ZUM ANFANG

PROLOG

Vom Ende zum Anfang

(Juli 2014)

So wie viele andere Millionen von Menschen saßen mein Vater und ich am 13. Juli 2014 abends auf der Couch und schauten uns das Fußball-WM-Finale an. Es war ein recht spannendes und zähes Spiel zwischen Deutschland und Argentinien, bei dem es ganze 113 Minuten dauerte, bis das erste und letzten Endes auch spielentscheidende Tor fiel. Es war Mario Götze, der Deutschland nach knapp 25 Jahren zum langersehnten vierten Weltmeistertitel schoss.

Ich hatte zwar seit über einem Jahr rein gar keinen Kontakt mehr zu ihm, doch gleich nach dem Abpfiff dachte ich an die damaligen Worte meines besten Freundes:

»Ohne Scheiß, wenn Deutschland jemals wieder einen WM-Pokal holt, spring ich vom höchsten Dach der Stadt! Ach was, ich gehe nackig in den Hauptbahnhof, lege meinen Pimmel auf die Gleise und lass mich überfahren! Diese Bahnmongos können dann schön meinen verkrusteten Schwanz zusammen mit meinem Del-Piero-Trikot von der Planke kratzen. Hey, Manuel, ich glaube eigentlich nicht an Gott, aber bei jeder EM und WM bete ich drei Mal am Tag, dass Deutschland abkackt. Mir? Scheißegal, wer Weltmeister wird, Hauptsache Deutschland nicht! Das darf niemals wieder passieren, hörst du? Wenn doch, kann von mir aus die ganze verdammte Welt untergehen!«

Seine Abneigung gegen Deutschland war jedoch nur auf Fußball bezogen. Er liebte es, in Deutschland zu leben, doch im Fußball gab es schon immer diese besondere Rivalität zwischen Germania und Italia. Da mein bester Kumpel als geborener und temperamentvoller Sizilianer ein passionierter Fan seiner Azzurri war, lebte auch er bei jedem großen Turnier diese Rivalität bis aufs Äußerste aus. In solchen Momenten war er nicht zu bändigen.

So wie bei der EM 2012. Da rastete er völlig aus, als Balotelli Deutschland im Alleingang mit zwei Toren aus dem Turnier kegelte. Direkt nach dem Abpfiff rannte er zu seinem riesigen DVD-Regal und kramte einen ganz speziellen Film aus der fast unendlich großen Sammlung heraus. Dann ließ er affenartige Schreie von sich, die so laut waren, dass man sie bis nach Palermo hören konnte:

»Da habt ihr euer Wunder von Bern!«,

und er zerbrach mit beiden Händen in Sekundenschnelle die gleichnamige DVD. Die restlichen Fetzen der Hülle schmiss er dann im hohen Bogen aus seinem Wohnzimmerfenster auf die Straße.

Nach dem WM-Finale 2014 wusste ich eines ganz genau: Egal, wo er zu diesem Zeitpunkt auch war, er würde richtig abkotzen und vielleicht auch von einem Dach springen. Vielleicht aber auch würde ein Bahnbediensteter bereits seine zermahlenen Genitalien von irgendeiner Zugstrecke abkratzen. Deutschland zog somit mit Italien gleich und hatte von da an auch vier Weltmeistersterne auf dem Trikot. Für ihn war das sicherlich reine Gotteslästerung.

Dieses WM-Finale weckte bei mir fast vergessene Erinnerungen. Denn ein paar Tage nach dem WM-Finale 1990, in dem Deutschland zufälligerweise ebenfalls mit 1:0 gegen Argentinien gewonnen hatte und Weltmeister geworden war, lernte ich ihn kennen. Meinen besten Freund Calogero.

Während ich Phillip Lahm dabei beobachtete, wie er den goldenen WM-Pokal in den Nachthimmel stemmte, ließ ich in Gedanken all die gemeinsamen Erlebnisse unserer langen Freundschaft noch einmal Revue passieren.

KAPITEL

1

JULI 90

DM 3,50

SCHEUẞLICH BESTE FREUNDE

IN

25 PFENNIG FÜR EINE 25-JÄHRIGE FREUNDSCHAFT

NEU!

KAPITEL 1

25 Pfennig für eine 25-jährige Freundschaft

(Juli 1990)

Damals, im Juli 1990, war ich vier Jahre alt und lebte mit meinen Eltern, meinem Wellensittich Toni und meinem kleinen Bruder Kalvin, der erst zwei Monate zuvor auf die Welt gekommen war, inmitten einer verrückten, multikulturellen kleinen Großstadt des Rhein-Main-Gebiets.

Da wir in einer nicht sehr großen Dreizimmerwohnung hausten, musste ich seit der Ankunft meines Bruders mein geliebtes Zimmer teilen, denn eine größere Wohnung war zu diesem Zeitpunkt finanziell einfach nicht drin. Unsere Eltern konnte man sicherlich nicht als Bonzen bezeichnen. Sie arbeiteten sich nonstop den Arsch für uns ab und versuchten stets dafür zu sorgen, dass es uns an nichts fehlte. Bei all der Liebe und Fürsorge achteten sie aber auch genauestens darauf, dass sie uns nicht allzu sehr verwöhnten. Besonders wenn es um Videospiele ging, die aus ihrer Sicht nicht lebensnotwendig und sinnlos waren, schalteten sie ganz schnell in den Raffzahn-Modus.

Während Mirek, unser Vater, den halben Tag bei Löbro, einer damaligen Produktionsfirma für Antriebswellen, rackerte, arbeitete unsere Mutter Paola, so oft es ging, als Friseurin in einem benachbarten Friseursalon. Dabei waren unsere Großeltern Fred und Carla ihnen eine große Hilfe. Sie wohnten gleich in der Parallelstraße und kümmerten sich um meinen Bruder und mich, wann auch immer unsere Eltern beide zur selben Zeit arbeiten mussten. Ab und an passte auch unsere andere Oma, die Mutter meines Vaters, auf uns auf. Ihr Name war Eliska.

Wir wohnten ungefähr eine Viertelstunde zu Fuß von der Innenstadt entfernt. Unsere gesamte Nachbarschaft war multikulti und Ausländerhass war in unserer Gegend ein Fremdwort. Praktisch jede Nation war vertreten. Meine Eltern selbst hatten auch ausländische Wurzeln. Mein Vater war in Tschechien geboren und meine Mutter war zur Hälfte Spanierin. Bei uns zu Hause wurde aber nur Deutsch gesprochen.

In unserer Straße gab es neben zahlreichen Mehrfamilienhäusern eine Schule mit Turnhalle und einen Park mit großer Grünfläche, auf der fast jeder Hundebesitzer aus der Nachbarschaft seinen Vierbeiner hinscheißen ließ. Dies machte das Fußballspielen dort für uns Kinder besonders interessant.

Das eigelbfarbene, vierstöckige Mehrfamilienhaus mit der Hausnummer 19, in dem wir lebten, befand sich genau in der Mitte der Straße. Über eine tunnelähnliche Einfahrt gelangte man auf den Hinterhof, den wir uns mit den Hausbewohnern der benachbarten Hausnummer 17 teilten. Die eine Hälfte des Hofs war mit einer Rasenfläche bedeckt, die andere mit rechteckigen grauen Steinen asphaltiert. Dort parkten die Bewohner ihre Autos. Vor der Eingangstür zu unserem Haus war die Hauptattraktion des Hofs: ein großer Sandkasten. Vor ihm stand eine Sitzbank aus Holz und neben dieser ein kleiner Mülleimer. Hier verbrachten wir sehr viel Zeit.

Unsere Wohnung lag im Erdgeschoss des Hauses. Gegenüber von uns wohnte der seltsame Herr Hoffmann. Sein Gesicht war leichenblass und sehr eingefallen. Unter seinen blutunterlaufenen Augen konnte man unschwer dicke schwarze Tränensäcke sehen. Seine graugilben Haare waren immerzu zerzaust und seine gesamten Zähne bis aufs Äußerste verschimmelt. Ihn umgab immer so ein gewisser Kellergeruch. Wenn man Herrn Hoffmann mal im Treppenhaus begegnete, redete er nie und schaute einem ganz tief in die Augen, während er sich im Rückwärtsgang stillschweigend in seine Wohnung verzog. Manchmal konnte man dabei noch einen kleinen Blick in seine Wohnung erhaschen. Die Wände seines Flurs waren mit einer orange-braunen Tapete im Sechziger-Look tapeziert. Obwohl er immer nur kurz seine Wohnungstür öffnete, entfleuchte aus seiner Gruft sofort ein unangenehmer Friedhofsgeruch, der noch Stunden später im ganzen Treppenhaus zu riechen war. Zu fast jeder Tageszeit hatte Hoffmann an all seinen Fenstern die Rollläden heruntergelassen. Besuch hatte er auch so gut wie nie. Ein wirklich sehr seltsamer Typ. So wie ihn stellten wir uns einen typischen Psychopathen vor.

Über uns wohnte ein älteres Ehepaar namens Supplie. Sie hatten keine Kinder und oft sah es auch so aus, als würden sie alles, was mit diesem Thema zu tun hatte, hassen. Er, Bernhard, war damals ungefähr Ende 50 und hatte schon fast eine Glatze. Zum Lachen musste er wahrscheinlich auf den Mond fliegen, denn man sah nie ein Anzeichen von Freude in seinem Gesicht. Vielleicht lag es aber auch daran, dass er als junger Mann bei einem Unfall seinen linken Arm verloren hatte und deshalb sehr eingeschränkt war. Seine Frau, Gisela, war wie ihr Ehemann ebenfalls ein Mensch mit wenig Lebensfreude. Sie muss damals so Anfang 50 gewesen sein. Mit hochtoupierten Haaren und billigem Make-up gestylt hing sie ständig am Küchen- oder Schlafzimmerfenster herum und beobachtete von dort aus ganz aufmerksam, wie die anderen Kinder und ich im Sandkasten spielten. Genau wie ihr Göttergatte konnte sie es nicht ertragen, dass Kinder Spaß hatten. Und das ausgerechnet noch in „ihrem“ Hof! Die Hausordnung besagte, dass jeden

Tag in der Zeit von 13:00 Uhr bis 15:00 Uhr eine Mittagsruhe eingehalten werden musste. Für die Supplies gab es kaum etwas Schlimmeres als das Missachten dieser heiligen Mittagsruhe. Wenn es aber dann doch eine Sache gab, für die die Supplies Liebe empfanden, dann war das für die Spielshow *Glücksrad* und ihren hochglanzpolierten silbernen Mercedes, der behindertengerecht umgebaut war und meistens auf der asphaltierten Fläche des Hofs stand.

Außer den Kokinellis, die im vierten und obersten Stockwerk lebten, wurde unser Haus von kinderlosen Rentnern, ähnlich den Supplies, bewohnt.

Die Kokinellis waren ein griechisches Paar mit einer zehnjährigen Tochter namens Sabrina. Wir verstanden uns sehr gut mit ihnen. Ab und an kamen sie zu uns zu Besuch oder wir waren bei ihnen zu Gast. Dabei spielte ich immer mit Sabrina ein griechisches Kartenspiel, das sie mir beigebracht hatte. Der Mann, Stefanos, war sehr still und zurückhaltend, was man von seiner Frau nicht behaupten konnte. Vicky war von Natur aus eine sehr laute, emotionale, aber auch eine sehr herzliche Person.

Mit den restlichen Bewohnern hatten wir kaum etwas zu tun. Man kannte sich nur so vom Sehen.

Auch mit ein paar Familien aus der benachbarten Hausnummer 17 hatten wir hin und wieder Kontakt. Anna und Rudolf Priem wohnten im obersten Stockwerk und waren damals mit meinen Eltern schon lange sehr gut befreundet. Die beiden waren einige Jahre älter als meine Eltern. Ich schätze, sie waren zu diesem Zeitpunkt so Mitte 30. Sie war ein sehr freundlicher und aufgeweckter Mensch. Er etwas grantig, aber im Wesentlichen auch sehr nett. Rudolf arbeitete bei einem Autoreifenhersteller und trainierte nebenbei eine Jugendfußballmannschaft. Mein Vater und er kannten sich schon viele Jahre lang vom Sportplatz. Die Priems besaßen zudem eine Videothek in unserer Innenstadt und versorgten uns immer mit den aktuellsten Zeichentrickfilmen oder Kino-Blockbustern.

Neben ihnen wohnte das italienische Paar Genaro und Maria Di Mauro mit ihren beiden Kindern Pepino und Isabella. Pepino war damals, 1990, neun Jahre alt und ein richtig frecher Rotzlöffel. Egal, was er auch anstellte, seine Eltern ließen es ihm durchgehen. Sie hielten nichts von einer strengen Erziehung. Pepino hatte dunkelbraunes Haar und ein Gesicht, das geradezu dafür gemacht war, um zu provozieren. Stets hatte er ein dämliches, breites Grinsen auf der Visage, bei dem man seine großen Biberzähne sehen konnte. Wie gern hätte ich sie ihm damals alle ausgeschlagen, doch er war nicht nur älter als ich, nein, er war leider auch anderthalb Köpfe größer als ich und nutzte dies schamlos aus, um mich und die anderen kleineren Kinder im Hof zu knechten und manchmal sogar zu vermöbeln. Immerzu nahm er mich grundlos in den Schwitzkasten oder gab mir Ohrfeigen. Ich hasste Pepino. Der Rest seiner Familie war sehr nett, warum konnte er nicht so wie sie sein? Umso komischer war, dass er als einziges Kind von den Supplies gemocht wurde.

In den unteren Stockwerken, unter Pepinos Eltern, wohnten zwei jugoslawische Familien mit ihren drei Babys und unsere Hausmeisterin mit ihrer Sippschaft, die in Sachen Anstand der Familie Flodder in nichts nachstand. Die Hausmeisterin hieß Else Breit, und ihr Nachname war Programm: Sie sah Jabba the Hutt zum Verwechseln ähnlich. Für jeden Schritt, den sie beim Kehren im Hof machte, musste sie mindestens eine Viertelstunde lang ausruhen. Außerdem war sie die Klatschtante unserer Nachbarschaft und war, wie ihre Namensvetterin Else Kling aus der Seifenoper *Die Lindenstraße*, immer über alles und jeden bestens informiert.

Als Vierjähriger verbrachte ich den Großteil meiner Zeit damit, auf unserem Hof mit den anderen Kindern zu spielen. Da ich noch zu jung war und meine Mutter die übelste Paranoia hatte, durfte ich nicht alleine oder in Begleitung anderer Kinder auf den nahe gelegenen Spielplatz gehen. Die Paranoia war ja nicht ganz unbegründet. Neben dem Spielplatz, der von allen wegen seines Teichs nur „Weiher“ genannt wurde, war ein gut besuchter Kiosk, und je nach Saison hielten sich dort zahlreiche Penner, Säufer und ab und an auch mal ein paar Junkies auf. Oft schliefen diese Hobos zwischen ihren Sauf-Sessions auf den zahlreichen Sitzbänken des Spielplatzes. Diesen Pennern war es auch völlig egal, dass sich daneben eine Kirche mit Kindergarten befand. Für jene Mütter, die morgens in der Frühe ihre Kinder zum Kindergarten brachten und dafür zuvor den Spielplatz überqueren mussten, war es The Morning of the Living Dead.

Dass ich dort ohne meine Eltern nicht hinkonnte, war aber nicht weiter schlimm. Da unser Hof einer der größten der ganzen Nachbarschaft war und wir sogar, wie erwähnt, einen eigenen Sandkasten hatten, kamen viele Kinder von nebenan bei uns zum Spielen vorbei. Ganz zur Freude der Supplies natürlich.

Kommen wir nun endlich zu diesem besagten Tag im Juli 1990, an dem ich meinen besten Freund kennenlernte. Ich spielte, wie so oft, mittags mit den Nachbarskindern in unserem Hof und trug dabei stolz ein weißes Trikot der deutschen Nationalmannschaft von Lothar Matthäus, das mein Opa mir vor der WM zum Geburtstag geschenkt hatte. Mit im Gepäck war ein dicker Stapel Panini-Sticker.

Es gab von vielen verschiedenen Zeichentrickserien und Fußballspielern aufklebbare Bildchen mit passenden Alben. Wenn man mal ein Panini-Album mit allen Stickern voll hatte, war man der King. Das dauerte gefühlt nur ein ganzes

Menschenleben lang. Ein Tütchen mit fünf Stickern kostete damals ungefähr 60 Pfennig. Immer wenn man eines von ihnen aufriss, flog einem sofort dieser einzigartige Stickergeruch in die Nase. Beim Aufreißen selbst bekam man leichtes Herzklopfen, wenn man schon so ein kleines silbernes Bildchen mit den Wappen der Nationalmannschaften oder einen Hologrammsticker sah. Diese waren nämlich sehr selten und ganz besonders begehrt. Meine Omas kauften mir damals sehr viele Panini-Tütchen, und allmählich hatte ich einen großen Stapel an doppelten Stickern, die ich natürlich mit den anderen Nachbarskindern tauschen wollte. Unter den doppelten Bildchen waren auch eine Menge Wappen und Hologramme.

Als ich mit den anderen Jungs aufmerksam die Sticker von der WM 90 und den Ghostbusters begutachtete, bemerkte ich nicht, wie sich Pepino von hinten an mich heranschlich. Als ich mich dann herumdrehen wollte, nahm er mich prompt wieder einmal in den Schwitzkasten. Dabei fielen mir meine ganzen Sticker aus der rechten Hand auf den Boden. Hilflos war ich ihm ausgeliefert. Nicht einmal schreien konnte ich, da er meinen Hals mit seinem Arm ganz fest zudrückte. Kein einziger Erwachsener war in der Nähe, der mich hätte retten können, und von den anderen Kindern traute sich keiner einzugreifen. Zu gut kannten sie Pepinos sadistische Art und rannten sofort davon. Sonst hingen die Supplies 24/7 an ihrem Fenster, aber diesmal nicht. Langsam ging mir die Luft aus. Als mir fast schon völlig schwarz vor Augen wurde, hörte ich plötzlich eine fremde Stimme aus dem Hintergrund:

»Lass ihn in Ruhe, Pepino! Es reicht!«

Daraufhin ließ er mich endlich los. Hastig holte ich Luft. Meine Sicht wurde langsam wieder klarer und ich sah einen Jungen, der mir bis dahin völlig unbekannt war. Er hatte schwarze lockige Haare und dieselbe Körpergröße wie Pepino, doch war er kräftiger. Er sah ein wenig aus wie Kevin Arnold. Dieser war die Hauptfigur der Serie *Wunderbare Jahre*. Zu einem dunkelblauen T-Shirt trug der unbekannte Junge eine graue Jogginghose. Um seinen Hals hing eine Schnur, an der zwei Schlüssel befestigt waren. Irgendwie wirkte er sympathisch auf mich, was ich ja von Pepino nicht gerade behaupten konnte. Vor diesem Jungen schien mein frecher Nachbar Respekt zu haben. Pepinos Gesichtsausdruck verriet dies ganz deutlich. Es kam mir aber auch so vor, als seien die zwei miteinander befreundet.

Als ich mich bückte, um meine Aufklebbildchen wieder einzusammeln, kam der fremde Bursche zu mir rüber und half mir überraschenderweise beim Aufheben. Er schien sofort sehr begeistert, denn schon nachdem er das zweite Bildchen aufgesammelt hatte, sagte er euphorisch:

»Das ist ja das Ghostbusters-Logo, super! Das habe ich schon so lange gesucht! Boa, und das Brasilien-Wappen. Das fehlt mir auch noch! Wahnsinn, du hast echt tolle Sticker. Wie heißt du?«

Manuel:
»Ich heiße Manuel, und du?«

Sein Name war Calogero. Er war wie Pepino Italiener und ebenfalls im gleichen Alter. Das Ekel und Calogero kannten sich durch den kleinen Bolzplatz am Weiher. Allmählich kamen wir ins Gespräch und schnell stellte sich heraus, dass wir den gleichen Geschmack in Sachen Fernsehserien und Comics hatten. Als wir uns so über *The Real Ghostbusters*, *Hallo Spencer*, *Ein Fall für Batman* und *M.A.S.K* unterhielten, versuchte Pepino die ganze Zeit, unser Gespräch zu beenden. Seiner Meinung nach war ich viel zu jung, um mit ihnen rumhängen zu dürfen, doch Calogero verteidigte mich komischerweise.

»Halt's Maul, Kacknase! Der Kleine hat mehr Ahnung als du. Du Muppets-Figur kennst doch gar nichts außer Knight Rider und David Hasselhoff. Kannst du mal endlich deine tollen Schuhe holen? Wir wollten schon lange auf dem Weg sein! Warum brauchst du überhaupt andere Schuhe zum Fußballspielen?«

Stillschweigend drehte sich der Widerling um und marschierte schnurstracks in das Treppenhaus der 17. Kaum zu fassen, dass es jemanden gab, von dem sich Pepino herumkommandieren ließ. Ich war fasziniert. Während Calogero meinen Stapel Panini-Sticker genauestens untersuchte, scherzte er ein wenig über mein Trikot:

»Iiiieeehh, Matthäus! Der stinkt! Iiiieeehh!«

Manuel:
»Nein! Weltmeister stinken nicht!«

»Lothar Stinkfuß, hahaha! So gut ist er gar nicht! Da gibt es viel bessere Spieler. Sogar ich bin besser als der! Weißt du, wer die wahren Weltmeister sind?«

Manuel:
»Wer denn?«

»Wir! Die Italiener! Wir hatten schon lange vor den Deutschen drei Sterne! Die haben nur Glück gehabt! Weißt du überhaupt, was das mit den Sternen bedeutet?«

Manuel:
»Nein, was denn?«

»Also, mein Onkel Vinnie hat mir mal gesagt, immer wenn ein Land Weltmeister wird, bekommt es einen Stern aufs Trikot. Zu Hause habe ich noch irgendwo ein tolles Italien-Trikot, das mir viel zu klein ist. Wenn du magst, kann ich es dir schenken. Hey, kennst du den hier?«

Auf einmal begann er, die Beine breitzumachen. Während er sich mit seiner rechten Hand fest an die Genitalien griff, streckte er die Linke zum Himmel. Nach einem wilden Schrei und einer 360-Grad-Drehung begann er zu singen:

»You know I'm bad, I'm bad, you know it! Uuuuhhh!«

Manuel:
»Michael Jackson!«

Damit traf er voll ins Schwarze. Ich liebte Michael Jacksons Musik. Meine Eltern besaßen einige Kassetten und CDs von ihm. Auf meinem kleinen Kassettenrekorder hörte ich sie, neben den ganzen Benjamin-Blümchen- und Ghostbusters-Hörspielkassetten, rauf und runter. Rasch begann ich mit meiner neuen Bekanntschaft mitzusingen und mitzutanzen. Schließlich outete er sich auch als ganz großer Fan. Calogero wurde mir immer sympathischer. Gern hätte ich ihn anstelle von Pepino zum Nachbarn gehabt. Allein, dass er mich vor Pepino gerettet hatte, machte ihn für mich zu einem Helden. Neugierig fragte ich:

»Wo wohnst du?«

»Nicht weit weg von hier. Gleich um die Ecke, ein paar Häuser weiter. Sag mal, was willst du mit den ganzen Panini-Stickern machen? Du hast sehr viele, die mir noch fehlen und die ich ganz gut gebrauchen könnte.«

Manuel:
»Ich wollte die tauschen. Die habe ich schon alle doppelt.«

Wie der Pate machte er mir ein Angebot, das ich nicht ablehnen konnte:

»Ich mach dir einen Vorschlag. Verkauf sie mir, und von dem Geld kannst du dir ganz viele Neue kaufen!«

Ich kleiner Scheißer hatte ja zu diesem Zeitpunkt keinen blassen Schimmer von Geld und dessen Wert, daher schenkte ich ihm Glauben. Er bot mir für meinen ganzen Stapel insgesamt 25 Pfennig an und verkaufte mir das so, als würde er mir ein Vermögen in die Hand drücken. Für zwei verrostete Zehnpfennig- und eine leicht verbogene Fünfpfennigmünze wechselten meine Sticker den Besitzer. Später erklärten mir meine Eltern dann den wahren Wert der Münzen, doch in dem Moment, in dem ich die Groschen bekam, strahlten meine Augen. Kurz darauf kam Pepino mit seinen Fußballschuhen zurück.

»Vaffanculo, Pepino! Wieso hat das denn so lange gedauert? Nur wegen deinen Scheißschuhen kommen wir zu spät! Kannst du nicht mit normalen Schuhen spielen? Komm, wir müssen los!«

Manuel:
»Wo geht ihr hin?«

»Wir gehen rüber zum Spielplatz, Fußballspielen. Die anderen Jungs warten schon. Wir trainieren für ein ganz wichtiges Turnier und wir dürfen auf keinen Fall verlieren!«

Pepino:
»Ciao, ciao, du Pimpf! Spiel im Sandkasten mit deinen Puppen!«

Obwohl ich Calogero gar nicht kannte, wäre ich gerne mitgegangen, doch meine Eltern hätten es ums Verrecken nicht zugelassen. Bevor er und Pepino verschwunden waren, fragte ich ihn, ob er denn bald wieder zu uns in den Hof kommen würde.

»Na klar! Wir sehen uns bestimmt noch öfters! Dann unterhalten wir uns mal über Alf und die Sesamstraße. Es ist nicht aller Tage, ich komme wieder, keine Frage. Ciao!«

Danach verabschiedeten wir uns mit einem klassischen High five, den er mir zum Abschluss noch schnell beibrachte. Obwohl ich noch nicht sehr viel von ihm wusste, freute ich mich riesig darauf, ihn wiederzusehen.

Letztlich hielt er sein Wort und kam fortan öfter zu Besuch in unseren Hof. Das lag aber nicht allein an Pepino. Calogero und ich freundeten uns, trotz des großen Altersunterschiedes, miteinander an. Es war uns egal, wer etwas dagegen hatte. Wir lagen auf einer Wellenlänge und teilten beide eine Vorliebe für die gleichen Zeichentrickfilme, Comichefte, Actionfiguren und Süßigkeiten.

Wer von uns beiden hätte damals je daran gedacht, dass aus so einer Begegnung eine 25 Jahre lange Freundschaft werden sollte? Und das für nur 25 Pfennig!

KAPITEL

2

JULI 90

DM 3,50

SCHEUẞLICH BESTE FREUNDE

IN

DIE GHOSTBUSTERS-FIGUR

Was hat er wohl dieses Mal ausgeheckt?

Mit Egon von den Ghostbusters!

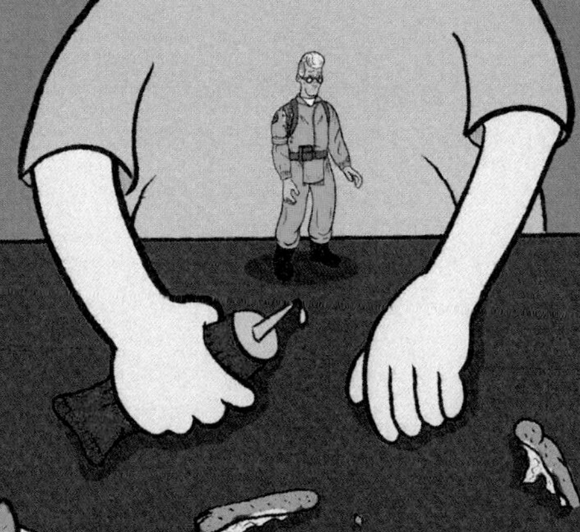

MANUELS NEUER KUMPEL IST NICHT AUF DEN KOPF GEFALLEN...

KAPITEL 2

Die Ghostbusters-Figur

(Juli 1990)

Seit meiner ersten Begegnung mit Calogero war gut eine Woche vergangen, ehe er uns wieder besuchen kam. Wie schon erwähnt freundeten wir uns ziemlich schnell miteinander an. Es dauerte auch nicht lange, bis er mir zeigte, wo genau er wohnte. Da es nur um die Ecke war und meine Eltern ihn auf Anhieb mochten, durfte ich mit ihm alleine bis vor sein Wohnhaus laufen. Außerdem wohnten ja schräg gegenüber von seinem Zuhause meine Großeltern. Mein Opa hatte uns von seinem Wohnzimmerfenster aus bestens im Blick.

Calogero lebte als Einzelkind mit seinem Vater und seiner Mutter in einer sehr kleinen Wohnung im zweiten Stock eines etwas heruntergekommenen Mehrfamilienhauses am Ende der benachbarten Straße. Unter ihnen wohnte Calogeros Onkel Vinnie, den ich aber erst viel später kennenlernen sollte.

»Hier ist die Klingel von meinem Onkel. Er heißt mit Nachnamen genauso wie wir. CARUSO. Auf seiner Klingel steht V. Caruso und auf unserer G. Caruso. Die darfst du nicht verwechseln. Hier klingelst du und fragst nach mir. Wenn ich dann zu Hause bin, komme ich runter, alles klar?«

Ich nickte und wir gingen anschließend gemeinsam zu ihm nach oben, um seine Eltern zu begrüßen. Vor der Eingangstür der Wohnung nahmen sie uns gleich in Empfang. Calogeros Vater, Giuliano, schien auf den ersten Blick ein recht lockerer Kerl zu sein. Groß, schmal, einen typischen Italo-Afro auf dem Kopf, Dreitagebart, weißes Unterhemd, Goldkette mit Kreuzanhänger, nett und freundlich.

Calogeros Vater:
»Hallo, wie gehd?«

Er arbeitete als Angestellter in einer Fabrik namens MAN Roland, die Druckmaschinen herstellte. Die korpulente Mutter, Constanza, hingegen war da schon ganz anders. Sie hatte einen sehr kritischen Gesichtsausdruck. Während Calogero uns miteinander bekanntmachte, sah man sie kein einziges Mal lächeln. Sie arbeitete als Putzkraft im Krankenhaus unserer Stadt. Obwohl beide im Gegensatz zu meinem neuen Kumpel nur gebrochenes Deutsch sprachen, konnte man sie doch ganz gut verstehen.

Außer seinen Eltern und seinem Onkel hatte Calogero niemanden. Seine Großeltern und andere Verwandte lebten alle noch in der alten Heimat. In seinem ganzen Leben hatte er sie bisher selten zu Gesicht bekommen.

»So Manuel, wir müssen nun leider wieder runter. Es ist so ... ich habe kein eigenes Zimmer. Ich muss im Wohnzimmer schlafen, und nach der Arbeit ist da mein Vater und will seine Ruhe haben. In die Küche können wir auch nicht, weil da meine Mutter ist, und im Schlafzimmer habe ich nichts zu suchen. Wir können also leider nicht bei mir spielen. Meine Eltern erlauben es nicht. Tut mir leid!«

Es musste ihm nicht leid tun. Im Gegenteil, er tat mir leid. Wieder unten auf der Straße angekommen erklärte mir Calogero, dass nichts mehr vom Mittagessen für ihn übrig geblieben war und er sich schnell etwas zu essen besorgen musste. Im Anschluss daran würde er wieder zu uns in den Hof kommen.

Mit seinen gerade einmal neun Jahren wusste er sich sehr gut selbst zu helfen. Dass er kein eigenes Zimmer hatte, war auch der Grund dafür, dass Calogero die meiste Zeit draußen auf der Straße verbrachte. Dadurch kannte er so gut wie jedes Kind in der Nachbarschaft. Eines von ihnen hasste er ganz besonders: einen fetten Jungen namens Giordano. Er verabscheute ihn deswegen, weil er ihm auf gewisse Entfernung fast zum Verwechseln ähnlich sah. Deswegen wurde er von anderen oft mit Giordano angesprochen, was ihm natürlich nicht besonders gefiel. Doch als er irgendwann herausfand, dass Giordanos Vater ein eigenes Restaurant besaß, versuchte er aus der Verwechslung Kapital zu schlagen. Da er beobachtet hatte, dass Giordano immerzu ein Inter-Mailand-Trikot trug, besorgte er sich eines von seinem Onkel Vinnie und gab sich, wann immer er Lust auf eine Pizza hatte, als Giordano aus.

Mit diesem Doppelgängertrick führte er auch an diesem Tag im Juli, wie schon an zig Tagen zuvor, das Personal des Restaurants erfolgreich an der Nase herum. Mit einem Stapel dampfender Pizzaschachteln kam er dann zurück in unseren Hof gerauscht. Ich saß derweil mit ein paar Kindern aus Haus 17 im Sandkasten und wir spielten mit unseren Actionfiguren.

»Hallo, Manuel, hier bin ich wieder! Hast du Lust, eine Pizza zu essen?«

Manuel:
»Oooohh, jaaaa! Pizzaaaaa! Ich liebe Pizza! Wo hast du die her?«

»Die habe ich von meinem letzten Taschengeld gekauft. Was macht ihr da?«

Manuel:
»Wir spielen mit unseren Ghostbusters-Figuren.«

Actionfiguren aus Plastik waren damals bei Kindern sehr angesagt und natürlich gab es auch von den Ghostbusters welche. Da wir große Fans der Geisterjäger waren, machten uns deren Actionfiguren besonders verrückt. Die verdammten Dinger waren nicht billig und ich musste damals meine Eltern so lange bis an den Rand des Nervenzusammenbruchs treiben, bis sie sich endlich dazu erbarmten, mir eine zu kaufen. Als es dann endlich soweit war und ich sie zum ersten Mal in meinen Händen hielt, war ich richtig stolz und strahlte vor Glück. Endlich hatte ich sie. Meine eigene Egon-Spengler-Figur.

Calogero machte große Augen, als ich sie ihm überreichte, damit er sie näher inspizieren konnte.

»Hey, cool, Egon! Genau der fehlt mir noch. Die Restlichen habe ich schon. Peter, Ray und Winston. Ich hab sie alle! Sogar das Auto habe ich, den Ecto 1. Den Marshmallow-Mann und den Slimer habe ich auch. Ich habe sie einfach alle, außer den Egon hier. Kann ich mir deine Figur mal ausleihen? Ich gebe sie dir auch in ein paar Tagen wieder zurück. Dafür gebe ich dir auch zwei von meinen Ghostbusters-Figuren. Ich hole sie später von zu Hause und gebe sie dir dann.«

Obwohl ich meine neue Figur über alles liebte, hörte sich das Angebot verführerisch an. Zwei Figuren für eine! Zudem war er ja auch zu einem guten Freund geworden, so sagte ich schließlich zu. Meine Eltern sollten allerdings nichts davon erfahren.

Manuel:
»Na gut, ich gebe sie dir. Kann ich dann dafür deine Peter- und Slimer-Figur haben?«

»Klasse! Na klar gebe ich sie dir, null Problemo. Aber hey, lass uns endlich die Pizzen fressen, die werden sonst kalt. Habe viel Geld für die bezahlt! Hey, wo wir gerade bei Pizza sind, sag mal, kennst du die Turtles?«

Von den Turtles hatte ich bis dahin noch nie etwas gehört. Schnell klärte er mich ausgiebig über die neue Zeichentrickserie mit den vier mutierten und Ninjutsu kämpfenden Schildkröten auf. Mit jedem Satz mehr, den er von den Turtles erzählte, wurde ich immer neugieriger.

»Die vier Turtles heißen Leonardo, Donatello, Michelangelo und Raphael. Sie leben zusammen mit ihrem Meister in der Kanalisation. Er ist eine mutierte Ratte namens Splinter und bringt ihnen eine Menge cooler Kampftechniken bei. Dann gibt es da noch ihren Erzfeind, den Shredder. Der ist so ein richtig fieser Ninja-Meister. Er versucht mit seiner Footgang, die Turtles und Splinter zu vernichten. Das schafft er aber nicht, die Turtles sind einfach schlauer und immer auf der Lauer! Mein Lieblingsturtle ist Leonardo. Er ist auch der Anführer von den Turtles. Am besten schaust du sie dir einfach selbst mal an. Es gibt sie jeden Samstag früh auf RTL. Das Lied am Anfang wird dich umhauen. Ich habe bis jetzt noch keine einzige Folge verpasst. Verdammt, ich liebe diese Turtles!«

Bis er dann abends endlich, wie versprochen, die beiden Actionfiguren für mich holen ging, quasselte er mich von diesen mutierten Ninja-Schildkröten voll.

Leider brachte er mir nicht, wie ausgemacht, die Peter- und die Slimer-Figur, sondern einen He-Man und eine stark abgenutzte Wrestlingfigur von Hulk Hogan mit. Die Enttäuschung stand mir ins Gesicht geschrieben. Obwohl ich He-Man nicht besonders mochte, konnte ich mich mit dessen Figur noch anfreunden, aber dieser halb tote Hogan, von dem schon größtenteils die Farbe abgerieben war, sagte mir so gar nicht zu. Ganz geschickt, versuchte sich Calogero rauszureden:

»Äh, also ich konnte meine Ghostbusters-Figuren leider nicht finden, meine Mutter muss sie wohl beim Aufräumen irgendwohin gelegt haben. Leider schläft sie schon, deshalb konnte ich sie nicht fragen, wo die Figuren sind. Wenn ich sie wiederfinde, bringe ich sie dir sofort mit. Sei aber nicht traurig, dafür habe ich dir ja erst mal die beiden hier mitgebracht. Das sind zwei meiner absoluten Lieblingsfiguren. Bitte pass gut auf sie auf!«

Ein paar Tage später brachte er meine Egon-Figur zurück und ich gab ihm im Austausch seinen He-Man und seinen verblassten Hulk Hogan, die ich bis dahin wie meinen Augapfel gehütet hatte. Calogero hatte es etwas eilig und blieb nur kurz bei uns im Hof. Wir verabschiedeten uns nach einer kleinen Unterhaltung über die letzte Folge von *Saber Rider* und ich rannte mit einem breiten Grinsen bis über beide Ohren direkt nach Hause. Endlich hatte ich meinen heißgeliebten Schatz wieder. In unserem Kinderzimmer machte ich es mir auf meinem Bett bequem und schaute mir zufrieden meine Lieblingsfigur an. Ich hatte schon fast vergessen, wie sie aussah. Nach einer Weile bemerkte ich, dass irgendetwas an meiner Figur anders war. Bei genauerer Betrachtung fand ich heraus, dass der rechte Arm sich nicht mehr nach oben und unten bewegen ließ. An der Schulter der Figur war eine hart gewordene Flüssigkeit. Kleber! Irgendwie musste Calogero den Arm von der Figur abgerissen und dann einfach wieder angeklebt haben. Zudem dachte er wohl, ich würde es nicht bemerken. Wenn es um eine Ghostbusters-Actionfigur ging, wurde selbst ein Vierjähriger zu Inspektor Clouseau oder Columbo. Ich war schockiert und trauerte um meinen armen Egon. Meinen Eltern verriet ich kein Wort davon. Calogero hingegen musste ich das nächste Mal, als ich ihn in unserem Hof sah, direkt darauf ansprechen.

»Was? Kleber? Nee, die hab ich so von dir bekommen! Die Figur ist so!«,

antwortete er ganz dreist mit ahnungsloser Mimik.

»Bei deiner Figur kann man den linken Arm nicht bewegen. Die wurde so gemacht!«

Zwar hatte ich die Figur nicht allzu lange, bevor ich sie ihm ausgeliehen hatte, doch ich hätte mich auf alle Fälle an einen nicht beweglichen Arm erinnert.

Manuel:
»Nein, der ist nicht so. Du hast ihn kaputtgemacht und wieder angeklebt. Sag die Wahrheit!«

»Der war so!«

Manuel:
»Das stimmt nicht!«

»Der war so!«

Manuel:
»Du lügst!«

»Die haben den Arm so gemacht!«

Manuel:
»Nein!«

»Doch, der war so!«

Selbst nach längerer Diskussion leugnete er mit einem dicken Grinsen, dass er den Arm kaputtgemacht hatte. Er leugnete es so lange, bis ich mir irgendwann schon selbst nicht mehr sicher war, ob man den Arm nun hatte bewegen können oder nicht. So nahm ich den geklebten Arm einfach hin, vergaß die Angelegenheit und wir spielten wieder ausgelassen mit unseren Actionfiguren. Dabei machte sich Calogero über die „anderen" Ghostbusters lustig.

Auf Tele 5 gab es eine Zeichentrickserie, die ebenfalls *Ghostbusters* hieß, jedoch mit unserer Lieblingsserie nicht viel gemeinsam hatte. Statt der vier coolen Geisterjäger und ihrem freundlichen grünen Geistergehilfen waren ein dürrer blonder Dödel namens Jake Kong, sein Kumpel Eddie und ihr trotteliger Affe Tracy die Helden. Die Serie war, genau wie ihre Figuren, einfach nur langweilig. Ganz besonders hasste Calogero das Titellied der Sendung. Kein Wunder also, dass wir *The real Ghostbusters* bevorzugten.

Am darauffolgenden Samstagmorgen kam ich dann endlich selbst in den Genuss, die hoch angepriesenen *Teenage Mutant Hero Turtles* zu sehen. Wie es mein neuer Kumpel vorausgesagt hatte, wurde ich sofort zu einem eingefleischten Fan und das Titellied von Frank Zander wurde zu einem meiner absoluten Lieblingssongs.

KAPITEL 3

AUGUST 90

DM 3,50

SCHEUßLICH BESTE FREUNDE

IN

DER FLIEGENDE GRIECHE

VORSICHT! Calogeros Humor ist schwarz und scheußlich!

KAPITEL 3

Der fliegende Grieche

(August 1990)

Nach wochenlanger Hitzewelle gab es Ende August mehrere Tage lang ununterbrochenen Regenfall. Regnerische Tage, an denen ich nicht mit meinem Kumpel Calogero auf dem Hof spielen konnte. Das war jedoch nicht ganz so schlimm. Ich erzählte meinen Eltern einfach herzergreifend davon, dass er kein eigenes Zimmer hatte, und so schaffte ich es, sie dazu zu überreden, dass er zu uns nach Hause zum Spielen kommen durfte. Fast an jedem dieser regnerischen Nachmittage war er dann bei uns. Er sah meine Eltern schon bald mehr als seine eigenen und aß bei uns nahezu mehr zu Mittag als bei sich zu Hause.

Wann immer Calogero dann bei uns zu Besuch war, brachte er verschiedene Spielzeuge oder Micky-Maus-Hefte mit, von denen er wirklich sehr viele besaß.

An einem dieser Tage erzählte er mir ganz stolz von seiner neuesten Errungenschaft:

»Hey, Manuel, heute habe ich alle vier Turtles-Figuren und ein paar Bösewichte dabei. Ein Kumpel von der Schule hat sie mir ausgeliehen. Er hat mir sogar den Turtles-Bus gegeben. Am liebsten hätte ich den auch mitgebracht, aber der ist leider zu groß und ich habe dem Kumpel versprochen, gut darauf aufzupassen. Der hat sehr viel Geld gekostet! Zu Hause, in meinem Schrank, habe ich noch sooo viele andere tolle Spielzeuge. Schade, dass du nicht mit zu mir kommen kannst, ich würde sie dir so gerne mal zeigen. Du würdest Augen machen!«

Wie sehr hätte ich mich gefreut, seine Spielzeugsammlung und vor allem den Turtles-Bus zu sehen, doch Calogeros Eltern erlaubten es ja leider nicht.

»Vielleicht kann ich ja heute Abend doch noch meine Eltern dazu überreden, dass du mal kurz zu uns reinkommen darfst, damit ich dir meinen Schrank und meine Spielzeuge zeigen kann.«

Manuel:
»Jaaaaa! Bitte frage sie mal!«

Am nächsten Tag strahlte draußen endlich wieder die Sonne. Nachdem ich die Erlaubnis meiner Mutter bekommen hatte, flitzte ich mittags schnurstracks zu Calogeros Haus und drückte auf die Klingel mit dem italienischen Nachnamen. Ich hatte Glück. Calogero war gerade von der Schule nach Hause gekommen. Über die Sprechanlage gab er mir Bescheid, dass er gleich runterkommen würde. Als er dann endlich, wenige Minuten später, bei mir unten angekommen war, lief uns Erica über den Weg.

Erica war eine kleine dünne, heroinabhängige Frau, die in dem Mehrfamilienhaus neben Calogero wohnte. Sie war zwar völlig durch, aber nicht bösartig. Jeder aus unserer Nachbarschaft kannte sie. Vor ihr und ihren wirren Erzählungen musste man keine Angst haben. Auf den ersten Blick sah sie wie Klaus Kinski aus. Ihr Markenzeichen war eine versiffte senffarbene Wildlederjacke, die sie zu jeder Jahreszeit trug.

Erica:
»Hey, Kinder, habt ihr sie gesehen? Sie ist schon seit einem Jahr verschwunden!«

»Wen denn?«

Erica:
»Die Mauer! Sie ist weg!«

»Welche Mauer?«

Erica:
»Na, die Mauer! Habt ihr nicht vom Mauerfall gehört?«

»Nein, aber mein Durchfall ist auch schon seit einem Jahr verschwunden! Tschüss, Erica, wir müssen jetzt los. Richte dem Meister Eder schöne Grüße von mir aus.«

Auf dem Weg zu unserem Hof fragte ich sofort neugierig und voller Hoffnung, ob er am Abend zuvor seine Eltern hatte überreden können.

»Es geht leider nicht. Ich habe alles versucht! Vielleicht nächste Woche.«

So schwand meine letzte Hoffnung, den coolen Bus und die anderen tollen Spielzeuge zu Gesicht zu bekommen.

Als wir schon fast vor der Einfahrt zu unserem Hof angekommen waren, sah Calogero seine Mutter aus der Ferne mit Einkaufstüten durch den Park laufen. Dabei stolzierte sie mit ihrem dicken schwarzen Pelzmantel galant über den Gehweg, als wäre sie der Pate höchstpersönlich. Auch sie hatte uns gesehen und rief ihren Sohn mit einem lauten Schrei zu sich.

»Hey, Manuel, warte kurz, ich bin gleich wieder da!«

Anschließend rannte er wie von einer Tarantel gestochen zu ihr. Von der Ferne aus konnte ich beobachten, wie beide mit Händen und Füßen lautstark diskutierten. Dann fiel mein Kumpel bettelnd vor ihr auf die Knie. Dabei zeigte er immer wieder mit dem Zeigefinger in meine Richtung. Nachdem sie ein paar Schreie von sich gegeben hatte, schnappte er sich ihre beiden Einkaufstüten und hetzte mit einem breiten Grinsen wieder zu mir zurück.

»Juhuuuuu, ich habe es geschafft! Wir können kurz zu mir nach Hause! Dafür muss ich nur die Einkaufstüten nach Hause tragen und die Sachen in den Kühlschrank einräumen. Meine Mutter muss jetzt gleich auf die Arbeit und hat keine Zeit dafür. Wir dürfen aber leider nicht so lange bei mir bleiben. Mein Vater kommt bald von der Arbeit nach Hause. Er darf es nicht mitkriegen, sonst gibt es Ärger!«

Das war mir egal, Hauptsache, ich konnte mir seine tollen Spielzeuge ansehen, von denen er mir schon so oft stolz berichtet hatte.

Mühselig trugen wir gemeinsam die prall gefüllten Tüten in den zweiten Stock. Oben endlich angekommen, waren wir völlig aus der Puste. Ich war so gespannt, wie seine Wohnung von innen aussähe. Laut seinen Erzählungen lebte er in einem Schuhkarton.

Calogero hatte nicht gelogen. Die Wohnung war wirklich sehr winzig. Sie war locker nur halb so groß wie unsere. In dem sehr schmalen Wohnungsflur standen eine hölzerne Garderobe und ein kleiner Schrank. Ein tomatiger Geruch lag in der Luft. Als allererstes brachten wir die Tüten in die sehr kleine Küche. Im hinteren Teil des Raums befand sich ein weiteres winziges Zimmer, in dem Dusche und Toilette waren. Dieses Badezimmer war kaum größer als eine Besenkammer. So ein kleines Bad hatte ich bis dahin noch nie gesehen.

»Willst du etwas essen? Im Kühlschrank sind noch ein paar Stückchen selbstgemachte Pizza von gestern. Meine Mutter macht die beste Pizza der Welt!«

Wie die Turtles liebte ich Pizza über alles, und so konnte ich natürlich nicht widerstehen. Während ich die kalte und wirklich sehr köstliche Pizza genoss, holte Calogero die Lebensmittel aus den Tüten und räumte sie ordentlich in den Kühlschrank. Auf einmal hörten wir von oben einen lauten und sehr qualvollen Schrei:

»Ohhhhhh, ahhhhhh, ohhhh, mein Gott!! Ich sterbeeeeeee! Aaaaaaahh!«

Manuel:
»Was war das?«

»Das kommt von oben. Das ist unser Hausmeister, der Karl-Heinz. Über uns ist seine Toilette. Die Wände hier sind sehr dünn, und immer, wenn er scheißen geht, kann man ihn schreien hören. Hab keine Angst, das ist völlig normal. Komm mit, lass uns ins Wohnzimmer zu meinem Schrank gehen.«

Im Wohnzimmer, das auch nicht gerade groß war, stand ein breiter brauner Holzschrank mit Glasvitrine und vielen verschiedenen Schubladen an der Wand. Dicke dunkelgrüne Vorhänge verhinderten, dass Tageslicht ins Zimmer fiel. Konzentriert scannte ich den Raum genaustens ab. Auf dem Boden lag ein orientalisch aussehender Teppich. Meine Großeltern hatten so einen Ähnlichen bei sich zu Hause. Rechts vom Holzschrank war eine kleine Kommode, auf der ein älteres Fernsehgerät und ein komisch aussehender Videorekorder standen. Unser Videorekorder sah irgendwie anders aus. Auf der braunen Couch, die gegenüber dem Fernseher stand, lag eine bunte Decke ausgebreitet. Die Couch sah sehr gemütlich aus. Vor ihr stand ein in die Jahre gekommener Holztisch, der mit einigen Schrammen und Kratzern übersäht war. Auf einem weiteren, etwas helleren Wandschrank gleich neben der Wohnzimmertür standen mehrere Bilderrahmen mit Fotos von Calogeros Eltern, Großeltern und natürlich auch von ihm selbst. Auf einem der Bilder trug er einen Anzug mit Fliege. Calogero sah dabei wie ein kleiner James Bond aus. Neben den ganzen Bildern lag ein weinrotes Telefon. In der vorderen Ecke des Raums stand zudem eine große Stereoanlage mit Plattenspieler. Während ich das Wohnzimmer weiter aufmerksam musterte, rätselte ich, wo mein Kumpel schlief.

Manuel:
»Wo ist dein Bett? Oder schläfst du auf der Couch?«

»Hier, schau her! Mein Bett ist versteckt.«

Calogero ging zu dem Wandschrank, auf dem das Telefon stand. Man konnte die gesamte vordere Seite des Schranks umklappen. Dahinter war ein eingebauter Bettkasten mit Matratze. Im Inneren des Schranks klebten zahlreiche Poster und Fotos seiner Lieblingsfußballspieler und -autos. Das Turtles-Poster, das gleich neben einem Ferrari F-40 hing, gefiel mir besonders gut.

»Schau, Manuel, das hier ist das beste Auto auf der ganzen Welt. Ein Ferrari F-40. Kein anderes Auto auf der Welt ist schneller! Der hat 478 PS! Irgendwann, wenn ich groß bin, werde ich mir auch so einen Ferrari holen.«

Dann zeigte er auf ein Plakat mit einem muskulösen Boxer.

»Und das ist einer meiner Lieblingsschauspieler. Sylvester Stallone. Kennst du den?«

Stallone war mir zu dieser Zeit noch völlig unbekannt.

»Das da sind zwei meiner Lieblingsspieler vom besten Fußballverein der Welt, Juventus Turin. Der Linke heißt Pierluigi Casiraghi, und der rechts neben ihm ist Roberto Baggio. Hast du schon mal von den beiden gehört?«

Manuel:
»Nein, ich kenne die beiden nicht, aber ääh ... kannst du mir jetzt deine Spielzeuge und den Turtles-Bus zeigen?«

»Na klar! Das hätte ich fast vergessen. Siehst du den Schrank da hinten? Da sind meine ganzen Sachen drin.«

Er ging rüber zu dem Wohnzimmerschrank mit der Vitrine und öffnete im unteren Bereich zwei große Schranktüren. Das war er nun also, Calogeros heiliger Gral. Ich traute meinen Augen nicht, während meine Kinnlade auf den Boden fiel. Er hatte wirklich nicht übertrieben. Zwar hatte er kein eigenes Zimmer, dafür aber die besten Spielzeuge, die ich bis dahin gesehen hatte.

Da waren ein großer Stapel mit verschiedenen Micky-Maus- und YPS-Heften, lustige Taschenbücher, Panini-Stickeralben, ein Haufen bekannter Actionfiguren unserer Lieblingscartoons, das Ghostbusters-Mobil, eine He-Man-Burg, Mini-Ferraris, hunderte anderer Sticker, Karten und natürlich auch der heiß ersehnte Turtles-Bus.

»Na? Da fällt dir wohl nichts mehr ein, oder? Willkommen in meiner geliebten Schatzkammer.«

Ich hätte Stunden allein damit verbringen können, die ganzen Sachen genauestens zu begutachten, doch wir hatten ja leider nicht viel Zeit, bis Calogeros Vater von der Arbeit zurückkommen würde.

»Lass uns doch ein wenig mit dem Bus und den Turtles-Figuren spielen, bevor mein Vater auftaucht. Wir dürften noch eine halbe Stunde lang Zeit haben.«

Gesagt, getan! Calogero holte den Bus und eine Reihe von Actionfiguren aus dem Schrank. Gleich danach drückte er mir alle vier Turtles in die Hände. Er selbst nahm sich die Figuren der Bösewichte. Es konnte losgehen. Wir bekämpften uns gegenseitig mit den Figuren. Unsere ausgeprägte Fantasie verwandelte dabei das kleine Wohnzimmer in eine riesige Cartoonwelt. Calogeros Bösewichte entführten den Turtles-Bus und parkten ihn auf der Fensterbank des Wohnzimmers, wobei meine Turtles versuchten, ihn wieder zurückzugewinnen.

Während wir uns so gegenseitig mit den Puppen bekriegten, konnten wir aus den Augenwinkeln einen kleinen Jungen auf der äußeren Fensterbank des gegenüberliegenden Hauses sitzen sehen, der uns zuwinkte. Die Wohnung des Jungen war wie Calogeros Wohnung im zweiten Stock. Er hatte scheinbar keine Höhenangst. Neugierig fragte ich meinen Kumpel, ob er den Jungen kennen würde.

»Das ist Spiros. Er ist Grieche und sein Vater ist völlig verrückt! Der sitzt abends immer im Park auf der Bank mit so anderen Banditen. Mein Vater sagt immer, dass er ein Gauner ist und wie ein Penner aussieht. Angeblich war er schon einmal im Gefängnis. Vor dem muss man sich in Acht nehmen! Der Spiros ist aber ein ganz lieber Junge. Seine Mama ist auch voll nett, sieht aber wie Otto aus. Voll komisch. Hab sie lange nicht mehr gesehen. Sie ist letztes Jahr nach Griechenland geflogen, aber bis jetzt nie wieder aufgetaucht.«

Manuel:
»Bist du gut mit dem Jungen befreundet?«

»Es geht. Ich habe schon voll oft mit ihm Basketball auf dem Platz von der Schule vor eurem Haus gespielt. Das glaubst du niemals! Der Junge ist zwar klein, aber der kann soooo hoch springen. Wie ein Känguru. Der hat es sogar einmal geschafft, bis nach ganz

oben zu dem Ring zu springen. Ohne Mist, ich habe es selbst gesehen! Spiros hat dann von den anderen Kindern einen Spitznamen bekommen. Wie war der denn noch gleich? Warte kurz, mir fällt er gleich wieder ein ... springender Grieche? Nein! Schwebender Grieche? Nein ... irgendwas mit Grieche ...«

Manuel:
»Ooooh mein Gott! NEEEEEIIIIIINNNN!«

Während Calogero so laut vor sich hin und her überlegte, welchen Spitznamen man Spiros gegeben hatte, verlor Spiros das Gleichgewicht, rutschte von der Fensterbank und fiel geradewegs in die Tiefe auf den Gehweg. Ich stand kurz unter Schock, wohingegen Calogero sich halb totlachte.

»Hahaha! Fliegender Grieche! So war sein Spitzname! Fliegender Grieche! Jetzt weiß ich es wieder, hahaha!«

Während er sich köstlich amüsierte, bekam er einen hochroten Kopf und dicke Tränen schossen ihm aus den Augen. So makaber und abscheulich es in diesem Moment auch war, steckte er mich mit seinem Lachen an. Wir beide, insbesondere Calogero, waren uns zunächst dem Ernst der Lage nicht wirklich bewusst. Gemeinsam kugelten wir uns vor lauter Lachen auf dem Wohnzimmerteppich, doch kurz darauf begriff er anscheinend, dass Spiros sich ernsthaft verletzt haben könnte.

»Hey, lass uns schnell runter gehen und schauen, ob Spiros in Ordnung ist. Hoffentlich ist nichts Schlimmes passiert!«

Unten angekommen, stand da auch schon ein Notarztwagen, der den gefallenen Jungen abtransportierte. Auf wundersame Weise überlebte er. Spiros hatte sich Gott sei Dank „nur" beide Beine gebrochen und musste von da an die nächsten Monate erst einmal im Rollstuhl verbringen.

Ein paar Tage nach dem Unfall besuchten wir ihn dann im Krankenhaus und Calogero schenkte ihm einen alten Basketball. Spiros freute sich riesig darüber. Außer dem Ball bekam Spiros zudem noch einen neuen Spitznamen verpasst. Fortan nannte Calogero ihn nur noch „rollender Grieche". Mein Kumpel hatte bereits in jungen Jahren einen sehr derben Humor, bei dem jegliche Art von Sitte und Moral von der Fensterbank geworfen wurde. Egal wie fies seine Witze auch manchmal waren, er schaffte es immer wieder, mich damit zum Lachen zu bringen, da ich wusste, oder zumindest davon ausging, dass er es nicht wirklich ernst meinte.

KAPITEL

4

SEPTEMBER 90

DM 3,50

SCHEUẞLICH BESTE FREUNDE

IN

SIZILIANISCHES SCHAUSPIEL

DAS HAUT DEN STÄRKSTEN ITALIENER UM!

DA KÖNNEN SELBST BUD SPENCER & TERENCE HILL SICH NOCH EINE NUDEL VON ABSCHNEIDEN!

KAPITEL 4

Sizilianisches Schauspiel

(September 1990)

Nach dem Besuch in Calogeros Wohnung hatte ich die Hoffnung, ihn nun öfter bei sich zu Hause besuchen zu dürfen, doch es blieb leider vorerst nur bei diesem einen Besuch. Wie zuvor musste ich, wenn ich ihn abholte, draußen vor der Sprechanlage oder im Treppenhaus warten. Gewohnt vertrieben wir uns anschließend die Zeit im Hof oder, wenn meine Eltern es erlaubten, bei mir und meinem Bruder im Zimmer.

Das Ganze führte sich dann bis Mitte September fort, bis Calogero mich plötzlich aus heiterem Himmel zum Abendessen bei sich daheim einlud.

»Meine Mutter macht heute Abend selbst gemachte Spaghetti. Ich soll dich von ihr fragen, ob du Lust hast, mit uns zusammen zu essen.«

Nichts lieber als das! Nachdem meine Mutter mit seiner Mutter telefoniert hatte, bekam ich grünes Licht. Ich freute mich wie ein Honigkuchenpferd und konnte es kaum abwarten. Um spätestens 20 Uhr aber sollte ich wieder daheim sein.

Am späten Nachmittag flitzten wir dann mit knurrenden Mägen zu meinem Buddy. Etwas, was direkt auffiel, war der Umgangston bei Calogero zu Hause. Dieser war hauptsächlich sehr laut. Ich verstand dabei nie ein Wort, da bei ihm daheim nur Italienisch, genauer gesagt Sizilianisch, gesprochen wurde. Diesen besonderen Unterschied sollte er mir später noch detaillierter erklären. Seine Mutter schrie pausenlos wild aus der Küche. Für mich als außenstehenden Nicht-Italiener war es sehr schwer, das Ganze einzuordnen. Es hörte sich so an, als ob sie nonstop miteinander streiten würden. Als ich Calogero deswegen ansprach, meinte er, dass es kein Streit sei. Sie würden immer so miteinander reden. Ich bräuchte mir keine Sorgen machen. Sizilianer seien eben so. Nun gut.

Solange seine Mutter noch mit dem Kochen beschäftigt war, zeigte er mir stolz seine Urzeitkrebse, die bei einem YPS-Magazin als Gimmick mit dabei gewesen waren. In einem großen Wasserglas hatte er mit ein wenig Sand und kleinen Pflanzen ein schönes Heim für sie errichtet. Es war kaum zu übersehen, dass Calogero diese Viecher richtig liebte. Er hatte sogar jedem von ihnen einen eigenen Namen verpasst.

»Ich habe sie nach den Turtles benannt. Leider darf ich keine anderen Haustiere haben. Meine Eltern sind der Meinung, dass Haustiere nur Dreck machen und stinken. Es hat lange gedauert, bis ich sie wegen der Urzeitkrebse überreden konnte. Schau mal, wie groß die schon geworden sind!«

Dann setzten wir uns auf die Wohnzimmercouch und schauten ein wenig fern. Calogeros Vater war derweil noch auf der Arbeit. Im Fernsehen lief im ZDF *Vier Fäuste für ein Halleluja* mit Bud Spencer und Terence Hill. Das Bild des alten Fernsehgeräts war ein wenig defekt. An manchen Stellen wurden die Farben umgekehrt angezeigt, sodass die Menschen im TV manchmal eine grüne oder pinke Hautfarbe hatten.

»So ein verdammter Drecksfernseher! Ich hoffe, meine Eltern holen bald einen neuen. Kennst du die zwei Männer da? Das sind meine absoluten Lieblingsschauspieler, Bud Spencer und Terence Hill. Die beiden sind auch Italiener. Jeder mag sie, sogar meine Eltern!«

Die beiden waren mir nicht fremd. Oft schaute ich mir ihre Filme sonntags mit meinem Vater an. Wir liebten es, den beiden beim Verteilen von saftigen Ohrfeigen zuzusehen. Nachdem Calogero mir erklärt hatte, dass Bud Spencer sogar mal als Schwimmer bei der Olympiade angetreten war, wurde der Film für ein paar Minuten Werbung unterbrochen. Wir staunten nicht schlecht, als der Werbespot für *Robocop 2* eingeblendet wurde.

»Boooooaaaa! Robocop 2! Den muss ich unbedingt sehen! Ich habe den ersten Teil bei meinem Onkel geschaut. Der ist sooo coooool! Da wird der Robocop am Anfang richtig fies abgeballert, aber später rächt er sich. Dann macht er alle fertig! Ich bin gespannt, wie der zweite Teil ist.«

Darauf folgten Werbeclips von Dr. Best mit seinem berühmten Tomatentest und Dittmeyers Valensina.

»Valensina schmeckt scheiße! Am liebsten trink ich Cola Light. Sag mal, Manuel, kennst du die Goonies?«

Manuel:
»Nein, wer ist das?«

»Waaaas? Du kennst die Goonies nicht? Die GOONIES! Das ist einer meiner absoluten Lieblingsfilme!«

Manuel:
»Nein, aber kennst du Elliot, das Schmunzelmonster? Das ist mein Lieblingsfilm.«

»Oh, mein Gott! Das darf doch nicht wahr sein! Vergiss diesen grünen Fettsack. Du musst unbedingt die Goonies schauen, wenn sie wieder im Fernsehen laufen, hörst du?«

Der Film *Die Goonies* sagte mir so rein gar nichts, und irgendwie interessierte er mich auch nicht wirklich. Während die restlichen Werbeclips gezeigt wurden, schaute ich mich ein wenig in Calogeros Wohnzimmer um. Auf dem Wohnzimmertisch stand ein kleiner Teller, auf dem ein italienischer Gammelkäse lag, der besonders intensiv duftete. Es war ein sehr unangenehmer Geruch, der einem Tränen in die Augen trieb.

»Den isst meine Mutter am liebsten. Der heißt Primo Sale. Wenn man den Käse ein paar Stunden lang liegen lässt, bekommt der ganz viele kleine Fettbläschen. Dann schmeckt er besonders gut. Das Blöde ist nur, er stinkt einfach wie die Pest. Willst du mal ein Stückchen probieren?«

Ich verneinte. Von dem Duft des Käses wurde mir ein wenig schlecht, und mit diesen Bläschen sah er auch nicht wirklich appetitlich aus.

Auf der Holzkommode des Wohnzimmers bemerkte ich ein altes Bild von Calogeros Großvater. Auf dem Foto trug er eine Soldatenuniform und sah, zugegeben, schon sehr heroisch aus. Als Calogero bemerkte, wie ich das Bild seines Opas anstarrte, erzählte er mir stolz von ihm und seinen heldenhaften Taten für sein Vaterland Italien und für die Söhne der sizilianischen Verteidigungsliga. Irgendwie fragte ich Calogero daraufhin, worin genau der Unterschied zwischen Italienern und Sizilianern bestand. Er sagte ja immer, dass er ein Sizilianer sei.

»Schau mal, es gibt viele verschiedene Arten von Italienern. Zum Beispiel uns Sizilianer, dann gibt es Römer und Neapolitaner und Kalabresen und noch ein paar andere. Aber die sind alle unwichtig, du musst nur wissen, dass Sizilianer die Besten von allen sind!

Wir sind die wahren Italiener! Willst du noch mehr über Sizilien wissen, Manuel? Ich kann dir noch viel mehr erzählen!«

Ich nickte mit dem Kopf. Er hatte mein Interesse geweckt. Mit leuchtenden Augen philosophierte Calogero dann so, als ob er an der Universität von Palermo einen Vortrag halten würde:

»Sono siciliano! Ohne uns Sizilianer wäre Italien heute nicht das Land, was es ist. Unser sizilianisches Heiligland ist der schönste Teil von ganz Italien. Es ist eine eigene Insel, ganz im Süden und sieht aus wie ein Dreieck. Eigentlich ist Sizilien ein eigener Kontinent. Als Erstes erschuf der liebe Gott den Himmel und die Erde. Gleich danach Sizilien, so steht es geschrieben! Unsere Pflanzen haben die kräftigsten Farben, und alle Blumen riechen viel besser als die Blumen hier in Deutschland. Das Meerwasser rund um Sizilien ist gesegnet und kann Krankheiten heilen. Bei uns badet man nicht in Wasser, sondern in Milch und Honig! Fast jedes Haus sieht aus wie ein Palast und besteht aus feinstem Marmor und purem Gold. Vom Essen brauch ich gar nicht erst anfangen zu reden! Die italienische Küche an sich ist schon die beste, aber sizilianisches Essen schmeckt so, als ob Gott höchstpersönlich dir das feinste Menü zubereitet hat. Das weiß jedes kleine Kind, auf Sizilien leben die klügsten, schönsten und nettesten Menschen, die es auf der ganzen Welt gibt!«

In den Ohren eines Vierjährigen klang das wirklich fantastisch. Ich war in diesem Moment ausgesprochen neidisch, kein Sizilianer zu sein, und kam mir richtig blöd vor. Calogero hatte großes Glück. Nach seinen Erzählungen glich dieser Ort dem Paradies. Nicht einmal der Prinz von Zamunda lebte in solch einem wunderbaren Land.

»Jaja, Deutschland ist ja auch schön, aber Sizilien ist und bleibt die Nummer eins! Ach ja, schau mal hier. Wie du siehst, habe ich dicke Ohrläppchen. Die haben nur auserwählte Sizilianer. Weißt du, was das bedeutet?«

Manuel:
»Nein, was denn?«

»Also das bedeutet, dass ...«

SKLÄTSCH

Plötzlich flog ein brauner Herrenhausschuh der Größe 46 mit voller Wucht in Calogeros Gesicht. In der Wohnzimmertür stand sein Vater Giuliano. In seiner linken Hand hielt er den anderen Hausschlappen fest. Wir hatten gar nicht mitbekommen, dass er gerade von der Arbeit zurückgekommen war.

Calogeros Vater:
»Du nixe reden so viele Unsinne! Ihr beide komme jezze in Kusche! Mangiare! Essen isse fertisch! Wasse stinke hier so? Haste due dische nixe heude gewasche Calogero, eh?«

»Das bin nicht ich! Das ist der Primo Sale! Komm, Manuel, mein Vater ist heute wieder so ein richtiger Li-La-Launebär. Lass uns jetzt endlich die leckeren Spaghetti nach sizilianischer Art essen. Du wirst sie lieben!«

Auf dem Küchentisch standen ein großer Topf mit Nudeln, ein weiterer Topf mit einer wohlduftenden rötlichen Soße, mehrere Teller und Besteck. Neben jedem Teller war ein halbvolles Glas mit Wasser. Grimmig schaute mich Calogeros Mutter an und forderte mich mit einem gastfreundlichen

»Du setzten! Mangia! Du essen!«

dazu auf, an dem Abendmahl teilzunehmen. Sie verteilte auf jeden Teller mehrere Nudeln und übergoss sie mit der köstlich duftenden Soße. Schon nach dem ersten Bissen war ich sehr angetan von diesen herrlichen Spaghetti. Nach einer kurzen Weile sagte sein Vater irgendetwas auf Italienisch zur Mutter, woraufhin diese plötzlich völlig ausflippte und ihn hysterisch anschrie. Sie nahm das halb volle Glas Wasser und schüttete es ihm ins Gesicht. Fragend schaute ich meinen Kumpel an.

»Alles in Ordnung, Manuel, meinem Vater ist nur heiß. Er hat meine Mutter gefragt, ob sie ihn abkühlen kann. Wir Sizilianer machen das immer so, wenn uns zu warm ist.«

Dann schrien sie sich alle gegenseitig auf Sizilianisch an und fuchtelten dabei wild mit den Armen in der Luft herum. Wie gerne hätte ich in dem Moment gewusst, was sie redeten. Ich saß in der ersten Reihe eines hochdramatischen sizilianischen Schauspiels, das von einem wunderbaren traditionellen Menü begleitet wurde. Auf einmal nahm Calogeros Mutter den Teller des Vaters und warf den darauf liegenden Nudelberg in den Mülleimer. Der sonst so nette Gesichtsausdruck

Giulianos war spätestens jetzt völlig verschwunden. Er verlor die Fassung und schrie aggressiv auf die Mutter ein. Daraufhin öffnete sie erneut den Mülleimer, nahm ein paar Nudeln wieder heraus und schleuderte sie ihm mit Schmackes ins Gesicht. Sein komplettes Gesicht und ein Teil seines weißen Unterhemdes waren nun schön rot eingefärbt.

»Ähh, hey, Manuel, meine Mutter spielt mit meinem Vater Essensschlacht. Kennst du das?«

Er nahm zwei Nudeln von seinem Teller und warf diese nach seiner Mutter, die immer noch heißblütig mit dem Vater am Diskutieren war. Im Bruchteil einer Sekunde flog nach dem Aufprall der beiden Nudeln der rechte wildlederne Hausschuh der Mutter volle Breitseite an Calogeros Stirn. Der andere Hausschuh flog gleich danach knapp am Kopf des Vaters vorbei. Das ließ er sich nicht gefallen und verpasste der Mutter eine schallende Ohrfeige. Die wiederum konnte das auch nicht auf sich sitzen lassen und drehte nun erst so richtig auf. In entschlossener Kampfhaltung machte sie sich vor ihm breit und verpasste ihm einen Faustschlag, der ihn rückwärts vom Stuhl kippen ließ. Dabei riss er das halbe Besteck mitsamt Tischdecke mit sich zu Boden. Gerade noch so konnte ich meinen Teller festhalten. Calogeros Teller hingegen ging dabei zu Bruch. Fluchend und voller Tomatensoße versuchte sein Vater aufzustehen, doch kurz bevor er wieder auf den Beinen war, fing er sich umgehend die nächste Maulschelle ein. Die hatte ordentlich gesessen.

»Ähh ... hahaha, Manuel, ich habe dir doch erzählt, dass meine Eltern und ich ganz große Bud-Spencer- und Terence-Hill-Fans sind, und weil wir den Film gerade nicht zu Ende schauen konnten, habe ich meine Eltern gefragt, ob sie für uns das Ende nachspielen können. Und? Wie gefällt es dir? Das ist eine meiner Lieblingsstellen. Meine Eltern sind fast so gut wie die echten Bud Spencer und Terence Hill!«

Zuerst war ich sehr erschrocken, doch als mein Kumpel mir dann erklärte, dass seine Eltern sich extra für uns so viel Mühe machten, den Rest seines Lieblingsfilms nachzuspielen, war ich beeindruckt. Meine Eltern spielten nie für mich meine Lieblingsfilme oder Zeichentrickserien nach. Sie kannten sie nicht einmal! Calogeros Eltern hingegen legten sich für uns mächtig ins Zeug. Wechselseitig schlugen sie sich in Sekundenschnelle die flachen Hände um die Ohren. Plötzlich wurden beide von einem lauten Knall, der von oben kam, unterbrochen.

»Ohhh mein Goooooooooootť!! Ich sterbeeeee! Diese verdammten Hackfleischbällchen! Ich verweeeeeseeee! Arrrrggghhhhh!«

Karl-Heinz' explosiver Abendschiss beendete das sizilianische Schauspiel und brachte uns alle laut zum Lachen. Mittlerweile hatte ich meinen Teller blitzeblank gefuttert. Calogero hatte nicht zu viel versprochen. Das waren wirklich die besten Spaghetti, die ich bis dahin gegessen hatte. Völlig erschöpft von der intensiven schauspielerischen Darbietung räumten die Eltern meines Freundes die Scherben vom Boden und das restliche Geschirr vom Tisch.

»Oh meine Güte! Manuel, es ist schon 20 Uhr! Ich muss dich schnell nach Hause bringen. Komm, beeilen wir uns, bevor du Ärger bekommst!«

Daheim angekommen berichtete ich begeistert meinen Eltern von dem paradiesischen Kontinent aus dem Süden:

»Mama, Papa, wenn ich groß bin, will ich Sizilianer werden!«

KAPITEL

5

SEPTEMBER 90

SCHEUßLICH BESTE FREUNDE

IN

GAME BOYS

Der Albtraum aller Eltern

Der Gameboy-Virus greift um sich!

Jedes Kind will diesen Spielburschen zum Freund haben!

KAPITEL 5

Game Boys

(September 1990)

Es war an einem Samstagnachmittag im September 1990. Da hingen Calogero und ich vor dem Fernseher meiner Eltern herum. Mit ihrer Erlaubnis durften wir uns gnädigerweise ein paar Zeichentricksendungen ansehen. Mein kleiner Bruder schlief dabei tief und fest in seinem kleinen Bettchen. Zwischen *Familie Feuerstein*, den *Galaxy Rangers* und *Scooby Doo* wurde neben anderer zahlreicher Werbeclips auf einmal ein brandneuer gezeigt. Dieser sollte uns völlig aus den Socken hauen und unser bisheriges Leben für immer verändern.

In dem Spot saßen zwei kleine Jungs in der hintersten Reihe eines fahrenden Busses, in dem außer den beiden nur der Fahrer war. Die Jungs schienen von der langen Fahrt richtig gelangweilt zu sein. Aus dem Nichts ertönte eine männliche Stimme:

»Dreißig endlos öde Minuten. Aber du hast ja den einzigartigen Game Boy von Nintendo dabei!«

Beide Jungs zückten mit einem breiten Grinsen ein kleines graues Gerät aus ihren Gürteltaschen.

»Komplett mit Stereokopfhörern, Dialogkabel und dem Superspiel Tetris. Also, zeig was du kannst!«

Die gegeneinander zockenden Jungs wurden von dem Bus in eine Welt voller riesiger, fallender Bausteine gesogen, während im Hintergrund eine fetzige 90er-Rockmelodie zu hören war. Beide schafften es dann, in letzter Sekunde einem großen Baustein zu entkommen, der in dieser surrealen Welt auf sie zugerast kam. Siegreich klatschten sich beide ab und fielen wieder in die reale Welt, zurück auf die Rückbank des Busses, wo inzwischen zwei ältere Damen Platz genommen hatten. Diese erschraken sich vor den beiden Jungs und schauten sie völlig entgeistert an. Der Fahrer legte dann eine Vollbremsung hin und die beiden Bengel stiegen lachend aus dem Bus.

»Der tragbare Gameboy mit den fantastischen Videospielen. Die Actionwelt für coole Köpfe! Von Nintendo.«

So in etwa war der damalige Fernsehwerbespot zu dem kleinen grauen Gerät, das Videospielgeschichte schreiben sollte. Der Game Boy von Nintendo. Calogero und ich klebten sabbernd an der Bildröhre. So etwas hatten wir noch nie gesehen. Schnell war uns die Lust auf *Danger Mouse* und *Die Peanuts* vergangen. Wir waren auch coole Köpfe und mussten unbedingt in diese Actionwelt eintauchen! Nur war da ein Problem. Unsere Eltern waren keine Geldscheißer und erst recht konnten sie keine Game Boys scheißen. Wie wir diese zwei kleinen verwöhnten Rotzlöffel aus der Werbung beneideten. Sogar eine verdammte Nintendo-Gürteltasche hatten sie! Was sollten wir tun?

Uns blieb nur eine einzige Möglichkeit: unsere Eltern so lange anbetteln, bis sie sich erbarmten und einen Game Boy kauften. Nonstop ging ich ihnen auf den Geist. Mein Wortschatz bestand nur noch aus zwei Wörtern. GAME BOY. Egal, was ich sagte oder auch tat, sie gaben einfach nicht nach. Auch Calogero hatte leider keinen Erfolg. Wenn doch wenigstens einer von uns beiden einen Game Boy bekommen hätte!

So mussten wir uns leider weiterhin mit unseren Spielzeugfiguren zufriedengeben. Pepino, der Stinker, hatte wenigstens noch das Glück, dass sein Vater ihm eine NES-Spielekonsole kaufte, doch die benutzte er so gut wie nie. Von Videospielen hatte er überhaupt keine Ahnung. Viele Kids aus der Nachbarschaft hatten ältere Brüder, die auch ein NES, einen Amiga oder einen Atari besaßen, den sie mitbenutzen durften. Wir hingegen hatten keine älteren Brüder und erst recht keine spendablen Väter. Die Kinder aus der Nachbarschaft redeten zudem pausenlos von dem neuen tragbaren Videospiel-Wunder. Ein paar von ihnen hatten sogar einen von ihren Eltern geschenkt bekommen. Sie geierten aber richtig rum und gaben ihn keine Sekunde aus der Hand.

Je öfter wir den Nintendo-Werbespot sahen, desto mehr verloren wir die Lust an unseren Actionfiguren. Sie reichten uns nicht mehr. Irgendwie mussten wir doch an dieses Gerät kommen. Koste es, was es wolle.

Tage später kam mein Vater von der Arbeit nach Hause und versteckte etwas hinter seinem Rücken.

Manuels Vater:
»Überraschung! Ich habe etwas für dich!«

Mein Herz begann voller Freude wie wild zu schlagen. Konnte es wirklich sein? Es war doch nicht etwa ...? Mein Vater zückte eines dieser kleinen billigen, in Plastik verschweißten LCD-Spielgeräte aus China namens *Action Force* hervor, auf dessen Drecksdisplay man einen mickrigen Pixelhaufen nach links und rechts bewegen konnte. Was heißt bewegen? Der Haufen blinkte von links nach rechts und sollte übrigens ein Raumschiff darstellen. Über dem „Raumschiff" blinkten im Sekundentakt weitere kleinere Pixelpunkte auf.

»Die Actionwelt für coole Köpfe ...« ,

hallte es durch meinen Kopf und mir kamen fast die Tränen. Mein Vater hatte es gut gemeint, aber dieses Action-Force-LCD-Spiel war, bei allem Respekt für diese nette Geste, der allerletzte Scheiß! Selbst ich als Vierjähriger konnte das erkennen. Die Grafik war der letzte Mist, Musik gab es keine. Ab und zu gab das Teil mal ein helles Piepsen von sich. Das Spiel an sich ließ sich auch nicht wechseln. Auf dem Game Boy hingegen konnte man verschiedene Spiele zocken. Einfach die kleine graue Spielkassette rausholen und eine andere einstecken. Die Spiele sahen für damalige Verhältnisse auf dem Game-Boy-Display mit einer Pixelmatrix von 160 mal 144 Bildpunkten und vier Graustufen richtig klasse aus. Einprägsame 8-Bit-Melodien gab es obendrein dazu. Dieses schäbige LCD-Spiel hatte nicht den Hauch einer Chance gegen Nintendo! Ich war maßlos enttäuscht. Dies konnte man mir auch deutlich ansehen. Trotz des Unmutes spielten Calogero und ich mit dem billigen Imitat, oder besser gesagt, wir versuchten es. Man hatte das Gefühl, dass die Pixel immer in einer bestimmten Abfolge aufblinkten und man selbst keinerlei Einfluss hatte, am „Spielgeschehen" teilzunehmen. Ja, so sah unsere Actionwelt aus. Ich ließ aber nicht locker und bettelte, was das Zeug hielt:

»Mama, bitte, bitte, bitte, kauft mir einen Game Boy, dann lass ich euch für immer in Ruhe, ich verspreche es! Da ist sogar schon ein cooles Spiel mit Bausteinen dabei.«

Manuels Mutter:
»Bausteine? Du brauchst kein Spiel mit Bausteinen. Wir haben dir zwei Eimer voller Legosteine gekauft. Die stehen in deinem Zimmer in der Ecke herum. Spiel mit denen.«

Der Hype um den Game Boy wurde von Tag zu Tag immer größer. Die Häufigkeit der Werbespots nahm zu. Diesmal zeigten sie auch kurze Spots der unterstützten Spiele. Der Werbeclip für das Turtles-Spiel ließ meine Gier nach dem Gerät nicht gerade weniger werden. Ganz im Gegenteil. Und da gab es noch ein weiteres Spiel, das uns sofort in seinen Bann zog. *Super Mario Land.* Laut Calogero gab es in Italien sogar eine Zeichentrickserie mit ihm und seinem Bruder Luigi. Immer wenn er dort die Serie sah, bekam er nie genug davon, dem kleinen dicken Klempner dabei zuzusehen, wie er seine geliebte Prinzessin aus den Fängen des schrecklichen Bowsers befreite. Dass Mario, genau wie mein Kumpel, Italiener war, war allein Grund genug dafür, dass er zu einem von Calogeros absoluten Lieblingsfiguren wurde. Auf dem NES seines Cousins aus Italien hatte er bereits ein paar Super-Mario-Spiele zocken dürfen, doch hier in Deutschland besaß leider keiner von uns beiden ein NES und Spiele mit den Super Mario Brothers.

Unsere Eltern wurden fortan immer grauenvoller genervt. Konnten sie nicht sehen, dass ich für dieses Ding und Mario sogar unser Zimmer blitzeblank putzen würde? Aber es war nichts zu machen. Der kleine graue Spieljunge blieb weiterhin ein Traum. Warum stellten sie sich so an? Das Teil kostete doch nur 150 Mark. Wir verlangten doch nicht die Welt! Selbst ein Hungerstreik brachte meine Eltern nicht dazu, ihr Portemonnaie zu zücken. Die letzte Hoffnung lastete auf Weihnachten. Da ich wusste, dass es im Jahr zuvor an Heiligabend richtig tolle Geschenke von meinen Großeltern gegeben hatte, hoffte ich darauf, dass sie mir dieses Jahr einen Game Boy schenken würden. Und da meine Großeltern immer mehr als großzügig zu meinem Bruder und mir waren, standen die Chancen nicht schlecht. Bei Calogero allerdings gab es an Weihnachten keine Geschenke.

»Du hast es gut! Wir feiern kein Weihnachten und Geschenke gibt es auch keine. Nicht mal zu meinem Geburtstag bekomme ich ein Geschenk. Leider ist mein Vater kein Dagobert Duck. Ich kann sogar froh sein, wenn er meinen Geburtstag nicht vergisst. Zu meinem Letzten hat er mir erst zwei Wochen später gratuliert. Das ist ihm schon ein paar Mal passiert.«

Monate später war es dann soweit. Weihnachten. Mein Wunsch ging in Erfüllung und ich bekam endlich den heiß ersehnten Game Boy mit den Spielen *Tetris*, *Super Mario Land* und *Turtles*. Ich war überglücklich.

Ein paar Häuser entfernt kam es im Hause Bella Sicilia zu einem Weihnachtswunder der besonderen Sorte. Sowas gab es bei ihm noch nie. Calogeros Eltern gaben unglaublicherweise zum ersten Mal nach und gönnten ihrem Zögling einen Spielburschen mit italienischem Klempner aus dem Hause Nintendo. Wir waren die glücklichsten Kinder der Welt, dankten unseren Eltern und ließen sie endlich in Ruhe. Fürs Erste jedenfalls. Nun konnten wir uns mittels Dialogkabel gegeneinander die virtuellen Steine um die Ohren ballern. Bei *Tetris* gab es insgesamt drei Lieder. Das erste Lied, also das Titellied des Spiels, hat sich bis heute in mein Hirn eingebrannt. Ich glaube, selbst als von Demenz zerfressener Schimmelrentner könnte ich es niemals vergessen. *Tetris* begeisterte uns, doch *Super Mario Land* und *Turtles* gaben uns den Rest.

Im Nu waren wir die absoluten Kings und so lässig wie Cool MC Cool und Remington Steele zusammen. Ab sofort spielten wir nicht mehr auf dem Hof. Nein! Wir spielten jetzt in einer aufregenden Actionwelt und viele Nachbarskinder beneideten uns dafür.

Von da an entbrannte bei mir und ganz besonders bei Calogero eine unendlich große Liebe zu Videospielen. Der Game Boy wurde eins mit uns und wir hatten ihn wirklich immer und überall mit dabei. Der Verschleiß an Batterien nahm enorm zu. Auch hier mussten wir unsere Eltern immerzu anbetteln, dass sie uns regelmäßig neue besorgten. Unsere Spiele, so gut sie auch waren, wurden, nachdem wir sie zig Mal durchgezockt hatten, auch irgendwann langweilig und Nachschub musste her. Die meisten Games waren nicht billig, doch hin und wieder hatten wir das Glück, ein paar Spiele geschenkt oder ausgeliehen zu bekommen.

KAPITEL

6

FEBRUAR 91

DM 3,50

SCHEUẞLICH BESTE FREUNDE

IN

BATMAN LÄSST NIEMANDEN HÄNGEN!

ES IST EIN HARTER JOB, DOCH IRGENDEINER MUSS IHN JA MACHEN!

KAPITEL 6

Batman lässt niemanden hängen

(Februar 1991)

Wie fast alle Kinder liebte ich damals als kleiner Knirps die Faschingszeit. Endlich konnte ich mich wieder als Cowboy verkleiden und jede Menge Süßigkeiten abgeiern. Rief man beim Faschingsumzug den bunt verkleideten Menschen auf den mühevoll geschmückten Umzugswagen ein lautes „Helau" zu, so warfen sie einem Bonbons, kleine Popcorntütchen oder andere Süßigkeiten herunter. Manchmal aber, wenn man Glück hatte, warfen sie einem Schlüsselanhänger, Münzen, Panini-Sticker, Pins oder andere tolle Gimmicks zu. In solchen Momenten war es besonders lustig, den umherkaspernden Erwachsenen dabei zuzusehen, wie sie sich energisch um dieses Zeugs stritten. Obwohl die Süßigkeiten und die anderen Goodies, die verteilt wurden, doch eher von minderer Qualität waren, hauten sich viele Leute ihretwegen fast die Köpfe ein, als wären sie wertvolle Diamanten. Manche Leute waren sogar so verrückt, dass sie auf die Straße sprangen, um die liegengebliebenen Bonbons und Popcorntütchen zu ergattern. Dabei nahmen sie auch in Kauf, von den anfahrenden Umzugswagen überrollt zu werden. In manchen Fällen endete es sehr schmerzhaft.

Bei den Kindern wurde selbstverständlich ebenfalls der Jagdtrieb aktiviert. Es war völlig egal, ob die Süßigkeiten schmeckten, wichtig war nur, dass man mehr hatte als die anderen Kinder und dass man mit seiner Beute prahlen konnte. Ich muss zugeben, auch ich blieb von diesem Jagdfieber nicht ganz verschont.

Im Februar 1991 kamen meine Eltern, mein Bruder und ich von einem der vielen Fastnachtsumzüge zurück nach Hause. Ganze zwei Plastiktüten voller Süßzeug hatte ich sammeln können. Richtig stolz darüber musste ich meine Beute selbstverständlich gleich meinem italienischen Kumpel zeigen. Während meine Eltern mit Kalvin meine Großeltern besuchten, durfte ich auf die gegenüberliegende Straßenseite zu dem Haus meines Kumpels gehen. Wie gewohnt klingelte ich bei ihm und hatte Glück, dass er zu Hause war. Die meiste Zeit verbrachte er ja draußen auf der Gasse oder auf dem Spielplatz. Es dauerte nicht lange, bis er zu mir hinunterkam. Als er mich in meinem Cowboykostüm sah, fing er sofort an, mich laut auszulachen:

»Hahahahahaha! Warum hast du dich als mexikanischer Penner verkleidet? Hahaha! Und was hast du da in den Tüten? Etwa deinen Müll? Hahahaha!«

Manuel:
»Wie gemein! Ich bin ein Cowboy. Wenn du siehst, was ich in den Tüten habe, wirst du neidisch!«

»Das will ich sehen, Stinky the Kid! Wo ist Kalvin? Ist er wieder alleine zu Hause? Hahahaha.«

Manuel:
»Haha, sehr witzig.«

Neugierig steckte er seine Nase in eine der beiden prall gefüllten Tüten. Erst machte er große Augen, aber dann presste er sie wieder kritisch zusammen.

»Ich muss dich leider enttäuschen, diese Bonbons sind Müll! Ich kenne die. Die schmecken nach Scheiße! Hahahahaha! Weißt du, was noch scheiße ist?«

Manuel:
»Nein, was denn?«

»Dein Kostüm! Vor allem dieser angemalte Bart, hahahahaha! Du siehst aus wie der Penner von Löwenzahn.«

Manuel:
»Hey! Das ist voll fies!«

»Tut mir leid, das ist nur die Wahrheit! Cowboys sind doch schon lange nicht mehr angesagt. Sowas kannst du heute nicht mehr bringen, Manuel. Aber ich sag dir was. Du kennst doch Batman und Robin. Die haben coole Outfits! Mit so einem Kostüm lacht dich keiner aus.«

Natürlich kannte ich Batman und Robin. Die Fernsehsendung mit Adam West in der Hauptrolle lief damals auf dem Fernsehsender Sat 1. Der Batman-Film von Tim Burton, den wir mal von Anna auf Video ausgeliehen bekamen, gefiel mir allerdings um einiges besser als die Klamaukserie aus dem Fernsehen.

»Hey, ich habe da eine Idee! Wir verkleiden uns als Batman und Robin! Komm, wir gehen zu dir nach Hause und wir basteln uns dann richtig coole Kostüme. Was sagst du dazu?«

Das klang nach Spaß, doch da gab es nur ein Problem. Meine Eltern waren noch bei meinen Großeltern und ich hatte keinen Schlüssel für unsere Wohnung. Was tun? Ich wollte so sehr ein neues und vor allem ein cooles Kostüm haben. Calogero brachte mich auf eine Idee. Ich ging zu meinen Großeltern, tat so, als wäre ich unheimlich durstig, trank etwas und stibitzte heimlich beim Rausgehen unsere Wohnungsschlüssel. Da meine Mutter sie immer am Schlüsselbrett im Flur aufhing, war es kein Problem, unbemerkt an sie heranzukommen. In einem Affentempo sprinteten wir in unsere Wohnung und suchten uns im Schlafzimmer meiner Eltern die passenden Utensilien für unsere supercoolen Kostüme. Wir mussten uns beeilen, wenn meine Eltern uns erwischt hätten, dann hätte es sicherlich zahlreiche Maulschellen für mich gegeben und Calogero wäre im hohen Bogen hinausgeflogen. Aus dem Kleiderschrank schnappten wir uns ein viel zu großes rotes T-Shirt, eine dunkelgraue Strumpfhose und einen grünen Schal, in den Calogero zwei große Löcher schnitt. Aus dem Badezimmer klaute ich mir noch ein paar Gummihandschuhe und schließlich aus dem Wohnzimmer eine kleine gelbe Wolldecke, die Calogero mir als Cape um die Schultern wickelte. Fertig war mein Robin-Kostüm. Er selbst nahm ein schwarzes T-Shirt meines Vaters und eine schwarze Strumpfhose meiner Mutter, in die er ebenfalls zwei große Löcher für die Augen schnitt. Mit ein wenig Tesafilm klebte er, nachdem er die „Maske“ aufgezogen hatte, kleine Fledermausohren aus Papier auf seinen Kopf. Auch für ihn klauten wir uns eine große dunkle Decke aus dem Wohnzimmer, die er ebenfalls als Umhang verwendete. Voller Überzeugung begutachteten wir uns gleich im Spiegel und kamen uns dabei richtig cool vor. Mein Cowboy-Outfit war längst vergessen.

Manuel:
»Wir sehen soooo cool aus! Und was machen wir jetzt?«

»Jetzt bringst du schnell die Schlüssel zurück, Robin, und danach retten wir Gotham City vor dem geistesgestörten Mr. Pepino!«

Manuel:
»Jaaaaaaaaa! Los geht's!«

Wie ein Ninja hängte ich, ohne erwischt zu werden, die Schlüssel wieder am Schlüsselbrett meiner Großeltern auf und ging anschließend mit Calogero zurück in den Hof, doch von dem geistesgestörten Mr. Pepino fehlte jede Spur.

»Er muss hier irgendwo sein. Ich weiß es! Hier riecht es nach Scheiße, er kann nicht weit weg sein!«

Kaum hatte mein Kumpel den Satz zu Ende gesprochen, kam auch schon Pepino mit seinem Fußball durch die Hofeinfahrt gelaufen.

Pepino:
»Hahaha! Wie seht ihr zwei Idioten denn aus? Was sind denn das für beschissene Kostüme?«

Manuel:
»Wir sind Batman und Robin, und unsere Kostüme sehen überhaupt nicht scheiße aus!«

Pepino:
»Ihr seid höchstens Fatman und Trottel. Hahahaha!«

»Schnell, Robin! Er hat die magische Kugel in seiner Gewalt. Wir müssen ihn unbedingt aufhalten, bevor er großen Schaden mit ihr anrichtet!«

Großen Schrittes rannte er auf den lachenden Pepino zu und ich ihm hinterher. Pepinos breites Joker-Grinsen verschwand schlagartig, als er sah, wie entschlossen wir auf ihn zugerast kamen. Vor mir hatte er nichts zu befürchten, doch vor meinem Kumpel hatte er Respekt. Calogeros Fäuste hatten sich in der Nachbarschaft auch schon einen gewissen Ruf erarbeitet. Blitzschnell brachte er Pepino mit einem gekonnten Football-Tackle zu Fall und fixierte ihn am Boden.

Pepino:
»Du bist doch irre! Was habt ihr vor? Diesmal habe ich doch gar nichts gemacht! Lass mich los! Arghh!«

»Schweig still, du geisteskranke Kreatur des Bösen! Wir werden dich jetzt ein für alle Mal aus dem Verkehr ziehen, damit du niemandem mehr etwas zuleide tun kannst. Los, Robin! Hol ein Seil, damit wir ihn fesseln können!«

Manuel:
»Ähh, Calogero ... woher bekomme ich denn ein Seil?«

»Ich bin Batman! Ich kenne keinen Calogero! Du hast wohl zu viele schlechte Süßigkeiten gegessen, Robin. Wenn du kein Seil hast, dann benutze deine Schnürsenkel. Schnell! Binde sie dir von deinen Schuhen los.«

Wie er mir befahl, entfernte ich die Schnürsenkel von meinen Schuhen. Zwischenzeitlich bettelte Pepino um sein Leben, doch es half nichts. Calogero blieb weiter auf ihm sitzen.

Pepino:
»Callo! Bitte geh von mir runter! Ich bekomme keine Luft mehr!«

»Verdammt! Was habt ihr alle mit diesem Calogero? Ich kenne diesen Calogero nicht! Halt die Schnauze, elender Mr. Pepino. Wir bringen dich jetzt in das Gefängnis meiner Bathöhle.«

Nachdem ich meine Schnürsenkel an „Batman" übergeben hatte, fesselte er Pepinos Hände auf den Rücken und hob ihn wieder auf die Beine.

Pepino:
»Verdammt, was machst du? Lass mich los! Ich muss gleich ins Training! Mein Vater wartet schon auf mich. Bitte, Callo! Lass mich endlich los!«

»Wenn du jetzt nicht gleich still bist, stopfe ich dir meine vergammelten Socken in den Mund!«

Manuel:
»Calo ... äh, ich meine Batman, wo ist denn die Bathöhle?«

»Das werde ich dir jetzt zeigen, mein kleiner Gehilfe.«

Links von unserer Hauseingangstür gab es einen kleinen Treppenabgang mit Geländer, der zu den Kellerräumen führte. Die Eingangstür zu den Kellerräumen war selten verschlossen, so liefen wir mit unserem Gefangenen durch die offene Kellertür. Neben den ganzen Abstellräumen gab es auch einen großen Raum, in dem die Bewohner unseres Hauses ihre nasse Wäsche zum Trocknen aufhängten. Batlogero öffnete die Tür dieses Raums, warf Pepino hinein und schloss die Tür mit dem von außen steckenden Schlüssel ab.

»So! Robin, mein treuer Gefährte, dieser Schuft wird uns nie wieder Ärger machen! Und wieder einmal haben wir die Welt vor einem gefährlichen Verbrecher gerettet. Commissioner Gordon wird uns bestimmt eine schöne Belohnung für diesen stinkenden Strolch geben. Wir müssen ihm sofort Bescheid ...«

»AAAAAAAAHHHHHHHHH! Hilfeeeeeeeeee!«,

schrie Pepino plötzlich panisch aus dem Trockenraum.

Pepino:
»Hilfeeeeee! Bitte holt mich sofort hier raus! Bitteeee, Calogerooo! Hier ist jemand! Ich habe solche Angst! Biiiitteeee!«

»Halt die SCHNAUZE! Wie oft soll ich es dir noch sagen? ICH BIN BATMAN! Siehst du, Robin? Er versucht, uns mit allen Tricks hinters Licht zu führen. Er denkt, dass wir ihn mit so einem billigen Trick wieder frei lassen. Aber nicht mit uns! Das dynamische Duo lässt sich nicht verarschen! Wir sind doch keine Schlümpfe. Tom und Jerry kannst du mit jemand anderem spielen, Stronzo!«

Pepino:
»BITTE, BITTE, BITTE! ICH VERARSCHE EUCH NICHT!«

Noch nie zuvor hatte ich Pepino so verzweifelt um Hilfe rufen hören. So wie er schrie, konnte ich mir kaum vorstellen, dass er uns reinlegen wollte. Er begann sogar bitterlich zu weinen. Danach fing er an, wild gegen die Tür zu treten. Das hörte sich wirklich nicht nach Spaß an. Ich begann, mit Pepino Mitleid zu bekommen, und bat Batlogero, ihn wieder freizulassen.

»Na gut, Robin, wenn er aber wieder unschuldigen Menschen etwas antut, dann bist du schuld daran!«

Somit öffnete der dunkle Rächer wieder die Kellertür. Kaum war diese einen Spalt weit offen, kam auch schon ein völlig verzweifelter Pepino herausgesprungen. Sein

Gesicht war kreidebleich, so als hätte er gerade ein Gespenst gesehen. Niemals zuvor hatte ich ihn so erlebt. Etwas musste ihm wirklich einen Riesenschrecken eingejagt haben. Sofort war er von dem Kellergeschoss in den Hof gerannt. Seine Hände waren dabei immer noch mit den Schnürsenkeln gefesselt.

»Da ist doch niemand im Keller! Der veräppelt uns! Ich kenne den doch!«

Während Calogero das sagte, steckte er neugierig seinen Kopf in den Raum und schaute sich um.

»Da ist doch nichts, diese Kacknase hat bestimmt nur eine Maus gesehen und denkt ... AAAAAAHHHHHHHHH! OH MAMMA MIA! Schnell raus hier!«

Gerade als ich auch einen Blick erhaschen wollte, packte mich Batlogero am Kragen und rannte schnell mit mir hoch in den Hof.

»Da hängt ein Mann, da hängt ein Mann, da hängt ein Mann! Wir müssen schnell jemanden rufen!«

Auch meinem besten Kumpel, dem unerschütterlichen Batlogero, konnte man einen Megaschrecken im Gesicht ansehen. Obwohl ich rein gar nichts gesehen hatte, wurde auch ich ängstlich. Die beiden steckten mich mit ihrer Panik an. Sofort rannte er zu den Klingeln unseres Hauses und schellte bei all unseren Nachbarn. Es vergingen kaum ein paar Sekunden, bis Bernhard Supplie das Schlafzimmerfenster öffnete und hinausschaute. Zuerst dachte er wohl, wir würden ihm einen Streich spielen, doch als er sah, wie Calogero versuchte, ihm mit hektischen Worten zu erklären, was er genau gesehen hatte, begriff er, dass wir keinen Spaß machten. Pepino hingegen hatte sich schon längst verkrümelt.

»EIN MANN ... IM KELLER ... HÄNGT ... TOT! AHHHHHHHH!«

Die Supplies alarmierten sofort die Polizei. Es dauerte nicht lange und mehrere Nachbarn bekamen den Vorfall mit. Neugierig versammelten sie sich auf dem Hof und warteten mit uns auf die Polizei. Minuten später konnten wir schon aus der Ferne laute Sirenen hören und Blaulicht sehen.

»Siehst du das blaue Licht dahinten, Manuel?«

Manuel:
»Ja, ich kann es sehen.«

»Und weißt du, was es macht?«

Manuel:
»Nein, was denn?«

»Na, es leuchtet blau!«

Als die Beamten eintrafen, stellte sich heraus, dass sich der Mann von Frau Kokinelli im Keller das Leben genommen hatte. Er hatte sich an einem der Querbalken aufgehängt, die an der Kellerdecke befestigt waren.

Dann, als die Polizisten in Begleitung von Frau Kokinelli aus dem Keller kamen, lief Batlogero schnurstracks auf sie zu.

»Hey, Officers, ich habe den Mann gefunden. Der sieht schon wie Beetlejuice aus. Er ist ganz klar tot, und ich habe den Fall gelöst!«

Frau Kokinelli fiel völlig verzweifelt auf ihre Knie und weinte entsetzlich. Einer der Beamten half ihr wieder auf die Beine und führte sie zurück in ihre Wohnung, während der andere mit uns im Hof blieb.

»Hey, Commissioner Gordon, da ich den Mann im Keller gefunden habe, heißt das doch, dass ich eine dicke Belohnung verdient habe, oder?«

Polizist:
»Commissioner wer? Ähhh ... du hast den Mann im Keller gefunden? Geht es dir denn gut?«

»Jaja, mir geht es gut! Also was ist jetzt mit der Belohnung? Batman arbeitet nicht umsonst.«

Polizist:
»Hahaha, nun, sowas habe ich bis jetzt auch noch nicht erlebt. Hübsches Kostüm! Nun ja ... hmm ... ich wüsste nicht, was wir dir als Belohnung geben könnten. Hey, jetzt fällt mir etwas ein. Komm mal mit zu unserem Auto.«

Mit stolzgeschwellter Brust folgte Calogero ihm zum Streifenwagen. Auf dem Weg dorthin fragte er den Polizisten aus:

»Arbeitet der Opa von der nackten Kanone auch bei euch?«

Polizist:
»Äh ... welcher Opa? Wie heißt der denn?«

»Ach, ist schon gut. Vergessen Sie es.«

Als der Polizist die hintere Tür des Streifenwagens öffnete, träumte Calogero schon von einer eigenen Pistole oder einem Knüppel oder ein paar Handschellen, aber er kam schließlich nur mit einer Tasse zurück. Doch es war keine gewöhnliche Tasse. Nein, es war eine Glücksbärchi-Tasse! Kaum hätte man ihn schlimmer beleidigen können. In seinem Gesicht war ihm buchstäblich der Zorn anzusehen.

»Diese miesen Versager haben mich voll verarscht. Ich reiße mir den Arsch auf, kläre den Fall für die und bekomme dafür nur eine Scheißtasse mit diesem hässlichen Bären drauf! Das war's mit Batman. Ich habe die Schnauze voll! Sollen die doch die Stadt alleine retten! Ich hänge den Job an den Nagel.«

Dann riss er sich die „Maske" vom Kopf und schmetterte sie wutentbrannt auf den Boden.

»Los, Manuel! Lass uns die Kostüme ausziehen und unsere Game Boys holen. Ich habe von einem Kumpel Double Dragon ausgeliehen bekommen.«

Im Gegensatz zu ihm gefiel mir die Tasse und ich fragte ihn, ob er sie mir schenken wolle.

»Heweps! Nix gibt's! Du hast keine Ahnung, was ich für diese Tasse durchmachen musste!«

Manuel:
»Och menno, bitte! Dir gefällt sie doch eh nicht.«

»Hmm ... na gut, aber nur wenn du mir eine von deinen beiden Süßigkeitentüten gibst.«

KAPITEL

7

MAI 91

SCHEUẞLICH BESTE FREUNDE

IN

DM 3,50

DER CALOGERO-CROSSBAR-CRUSHER

KAPITEL 7

Der Calogero-Crossbar-Crusher

(Mai 1991)

In der Zeit um Mai 1991 sammelten wir außer Panini-Stickern beidseitig bedruckte Kärtchen, die etwas größer waren als die Sticker. Auf den Frontseiten der Karten waren verschiedene Bilder von Kämpfern der World Wrestling Federation, kurz WWF, abgebildet. Wegen eines Rechtsstreits im Jahre 2002 wurde die Liga dann allerdings in WWE, World Wrestling Entertainment, umbenannt.

Anfang der Neunziger war Wrestling in Deutschland ganz groß im Kommen. Gerade für uns Kinder war es pure Unterhaltung. Da hatten wir auch noch keinen blassen Schimmer, dass die Kämpfe allesamt vorher abgesprochen waren. Wir hielten das alles für echt. Nachdem wir ein paar Jahre später die Wahrheit herausgefunden hatten, brach fast eine Welt für uns zusammen. Danach verlor Wrestling erst einmal an Reiz für uns.

Wie auch immer, 1991 waren wir besonders von den vielen durchgeknallten Kämpfern fasziniert, die es in der damaligen Wrestlingliga WWF gab. Das kanadische Muskelpaket mit der schon sehr eigenartigen pinken Sonnenbrille, Bret „The Hitman" Hart. Hulk Hogan, der allseits bekannte weißblonde und braun gebrannte Opa, der vor jedem Kampf sein Unterhemd zerriss. Er kämpfte immer auf die gleiche monotone Art und hatte eigentlich nicht viel auf dem Kasten. Shawn Michaels, ein Frauenheld, der mit seinen langen blonden Haaren und femininen Outfits schon fast selbst wie eine Frau aussah. Und Calogeros persönlicher Held, der düstere Totengräber Undertaker, der allein durch seine bloße Anwesenheit das Blut seiner Gegner im Handumdrehen gefrieren ließ. Der Million Dollar Man, Rick Flair und Macho Man zählten zu unseren Hassfiguren.

Jeder der Wrestler hatte seine eigene Spezialattacke, mit der er den Gegner sofort ausknocken konnte. Unbeschwert wurde dann der auf dem Boden liegende Kontrahent gepinnt und vom Referee ausgezählt.

An einem dieser Mittage im Mai 91 verabredeten wir uns mit zwei anderen Kumpels von Calogero aus der Nachbarschaft, um in unserem Hof gegeneinander mit Wrestlingkarten zu „schnibbeln". Die beiden wohnten bei Calogero um die Ecke. Can, ein Türke, der immer ein sympathisches breites Lächeln auf dem Gesicht hatte, und ein blonder Grieche, den wir Laky nannten. Beide waren ungefähr im gleichen Alter wie mein Kumpel. Dank ihm durfte ich mitspielen. Leider war auch Pepino mit von der Partie. Die Regeln des Spiels waren in etwa so: Man stellte sich mit seinen Karten ungefähr fünf Meter vor irgendeine Mauer und jeder Spieler schnibbelte nacheinander eine Karte zu dieser hin. Beim Schnibbeln selbst steckte man sich die obere Ecke der gewählten Karte zwischen Zeige- und Mittelfinger und ließ sie anschließend mittels einer ruckartigen Vorwärtsbewegung des Handgelenks durch die Luft gleiten. Nachdem jeder Mitspieler an der Reihe gewesen war, wurde dann geschaut, wessen Karte näher an der Mauer lag. Der Gewinner bekam im Anschluss alle eingesetzten Karten.

Es war ein Riesenspaß, doch Pepino machte uns zwischendurch mit seiner zurückgebliebenen Art völlig wahnsinnig. Um jeden Preis versuchte er zu gewinnen und hatte an diesem Tag sogar richtig Glück dabei. Wenn er dann Erfolg hatte, provozierte er uns, indem er die gewonnenen Karten ableckte und uns dämlich auslachte. Das machte besonders Calogero sehr aggressiv.

»Sei froh, dass wir nicht WWF Superstars gegeneinander spielen, da hättest du nicht den Hauch einer Chance. Mach nur so weiter, Pepino, und ich poliere dir die Fresse!«

Gewalt lag in der Luft. Es war nur eine Frage der Zeit, bis es in unserem Hof zu einem exklusiven Wrestlingmatch zwischen Deppino und Calogero „The Crusher“ kommen sollte. Im Verlauf des Spiels hatte mein Buddy nur noch zwei Karten übrig. Außer ihm war nur noch Pepino im Rennen. Alle anderen Mitspieler hatten ihre ganzen Karten bereits an Pepino verloren. Mich inbegriffen. Meine fünf Karten waren schnell verschwunden. Da ich es ja noch nie zuvor gespielt hatte, war ich besonders schlecht. Umso mehr hoffte ich, dass Calogero das Blatt irgendwie noch wenden würde. Seine beiden letzten Karten waren seine Lieblingskarten und eigentlich wollte er sie nicht einsetzen, doch Pepino forderte ihn zu sehr heraus. Dabei traf er bei meinem Kumpel einen wunden Punkt.

Pepino:
»Was ist los, Callo? Traust du dich nicht? Weißt du was? Du bist eine richtig feige Sau!«

Laky und Can fingen an, laut zu lachen.

»Waaaaaas? Dass eine Sache klar ist. NIEMAND nennt mich eine feige Sau! Komm, lass uns weiter spielen! Ich setze meine Ultimate-Warrior-Karte ein. Du fängst an!«

Selbstverständlich wählte Pepino eine seiner schäbigsten Karten. Eine an den Kanten völlig kaputte und in der Mitte zerknickte Bob-Backlund-Karte.

»Schaut zu und lernt, ihr Trottel!«,

schnauzte er uns großspurig an und schnibbelte seine Karte zur Steinmauer. Diese miese Ratte hatte wieder Glück. Seine Karte lag nur wenige Zentimeter von der Wand entfernt. Nun war Calogero am Zug. Voll konzentriert nahm er die Ultimate-Warrior-Karte und visierte die Mauer an. Neben ihm versuchte Pepino ihn mit wild fuchtelnden Händen und Rülpsgeräuschen aus dem Konzept zu bringen. Mit Erfolg. Die Karte fiel, nachdem er sie geschnibbelt hatte, viel zu früh auf den Boden.

Pepino:
»Du kannst mich nicht schlagen! Ich bin der Beste! Willst du deine letzte Karte auch noch gegen mich verlieren oder hörst du jetzt auf? Du feige Sau!«

Alle Augen waren auf Calogero gerichtet.

»Sag das noch einmal und ich verpass dir einen Dropkick! Alles oder nichts! Wenn ich gewinne, bekomme ich alle deine Karten. Wenn du gewinnst, bekommst du meine sehr seltene Undertaker-Karte. Oder traust du dich nicht? Du feige Sau!«

Calogero hatte nun Pepino in eine unangenehme Lage gebracht. Da mein ekelhafter Nachbar sich nicht vor Laky und Can blamieren wollte, ging er auf den Deal ein. Wieder begann Pepino. Er wählte seine geliebte Rick-Flair-Karte und schnibbelte sie schwungvoll durch die Luft. Doch diesmal fiel die Karte schon auf halber Strecke zu Boden. Calogero hatte leichtes Spiel. Mit einem breiten Siegerlächeln rieb er sich die Hände und stellte sich siegessicher vor die Mauer. Zack, und die Undertaker-Karte flog durch die Luft. Es sah ganz danach aus, als würde er gewinnen, doch als die Karte schon fast die Mauer berührte, kam ein kräftiger Windstoß um die Ecke und wehte sie zurück, vor die Füße meines Freundes.

»Betrug! Betrug! Das zählt nicht!«

Noch ehe Calogero den Satz zu Ende bringen konnte, schnappte Pepino ihm die Karten weg und steckte sie schnell in seine Hosentasche.

Pepino:
»Egal, was du sagst, ich habe gewonnen und die Karten gehören jetzt mir! Hahaha!«

»Gib mir sofort meinen Undertaker zurück, das zählt nicht! Das ist Betrug!«

Zwar wusste Pepino allzu gut, dass er gegen Calogero körperlich nicht den Hauch einer Chance hatte, trotzdem hüpfte er wie ein tollwütiger Affe wild um ihn herum. Dabei tat das Ekel so, als wolle er Calogero Ohrfeigen geben. Das Ganze ging so lange gut, bis plötzlich seine linke Hand ungewollt mit voller Wucht gegen Calogeros Nase klatschte. In der Vergangenheit hatte mir mein Kumpel einmal erzählt, dass eine Sache ihn besonders zum Ausrasten bringen konnte. Dies passierte immer dann, wenn ihm einer auf die Nase schlug. In diesen Momenten würde er zum unglaublichen Hulk mutieren. Aus Calogeros Nase floss ein winziger Blutstropfen und ich war echt gespannt, was mit Pepino nun geschehen sollte.

Manuel:
»Calogero, du blutest ja!«

Calogero sah nun rot und seine Haut färbte sich grün. Dichter Dampf stieg aus seinen Ohren und Nasenlöchern.

»Ich habe keine Zeit zum Bluten!«

In bester Wrestlingmanier gab es plötzlich blitzschnell eine heftige und laute Flatsche in Pepinos Gesicht. Er fiel wie ein nasser Sack zusammen, um dann direkt wieder von Calogero „The Crusher" aufgehoben und durch die Luft gewirbelt zu werden. Es war beeindruckend, mit welch graziösen Bewegungen er trotz seines Übergewichts zu Gange war. Man konnte die Handschrift des Undertakers förmlich erkennen. Nachdem Pepino einige Male wie ein Propeller durch die Luft gewirbelt worden war, flutschte er irgendwie aus Calogeros Händen. Sofort nutzte er die Gelegenheit, um in Richtung Hofeinfahrt zu fliehen. Er hatte jedoch die katzengleiche Schnelligkeit des Crushers unterschätzt. So überholte dieser Pepino und schnitt ihm den Weg ab. Dann drängte er den Rotzlöffel zum eisernen Geländer des Treppenabgangs. In den folgenden Sekunden sollte Pepino Zeuge einer neuen Spezialattacke werden: dem seitdem legendären Calogero-Crossbar-Crusher! Mit der Querstange des Kellergeländers im Rücken und Calogero vor seiner Nase gab es für Pepino kein Entkommen. Calogero quetschte ihn zwischen sich und der Querstange ein und verstärkte Pepinos Qualen, indem er die Stange mit beiden Händen fest umschloss und seinen Oberkörper mächtig gegen den von Pepino presste. Panische und fast herzergreifende Schreie hallten durch den Hof. Ein Wasserfall von Tränen lief über Pepinos bleiches Gesicht, während er um sein Leben bettelte. Als er sich schließlich nicht mehr rühren konnte, ließ mein bester Freund ihn endlich wieder los. Pepinos regungsloser Körper sackte wieder in sich zusammen, nur diesmal ließ Calogero ihn liegen. Laky kam angerannt und zählte ihn aus.

Laky:
»Eins ... zwei ... drei ... der ist k. o.! Callo hat gewonnen!«

Mit beiden Armen siegreich zum Himmel gerichtet schrie Calogero:

»I AM THE CHAMPION, MY FRIEEEEEND! Tja, Fatzke, du weißt, wer der Beste ist! Minchia, berühr nie wieder meine Nase! Hast du verstanden?«

Während Can und Laky jubelten und den Namen meines Kumpels laut durch den Hof brüllten, griff er in Pepinos rechte Hosentasche und nahm ihm seinen kompletten Kartenstapel ab. Aus all den Karten suchte er dann die vergammelte Bob-Backlund-Karte heraus, spuckte auf sie und schnibbelte sie gegen Pepinos Stirn.

»Diesen Müll kannst du behalten, Stinktier! Danke Gott, dass ich dir nicht wie Mister Miyagi so richtig die Fresse poliert habe!«

KAPITEL

8

AUGUST 91

SCHEUẞLICH BESTE FREUNDE

IN

DER EINARMIGE UND DER BANDIT

Pepinos Rache kennt keine Grenzen!

KANN CALOGERO SEINE UNSCHULD BEWEISEN UND DEM GEMEINEN PEPINO DAS HANDWERK LEGEN?

KAPITEL 8

Der Einarmige und der Bandit

(August 1991)

Eines warmen Nachmittags im August 1991 saß ich auf der Fensterbank unseres Kinderzimmers und wartete, bis die heilige Mittagsruhe zu Ende war. Das eher bescheidene Rennspiel *F1 Race* für den Game Boy, das ich von meinem Cousin Chris geschenkt bekommen hatte, half mir ein wenig, die Zeit totzuschlagen. Ich konnte es kaum abwarten, endlich Calogero zu treffen.

Ein paar Wochen zuvor waren wir gemeinsam mit meinem Vater im Kino gewesen und hatten uns *Turtles 2* angeschaut. Der Film hatte sogar den ersten Teil, den wir irgendwann im Jahr davor auf Video gesehen hatten, getoppt. Kurz nach dem Kinobesuch hatte Calogero herausgefunden, dass einer seiner Klassenkameraden einige Actionfiguren aus dem neuesten Turtles-Film hatte. Eine davon wollte er sich unbedingt ausleihen und mir nach der Schule präsentieren. So saß ich nun am Fenster und wartete gespannt.

Irgendwann hörte ich aus der Ferne laute Musik näherkommen. Neugierig öffnete ich das Fenster und sah meinen Kumpel, der mit einem laut aufgedrehten Ghettoblaster durch unsere Einfahrt getanzt kam. Aus den Boxen dröhnte mit voller Wucht *Set it off* von Strafe aus dem Jahre 1984. Lässig schlenderte er zum Beat in Richtung unseres Fensters.

»Hey, Manuel, kommst du raus? Ich habe die Turtles-Figur leider nicht bekommen, aber ich habe dafür ein paar coole Lieder, die ich dir unbedingt zeigen muss!«

Manuel:
»Oh, schade. Ich würde jetzt gerne rauskommen, aber es ist doch gerade Mittagsruhe. Calogero, das weißt du doch. Wir dürfen noch nicht auf den Hof, sonst wird Herr Supplie ganz, ganz sauer!«

»Supplie, Supplie, Supplie, immer höre ich diesen Namen Supplie. Pepino hat mich auch schon vor dem gewarnt. Ich habe keine Angst vor diesem alten Sack und seiner hässlichen Hexenfrau! Bei uns gibt's keine Scheißmittagsruhe! Überall können Kinder in Ruhe spielen, nur bei euch nicht!«

Kaum hatte Calogero zu Ende gesprochen, öffnete sich über uns das Schlafzimmerfenster der Supplies.

B. Supplie:
»Sag mal, bist du von allen guten Geistern verlassen worden? ES IST MITTAGSRUHE! Scher dich sofort aus unserem Hof, du kleiner dicker Unruhestifter, sonst komme ich nach unten und bringe dir Manieren bei!«

Calogero schaltete die Musik aus und schaute auf seine Casio-Digitalarmbanduhr.

»In 45 Minuten ist die Mittagsruhe vorbei und dann komme ich zurück!«

B. Supplie:
»Wenn du hier nicht wohnst, dann hast du hier nichts zu suchen. Und jetzt raus mit dir! Ich will dich hier nie wieder sehen!«

»Hasta la vista, Baby! Ich komme wieder!«

Komischerweise hatten Calogeros vorherige Hofbesuche Supplie nie sonderlich gestört, warum dann ausgerechnet ein Jahr später? Vielleicht lag das an unseren neuen Nachbarn, die ein paar Wochen vorher frisch über den Supplies eingezogen waren. Die Öztürks. Sie hatten zwei kleine Kinder, die sehr aktiv waren. Vor allem abends. Die Supplies beschwerten sich ständig, dass seit dem Einzug der neuen Nachbarn fast in jeder Nacht über ihrem Schlafzimmer donnernde Schläge und lautes Geplärre zu hören waren.

Exakt 45 Minuten nach Calogeros erstem Anschiss von Supplie hörte ich wieder laute Musik aus unserem Hof kommen. Es war natürlich kein geringerer als mein Kumpel. Diesmal pumpte laut *Ninja Rap* von Vanilla Ice aus den Lautsprechern seines Ghettoblasters. Bestens gelaunt und hoch motiviert rief er mir zu:

»Hey, Manuel! Komm endlich raus! Die Mittagsruhe ist doch vorbei! Go Ninja, go Ninja, go!«,

und hüpfte dabei wie ein Irrer durch unseren Hof. Das sah wirklich spaßig aus. Als ich draußen ankam, tanzte Calogero auf der asphaltierten Parkfläche Breakdance. Dabei stand er ausgerechnet noch vor dem Mercedes der Supplies herum.

Begeistert tanzte ich mit, doch es dauerte nicht lange, bis unser Dance Battle unterbrochen wurde. Genau in dem Moment, in dem mein bester Freund zum Headspin ansetzte, öffnete sich erneut Supplies Schlafzimmerfenster.

B. Supplie:
»WEG VON MEINEM AUTO! Sag mal, war ich vorhin nicht deutlich genug? Raus mit dir! ABER SOFORT! DAS HIER IST KEIN SPIELPLATZ!«

Manuel:
»Entschuldigung, Herr Supplie. Das ist Calogero, mein bester Freund. Er war doch schon so oft hier und war immer ganz lieb gewesen. Bitte schicken sie ihn nicht weg! Wir spielen auch ganz leise und ganz weit weg von dem Auto.«

Fast wäre es mir gelungen, Supplie zu besänftigen, doch mein Kumpel schubste mich zur Seite, griff sich an die Klöten und fauchte giftig zurück:

»Testa di cazzo, rompicoglioni! Ich war schon so oft hier, das hat noch nie jemanden vorher gestört! Die Mittagsruhe ist vorbei und ich bleibe, basta!«

Um Supplie noch mehr zu provozieren, sang Calogero *It's my Life* von Dr. Alban. Bernhard rastete aus, wie ich es noch nie zuvor erlebt hatte. Seine cholerischen Schreie waren so laut, dass selbst Pepino sie im Nachbarhaus von seinem Zimmer aus hören konnte. Neugierig wie er war, kam er sofort auf den Hof geschlichen und beobachtete listig das Geschehen.

B. Supplie:
»JETZT REICHT ES! Ich komme runter und versohle dir deinen dicken Hintern! Na warte!«

Dass Bernd oft Kinder vom Fenster aus anschrie, war nichts Neues, doch dass er herunterkam, um Kinderärsche zu versohlen, hatte ich noch nie erlebt. Calogero dachte, dass Bernhard bluffen würde und lachte sich halb schlapp.

»Dieser alte Affenarsch traut sich doch eh nicht! Was soll er denn machen, mit nur einem Arm? Der soll lieber noch eine Schlaftablette schlucken und Glücksrad oder der Preis ist heiß glotzen. Was willst du außerdem hier, Pepino? Verpiss dich! Hier gibt es nichts zu sehen!«

Mit einem lauten Schlag öffnete sich unsere Hauseingangstür und ein von Hass durchtränkter Supplie kam drohend auf Calogero zugerannt. Er muss wohl in diesem Moment all seine restliche Kraft gebündelt haben, denn der fitteste war er sicherlich nicht mehr. Damit hatte mein sizilianischer Kamerad nicht gerechnet. Wie versteinert stand er nun vor dem kochenden Rüpelrentner. Mit seinem verbliebenen rechten Arm packte Bernhard meinen Kumpel am linken Ohrläppchen, drehte es, und lief mit Calogero schnurstracks zur Hofausfahrt. Das Ganze wurde von Pepinos schadenfrohem Gekicher begleitet. Noch immer hatte er blaue Flecken an den Rippen vom Calogero-Crossbar-Crusher. Seitdem hatte er auf einen passenden Moment gewartet, in dem er sich dafür rächen konnte. Jetzt war, aus seiner Sicht, dieser Moment endlich gekommen. Mein Bitten, Betteln und Weinen konnten Supplie nicht dazu bewegen, Calogeros Ohrläppchen loszulassen. Ich war völlig machtlos. Schließlich drohte ich ihm, es meinen Eltern zu sagen, doch auch das beeindruckte ihn nicht. Dem verbitterten Einarmigen ließ es völlig kalt. Er gab ein paar wüste Flüche von sich und beförderte meinen Kumpel mit einem wuchtigen Schubser hinaus auf den Gehweg. Wie konnte unser Nachbar nur so gemein sein? Glück für ihn, dass ich noch ein kleiner Knirps war, sonst hätte er sich warm anziehen können.

»Mein Vater wird dir deinen faltigen Arsch aufreißen! Mach dich auf was gefasst! Minchia secca!«

Noch bevor ich etwas sagen konnte, stand Calogero auf und rannte mit feuchten Augen davon.

Manuel:
»Sie sind ein gemeiner alter Mann! Schämen Sie sich! Ich hasse Sie! Das werde ich meinen Eltern sagen!«

Dann rannte ich, so schnell ich konnte, zurück zu meinen Eltern in die Wohnung und petzte, wie angedroht, die ganze Aktion. Die Kacke war am dampfen! Als meine Mutter gerade unsere Wohnung verlassen wollte, um Supplie zur Rede zu stellen, klingelte es an unserer Tür. Draußen stand Bernhard. Er wollte unbedingt den Namen und die Adresse meines Freundes erfahren. Calogero hatte angeblich den Stern von seinem heiligen Mercedes abgerissen und geklaut. Damals hatten die teuren Mercedes einen umkreisten Metallstern vorne an der Motorhaube montiert, der nach oben abstand.

B. Supplie:
»Seit Wochen habe ich keine ruhige Nacht gehabt! Ständig dieser Lärm von diesem Gesocks von oben, und jetzt ist mein Auto beschädigt! Mir reicht es! Wie heißt dieser Junge? Fabrizio? Fabio?«

Manuel:
»Er heißt Calogero! Und Sie lügen! Das stimmt nicht, Mama! Der lügt!«

Manuels Mutter:
»Woher wollen Sie das wissen, dass es Manuels Freund war?«

B. Supplie:
»Er wurde gesehen. Ich habe einen Zeugen! Er hat es mir verraten. Dieser Fabrizio war es, ohne jeden Zweifel! Sag mir, wo er wohnt, oder ich rufe die Polizei und dein Freund kommt ins Gefängnis.«

Manuels Mutter:
»Ach, hören Sie doch auf, so einen Mist zu erzählen. Und noch mal, er heißt Calogero!«

Wieder klingelte es an unserer Wohnungstür. Draußen standen mein Kumpel und sein Vater. Natürlich ließ ich sie zu uns ins Treppenhaus. Plötzlich war Bernhard nicht mehr so vorlaut. Als er die beiden erblickte, verschlug es ihm die Sprache. Es roch verdächtig nach Rumble in the Jungle und das Fass drohte überzulaufen. Calogeros Vater war hochaggressiv und geladen wie eine Benelli Schrotflinte.

»Das ist er, Papa!«

Giuliano packte Supplie am Kragen und setzte zu einer Ohrfeige an.

Calogeros Vater:
»Wasse du gemakte mit meine Sohne, eh? Wasse Problemc, eh?«

B. Supplie:
»Ich habe nichts gemacht! Im Gegenteil! Ihr Sohn terrorisiert mich schon den ganzen Tag. Ähh ... erst stört er auf privatem Gelände fff...fremder Leute die vorgeschriebene Mittagsruhe uuu...und dann macht er meinen Mercedes kaputt und klaut den Stern. Der allein kostet mehr als 300 Mark! Iiii...ich könnte sofort zur Poliz...zei gehen und Sie anzeigen ...«

»Verdammter LÜGNER! Papa, das stimmt nicht! Lo giuro!«

Die Deutschkenntnisse von Calogeros Vater waren zwar sehr bescheiden, doch allein die Worte „Ihr Sohn“, „Mercedes“, „kaputt“, „300 Mark“ und „Polizei“ reichten aus, ihn von Supplies Version zu überzeugen.

»Das stimmt nicht! Das ist gelogen! Papa, warum glaubst du diesem alten Sack?«

B. Supplie:
»Doch ich mache Ihnen einen Vorschlag. Ich gehe nicht zur Polizei, wenn Sie Ihren Sohn ordentlich bestrafen! Er soll mir den Mercedesstern zurückgeben und auch nie wieder zu uns in den Hof kommen. Dann ist die Sache für mich erledigt.«

Calogeros Vater:
»Isse in Ordenunge!«

Giuliano ließ Supplie los und packte Calogero an seinem Kragen. Wir alle, bis auf Supplie, protestierten ganz wild, doch was meine Mutter, mein bester Kumpel oder ich dazu auch zu sagen hatten, es war vollkommen egal. Giuliano zerrte den schreienden Calogero aus unserem Treppenhaus und Bernhard grinste meine Mutter dreckig an.

B. Supplie:
»So, und nun ist es beschlossen. Den sehen wir hier nie wieder! Am besten spielt Ihr Sohn mit seinem Freund in Zukunft draußen im Park, da ist es ja auch ganz schön.«

Daraufhin machte ihm meine Mutter unmissverständlich klar, dass er keinesfalls das Recht hatte, irgendjemanden aus unserem Hof zu verbannen. Das Wortgefecht zwischen Supplie und meiner Mutter wurde immer hitziger, interessierte mich gerade aber herzlich wenig. Viel mehr wollte ich meinen besten Freund vor einer saftigen Tracht Prügel bewahren.

Wie der Road Runner raste ich ihm und seinem Vater hinterher. Ich konnte sie zwar noch erwischen, bevor sie das Haus erreichten, doch ich wurde von seinem Vater wie Luft behandelt. Auf dem Weg zu ihrer Wohnung bekam Calogero ein Verhör to go. Während er den Gehweg entlang geschliffen wurde, hagelten im Sekundentakt sizilianische Ohrfeigen auf ihn nieder. Dabei immer wieder von der einen Frage begleitet, die er nicht beantworten konnte.

Calogeros Vater:
»Wo isse diese Sterne von di Mercedes, eh?«

Er hatte wirklich keinen blassen Schimmer, was das sollte. Plötzlich bemerkte er, während eine Ohrfeige sein Gesicht um 180 Grad nach hinten drückte, ein Kichern aus dem Hintergrund. Ohne dass wir es bemerkt hatten, folgte uns Pepino, diese hinterhältige Kreatur, und ergötzte sich an Calogeros Leid. Am liebsten hätte er sich aus den Fängen seines Vaters befreit und Pepino zu Brei geschlagen, doch nun musste er selbst erst einmal Prügel beziehen, und zwar wirklich ordentliche, wie sich noch herausstellen sollte. Vor meiner Nase schloss sich Calogeros Hauseingangstür und dahinter löste sein Vater sofort den Gürtel von der Hose. Es folgte eine vietnamkriegähnliche Fragestunde. Egal wie viel Schmerzen Calogero dabei durchleiden musste, er konnte den Stern nicht hervorzaubern. Nur der Gedanke, es Pepino bis aufs letzte Gliedmaß zurückzugeben, ließ ihn diese Tortur ertragen.

Traurig schlenderte ich zurück in den Hof, wo mir plötzlich der rattige Pepino über den Weg lief. Ich konnte es nicht fassen. Dieser miese Drecksack hatte den Mercedesstern in seiner Hand! Er war sogar so dreist, ihn mir direkt vor die Nase zu halten.

Pepino:
»Erzähl das doch dem Dicken, wenn du kannst! Der hat jetzt erst mal Hausarrest. Außerdem hat er ab jetzt für immer Hofverbot, hihihi. Soll er sich den Stern doch zurückholen, wenn er sich traut.«

Manuel:
»Wenn Calogero dich in die Finger bekommt, wird dir dein Lachen noch vergehen! Er wird dich in Stücke reißen!«

Irgendwie musste ich sofort meinem Kumpel davon berichten, doch wie? Wenn ich jetzt bei ihm geklingelt hätte, hätte er sicherlich noch mehr Ärger bekommen. Sein Vater war schon genug verärgert gewesen. Noch bevor ich irgendetwas tun konnte, nahm mich Pepino, wie so oft schon, mit einem Arm in den Schwitzkasten. Mit seiner anderen Hand hielt er wieder den Stern vor mein Gesicht.

Pepino:
»Oder willst du ihn dir holen, du Pimpf? Kannst du das schaffen? Hehe! Komm schon! Zeig mal, was du kannst!«

Mit aller Kraft, die mir zu Verfügung stand, wehrte ich mich, doch es half alles nichts. Ich konnte mich noch nicht einmal aus seinen Fängen lösen, wie sollte ich ihm dann diesen Stern abnehmen? Als ich um Hilfe rufen wollte, hielt er mir den Mund zu, und mir blieb schließlich nichts anderes übrig, als ihm kräftig in die Finger zu beißen. Dr. Best und seine Tomate wären stolz auf mich gewesen. Vor lauter Schock ließ Pepino den Stern fallen. Mit flinken Gaunerfingern schnappte ich mir sofort das edle Stück und rannte zu den Klingelschildern unseres Hauses, doch kurz bevor ich bei uns klingeln konnte, packte mich mein Verfolger von hinten am Schlafittchen und riss mir den Stern wieder aus der Hand. Ich konnte nichts tun, Pepino hatte einfach viel mehr Kraft als ich. So schrie ich mir die Seele aus dem Leib.

Pepino:
»Netter Versuch, Knirps. Was soll ich jetzt bloß mit dir anstellen? Schau mal, was du mit meinen Fingern gemacht hast!«

»Schau mal, was du mit mir gemacht hast!«

Plötzlich stand Calogero hinter ihm. Er hatte überall an seinen Armen und Beinen rote Flecken. Auch seine Backen waren vor lauter Ohrfeigen richtig rot und dick angeschwollen.

»Als ich dich vorhin gesehen habe, habe ich sofort gewusst, dass du dahinter steckst! Schon mal im blassen Mondlicht mit dem Teufel getanzt?«

Wie ich es Pepino schon vorher prophezeit hatte, verlor er ganz schnell sein Grinsen. Er hatte nun den gleichen Gesichtsausdruck wie damals, als er mit der Leiche alleine im Keller gewesen war. Er wusste ganz genau, was ihm nun blühen würde. Abhauen war zwecklos. Dafür stand Calogero viel zu dicht an ihm dran.

Pepino:
»HERR SUPPLIE! HERR SUPPLIE! ER IST WIEDER HIER! ER WILL WIEDER IHR AUTO KAPUTT MACHEN!«

Anders wusste sich diese miese Ratte in dem Moment nicht zu helfen. Calogero ließ es völlig kalt. Nichts und niemand würden ihn davon abbringen, den rattigen Pepino dafür büßen zu lassen. Supplies Schlafzimmerfenster öffnete sich. Der

Alte schrie sich hörbar die Lunge aus dem Leib. Es folgten Gesichtsentgleisungen allerersten Güte. Dunkelrote Adern quollen aus seinen Augäpfeln. Seine Halsschlagader pulsierte heftig und platzte fast auf. Dann zuckte und wedelte er heftig mit dem Stummel seines abgetrennten Arms durch die Luft.

»Schau dir das genau an, du alter Sack! Er war es mit dem Stern, nicht ich!«

Wie mein Kumpel ein paar Minuten zuvor bekam jetzt Pepino den sizilianischen Ohrfeigenregen zu spüren. Während er eine nach der anderen geflatscht bekam, drängte Calogero ihn dazu, mit der Wahrheit herauszurücken:

»Gib es zu! Du warst es!«

Pepino:
»Nein, ich war es nicht! Herr Supplie, Sie müssen mir helfen! Aaaaahhhh!«

»Stirb langsam, piccolo Bastardo!«

Calogero zog Pepino zu den Geländerstangen, mit denen er ja schon Wochen vorher Bekanntschaft gemacht hatte. Die Rückkehr des legendären Calogero-Crossbar-Crushers stand bevor! Und wie in jeder bekannten und guten Filmfortsetzung wurde auch hier noch einmal eine ordentliche Schippe draufgelegt. Calogero quetschte die Scheiße aus Pepino heraus. Unter lauten und jaulenden Schreien konnte man deutlich Knochen knacken hören.

»Gib es endlich zu!«

Pepino:
»Jaaaaa! Ist gut! Ich war es! Ich gebe es zu! Es tut mir leid! Aaaahhhh!«

Noch ein letzter Ruck und Pepino verspürte so viel Schmerz wie noch nie zuvor in seinem Leben. Er wurde sofort ohnmächtig. Sein Körper konnte diese Qual nicht mehr aushalten.

B. Supplie:
»Lass sofort den armen Jungen in Ruhe! Ich komm jetzt zu dir runter, du kleiner Rotzlöffel, dann werde ich dich höchstpersönlich bestrafen! NA WARTE!«

Supplie schloss das Fenster und verschwand. Mein Kumpel ließ Pepinos regungslosen Körper auf den Boden klatschen und bereitete sich schon innerlich auf einen großen Kampf vor. Zum ersten Mal würde er sich richtig mit einem Erwachsenen schlagen. Eigentlich hatte er vor Älteren großen Respekt, doch der Hass, der sich durch die Bestrafung seines Vaters angestaut hatte, ließ ihn jeden Respekt vergessen. Wie sein Lieblingsboxer Rocky Balboa stand er in passender Pose vor unserer Hauseingangstür bereit. Es wurde still. Keine Spur von Supplie. Als Calogero noch einige Minuten kampfbereit wartete, wurde ihm klar, dass nichts weiter passieren würde und er als Sieger aus diesem Krieg herausgegangen war. Bernhard hatte anscheinend das Handtuch geworfen.

»Yippie-Ya-Yay, Schweinebacke! Das nächste Mal wirst du nicht überleben!«,

rief er Pepino zu, der noch zuckend auf dem Boden lag und langsam wieder zur Besinnung kam. Mit breiter und stolzgeschwellter Brust begleitete ich Calogero zu seinem Wohnhaus. Da sein Vater nach der Prügel müde auf der Couch eingeschlafen und seine Mutter nicht zu Hause gewesen war, war es ihm gelungen, sich für ein paar Minuten unbemerkt aus der Wohnung zu schleichen. Schnell musste er wieder zurück sein, ehe sein Vater wach wurde. Auf dem Weg kam uns mit heulenden Sirenen ein Notarztwagen entgegen.

»Die können gleich bei euch im Hof halt machen und den Schlappschwanz Pepino einsammeln. Hahahaha!«

Als ich Calogero ablieferte und wieder bei uns im Hof ankam, sah ich, dass der Notarztwagen tatsächlich im Hof stand. Es stellte sich heraus, dass der Arzt nicht wegen Pepino, sondern wegen Supplie gerufen worden war. Meine Mutter erzählte mir dann, dass Herr Supplie einen Herzinfarkt bekommen hatte. Nach einer langen und komplizierten OP konnten die Ärzte schließlich sein Leben retten. Von da an war Supplie nicht mehr derselbe.

Nachdem der Einarmige dann ein paar Tage nach seiner OP den Mercedesstern von dem echten Banditen wiederbekommen hatte, sah ich ihn zum ersten Mal richtig lachen. Er war generell freundlicher geworden. Überraschenderweise sogar Calogero und allen anderen Kindern gegenüber. Bernhard schenkte uns sogar kleine Pins mit verschiedenen Bildern unserer Lieblingszeichentrickserien. Calogero und Pepino rissen sich schön die besten Pins unter den Nagel, wohingegen ich mich mit den übrig gebliebenen Betty-Boop-Pins abgeben musste. Die heiß geliebten Ghostbusters- und Turtles-Logo-Pins blieben mir wegen dieser beiden Geier verwehrt, und das, obwohl Bernd uns von allen Motiven jeweils drei Stück gab.

»Grazie, Herr Supplie! Sie sind einfach der Beste!«

KAPITEL

9

AUGUST 92

SCHEUẞLICH BESTE FREUNDE

IN

DM 3,50

WIXERFICKER

Von wem hat Manuel wohl die ganzen Schimpfwörter gelernt?

KAPITEL 9

Wixerficker

(August 1992)

Für sein Alter war Calogero ein wirklich sehr aufgeweckter und intelligenter Junge. Ziemlich bemerkenswert, wenn man bedenkt, dass er die meiste Zeit auf sich allein gestellt war. Seine Eltern konnten ja beide, wie schon erwähnt, kaum Deutsch, er hingegen sprach es fehlerfrei, später sogar mit tadellosem regionaltypischen Dialekt. Zusätzlich natürlich noch perfekt Italienisch und Sizilianisch. Seine Mutter konnte ihm zwar bei den Schularbeiten nicht wirklich helfen, doch sie schaute immer mit wachsamem Auge darauf, dass er gute Noten bekam. Und die bekam er auch. Anfangs hatte Calogero ein wenig Schwierigkeiten gehabt, als er mit seinen Eltern nach Deutschland gekommen war, und hatte wegen eines Irrtums erst einmal in eine Vorklasse gemusst, bevor er die erste Klasse besuchen durfte. Weil er noch kein Wort Deutsch sprach und stattdessen unter Hervorbringen komischer Laute wild mit den Händen gestikuliert hatte, hatten die Lehrer gedacht, Calogero sei geistig behindert. Doch es hatte nicht allzu lange gedauert, bis er sie vom Gegenteil überzeugen konnte. Innerhalb weniger Monate hatte Calogero sich bestens eingelebt und zudem gelernt, einwandfrei Deutsch zu sprechen. Die gesamten Noten all seiner Grundschulzeugnisse waren nahezu perfekt. Der Mutter waren die guten Noten allerdings nie gut genug. In ihren Augen konnten sie noch besser sein.

In jener Zeit, in der Calogero die neue Sprache kennengelernt hatte, hatte er auch eine Menge interessanter Schimpfwörter entdeckt. Es war nur eine Frage der Zeit, bis er sie mir irgendwann auch beibringen sollte.

Im August 1992 wurde ich in die Grundschule, die Bertholdtschule hieß, eingeschult. An meinem großen Tag bekam ich eine Megaschultüte, die bis oben hin mit meinen Lieblingssüßigkeiten gefüllt war. Außerdem bekam ich einen originalen Scout-Rucksack mit Astronautenmotiv. Auf diesen war ich besonders stolz, da mein bester Freund auch einen Scout-Rucksack hatte. Die Schule war zum Glück nur ein paar Straßen von unserem Zuhause entfernt.

Calogero ging auch auf die Bertholdtschule, beendete jedoch zeitgleich mit meiner Einschulung die 4. Klasse. Die Grundschule war nun für ihn zu Ende und eine neue Etappe in seinem Leben sollte beginnen. Eigentlich hätte er auf ein Gymnasium gehen sollen, doch seine Lehrer waren der Auffassung, dass es besser für ihn sei, erst einmal auf eine Gesamtschule zu gehen. Das Empfehlungsschreiben für ein Gymnasium wollten sie nicht herausrücken. Und so landete mein Kumpel auf einer der damals asozialsten Gesamtschulen der gesamten Stadt, der Teichschule. Das Gebäude der Schule erinnerte an ein altes Gefängnis.

Auf der Bertholdtschule war Calogero eines der ältesten Kinder und wurde von vielen Jüngeren respektiert und sogar verehrt. Er konnte tun und lassen, was er wollte, in der Hackordnung stand er ganz oben. Bis dahin machte Schule Spaß, doch mit dem Wechsel in die 5. Klasse änderte sich alles. Während ich einen wunderbaren ersten Schultag hatte und schnell neue Freunde fand, tat sich Calogero auf seiner neuen Schule schwer. Kurz gesagt, er hasste sie. Am Nachmittag trafen wir uns im Hof und er berichtete mir, was er bisher dort erlebt hatte:

»Ich vermisse die Bertholdtschule! Du hast so ein Glück, jetzt da zu sein. Meine neue Schule ist voll scheiße! Das Gebäude sieht aus wie ein Knast, alles vollgeschmiert, überall riecht es nach Pisse. Angeblich hieß die Schule damals Adolf-Hitler-Schule. Mich wundert das gar nicht! Gleich als ich morgens auf den Hof gelaufen bin, bin ich auf einem halben Peperoniwurst-Sandwich ausgerutscht. Mein T-Shirt war danach voll dreckig. Und dann waren da auch noch so hässliche Kinder, die mich ausgelacht haben. Später hat sich dann herausgestellt, dass diese Idioten bei mir in der Klasse sind. Ich habe so eine Scheißklasse, Manuel! Nur Angeber und Idioten! Einer von den Jungs, die so gelacht haben, als ich ausgerutscht bin, ist so ein richtiges Stück Scheiße! Er heißt Goran. Mieses Arschloch!«

Manuel:
»Oh ... sowas darf man doch nicht sagen, das ist doch böse, oder?«

»Was? Wer sagt denn sowas?«

Manuel:
»Einmal hat bei uns im Hof ein Mann zu unserem Nachbarn Arschloch gesagt. Meine Mama hat mir dann erklärt, dass man sowas nicht sagen darf. Das ist böse.«

»Naja, Manuel, also das ist nicht ganz richtig. Liebe Menschen darf man nicht beschimpfen, das stimmt. Aber wenn jemand fies ist, dann ist er auch ein Arschloch! Dann darf man das auch schon mal sagen. Außerdem ist Arschloch echt nicht schlimm.

Es gibt noch vieeeeel schlimmere! Hahahaha. Dagegen ist Arschloch noch richtig harmlos!«

Manuel:
»Echt? Welche denn?«

Ich wurde richtig neugierig und bewunderte meinen Freund für seine Lässigkeit. Unbedingt wollte ich so cool sein wie er. „Cool“ – auch so ein Wort, das er mir in den ersten Monaten unserer Freundschaft beigebracht hatte.

»Nee, die kann ich dir nicht sagen, die sind viel zu schlimm! Du bekommst dann Ärger von deinen Eltern, und ich auch! Dann dürfen wir uns nie wieder sehen. Das willst du doch nicht, oder?«

Manuel:
»Bitte, bitte! Komm, sag schon! Wir bekommen keinen Ärger!«

»Na gut, ich verrate sie dir, doch du musst mir eins versprechen. Du wirst die Wörter nie sagen, wenn wir bei dir zu Hause sind. Und in der Schule darfst du sie nur zu den Kindern sagen, die dich ärgern, okay?«

Manuel:
»Okay!«

»Und falls du doch erwischt wirst, sagst du einfach, du hättest die Beleidigungen bei den Simpsons gehört. Ay Caramba! Oder nein, besser nicht, sonst verbieten uns deine Eltern, die neuen Folgen zu gucken. Pass also gut auf! Versprochen?«

Manuel:
»Versprochen!«

Er reichte mir seine rechte Hand und wir besiegelten unseren Pakt mit einem einfachen Händedruck.

»Also, da gibt es Wörter wie Pimmelkopf oder Arschfresse, Arschgeburt, Arschlecker, Penner, Scheißer, Furzfresser, Stinkloch, Fischmuschi, Bastard, Scheißkind, Mistkind oder Missgeburt, oder Spasti ... oder ...«

Manuel:
»Halt, halt, nicht so schnell! Boa, du kennst aber viele Schimpfwörter! Was ist denn eine Missgeburt oder ein Spasti?«

»Also eine Missgeburt ist ein krankes Baby, das auf die Welt kommt und dann später, wenn es wächst, komisch redet und wie ein Monster aussieht. Das Gleiche ist auch ein Spasti.«

Manuel:
»Boa, wie gemein! Die Wörter hören sich aber lustig an. Spasti, hihihi!«

»Da gibt es noch mehr, die viiiiieeeel schlimmer sind!«

Manuel:
»Welche denn? Sag schon!«

»Hmm ... was gibt es denn noch? Lass mich kurz überlegen. Also, diese Wörter sind besonders schlimm. Hure oder Fotze.«

Manuel:
»Und was ist das?«

»Also ... wie soll ich es dir am besten beschreiben? Eine Hure ist eine Frau, die mit vielen, vielen Männern ins Bett geht und Geld dafür bekommt.«

Den Begriff „miteinander ins Bett gehen" hatte ich damals als Sechsjähriger schon mehrere Male gehört, und besaß nur eine ganz, ganz grobe Vorstellung davon, was im Bettchen genau gespielt wurde. Ich dachte auch, dass ein Mann nur mit seiner eigenen Frau ins Bett gehen durfte. So war ich geschockt, und das, obwohl ich noch nicht einmal wusste, was sich denn im Detail alles unter einer Bettdecke abspielen konnte.

»Eine Fotze ist das Gleiche wie eine Mumu, du weißt schon, das was Mädchen zwischen den Beinen haben. Das ist nur ein böses Wort dafür. Und das allerschlimmste Wort ist Hurensohn. Das Wort ist mindestens hundertmal so schlimm wie Arschloch! Mit dem Wort muss man vorsichtig sein. Es gibt noch welche, die nicht ganz so schlimm sind, wie zum Beispiel Wixer oder Ficker.«

Manuel:
»Ficker? Wixer? Was ist denn das?«

»Äähh ... frag doch nicht immer so viel! Ich Idiot! Hätte ich es bloß nicht gesagt. Das wirst du schon noch alles lernen, wenn du groß wirst. Du kannst ja auch die anderen Wörter mischen oder neue erfinden, wie zum Beispiel Pennerkind oder sowas. Du kannst auch irgendwas an einem Kind, das dich ärgert, suchen, was komisch aussieht, und dann machst du Witze darüber. Zum Beispiel, wenn ein Kind eine große Nase hat, dann nennst du ihn einfach Fettnase. Aber denk daran, nur wenn jemand dich zuerst geärgert hat oder böse ist. Vergiss nicht, was du mir versprochen hast! So, und jetzt reicht es.«

Sechsjährige halten nicht besonders viel von Versprechen. Ihre Neugier überwindet jedes noch so große Hindernis. Es ließ mir keine Ruhe, und so tat ich etwas ganz Dummes. Noch am gleichen Tag fragte ich meine Eltern, was denn ein „Ficker“ oder ein „Wixer“ sei. Ruckizucki wurde ich am Kragen geschnappt und völlig entsetzt gefragt, woher ich denn diese Ausdrücke hätte. Auf keinen Fall wollte ich, dass mein bester Freund wegen mir Ärger bekäme, so schob ich alles auf einen Jungen aus meiner Schulklasse. Er hätte mich in der Pause nach einem Streit so genannt. Meine Eltern kauften mir die Geschichte nicht wirklich ab. Woher kannte ein Kind, das gerade eingeschult worden war, solche Ausdrücke? Gott sei Dank kamen sie aber nicht darauf, dass es an Calogero lag. Puh, noch einmal Glück gehabt! Mein Kumpel durfte ja auch nicht erfahren, dass ich mein Versprechen gebrochen hatte. Letztlich wusste ich immer noch nicht, was ein „Wixer“ oder „Ficker“ war.

Am nächsten Tag in der Schule traute ich mich nicht, jemanden danach zu fragen. Außerdem wollte ich ja cool sein und als erster die schlimmsten Wörter kennen.
Letzten Endes konnte ich nachmittags auf dem Hof meinen besten Freund dann doch noch dazu überreden, mir die Bedeutung dieser komisch klingenden Wörter zu erklären.

»Also, pass gut auf. Ich erkläre es nur ein einziges Mal! Ein Ficker ist jemand, der fickt, und ein Wixer ist jemand, der wixt. Das war‘s.«

Manuel:
»Das war‘s?«

»Das war's!«

Manuel:
»Ja, aber was heißt das?«

»Ich kann es dir nicht genau erklären ... du kennst doch jetzt schon genug schlimme Wörter! Die reichen völlig aus. Außerdem muss ich gleich los. Ich gehe mit meinem Onkel ins Kino, Batmans Rückkehr schauen. Ich bin so gespannt. Hoffentlich poliert er dem Pinguin ordentlich die Fresse. Schade, dass du noch zu klein bist und nicht mitkommen kannst. Ich erzähle dir aber dann, wie der Film war. Also, ich muss jetzt los. Bis später, ciao!«

Diese Antwort stimmte mich nicht sonderlich zufrieden, doch mit all den restlichen tollen neuen Wörtern und Weisheiten im Gepäck zog ich dann voller Stolz am nächsten Morgen in die Schule.

Kurz bevor der Unterricht begann, musste ich noch schnell den Jungs aus meiner Klasse von meinen neuen Erkenntnissen berichten. Dabei machte sich einer von ihnen über mich lustig und ich beleidigte ihn danach à la Calogero. Natürlich kam genau in diesem Moment unsere Klassenlehrerin Frau Hase in den Raum.

Frau Hase war eine immerzu herzliche ältere Dame, die sich um ihre Schüler wie eine Mutter kümmerte. Sie konnte aber auch sehr streng sein, wenn sich Kinder ungezogen verhielten. Eine optische Besonderheit machte sie dabei richtig unheimlich, sie konnte jedoch nichts dafür: Frau Hase schielte mächtig. Wenn sie einen nicht ansah, sah sie einen aber in Wirklichkeit doch an und umgekehrt.

Als sie den Klassenraum betrat und mich so fluchen hörte, gefiel ihr der Ausdruck „Wixerficker" nicht sonderlich gut. Ihre schon genug schielenden Augäpfel verdrehten sich noch mal ein ganzes Stück weiter nach hinten, bis sie schließlich wild in den Augenhöhlen umherrotierten. Prompt kontaktierte sie meine Eltern.

In der Schule angekommen, erklärten sie meiner Klassenlehrerin dann völlig verlegen, dass ich Tage zuvor von einem anderen Kind auf dem Pausenhof beleidigt worden war und den Ausdruck nur wiederholt hatte. Nach längerer Diskussion schickte Frau Hase meine Eltern wieder nach Hause. Daheim konnte ich mir dann natürlich einen exorbitanten Anschiss gefallen lassen. Schnell kamen sie dann auf die Idee, dass ja nur mein bester Freund dahinter stecken konnte. Ich bestritt dies natürlich mit aller Kraft. Sie wollten mir verbieten, weiterhin mit ihm zu spielen, und ich fing an, heftig zu weinen. Mittlerweile war er ja mein allerbester Freund geworden, mit dem ich sehr viel Zeit verbrachte.

Manuel:
»Ihr müsst mir glauben, ich habe es nicht von Calogero! Ich schwöre es!«

Für meinen besten Freund leistete ich sogar einen falschen Schwur. Nach langem Gebettel und Geflenne gaben sie ihm doch noch eine Chance, aber mit der Drohung, dass sie uns in Zukunft genauer beobachten würden.

Als Calogero mich dann kurze Zeit später besuchen kam, nahm mein Vater ihn zur Seite.

Manuels Vater:
»Hierrr! Ich und dein Freund müssen mal kurz miteinander reden. Er kommt gleich zu dir, geh schon mal in dein Zimmer.«

Er und Calogero gingen für einen kurzen Moment in die Küche. Ich lauschte mit einem Ohr an meiner Zimmertür, doch ich konnte nicht genau verstehen, was mein Vater zu ihm sagte. Dann, ein paar Minuten später, öffnete Calogero endlich meine Zimmertür.

Manuel:
»Was wollte er von dir?«

»Wixerficker? Hahahaha, du kannst es wohl nicht lassen! Dein Vater hat mir gesagt, dass ich aufhören soll, dir schmutzige Wörter beizubringen. Du bist ja erst sechs und er hat gesagt, dass du in der Schule Ärger bekommen hast. Mach das ja nie wieder! Hahaha, Wixerficker. Warum hast du denn den anderen Jungen so genannt?«

Manuel:
»Ich habe den Kindern in meiner Klasse erzählt, dass ich einen besten Freund habe, der richtig cool ist und mir viele tolle Sachen beibringt, wie die ganzen Schimpfwörter, aber ich habe kein Wort davon verraten. Okay, nur eins ... Spasti. Und dann hat der Hagen mich ausgelacht und gesagt, dass mein Freund ein stinkendes Arschloch ist und ich ihn am Arsch lecken kann.«

»Dann hast du völlig Recht gehabt! Und weißt du was? Der Hagen ist sogar ein mieser kleiner Hurensohn!«

KAPITEL

10

AUGUST 92

DM 3,50

SCHEUẞLICH BESTE FREUNDE

IN

SUPER NINTENDO, SUPER TITTEN

Liebe auf den ersten Blick!

DER BEGINN EINER NEUEN ÄRA

KAPITEL 10

Super Nintendo, super Titten

(August 1992)

Ganz egal, wohin wir gingen, was für ein Wetter auch draußen war, wir hatten immer unseren treuen Gefährten, den Game Boy, dabei. Im Sommer 1992 hatten wir bereits eine riesige Sammlung an Spielen, darunter natürlich Klassiker wie *Super Mario Land*, *Dr. Mario*, *Batman*, *Duck Tales*, *R-Type*, *Turtles* 1 und 2, *Balloon Kid*, *Nintendo World Cup*, *Double Dragon* 1 und 2, *Metroid* 2, *Mega Man* 2, *Kirby's Dreamland* und viele mehr. Es gab fast kein Spiel, das wir nicht gezockt hatten, und kaum neue, die uns noch begeistern konnten. Gar nicht vorzustellen, aber allmählich verloren wir die Lust, mit dem Game Boy zu spielen. Es wurden wieder Lego-Raumschiffe gebaut, komische Bilder gemalt und draußen mit dem Ball gespielt. Meine Eltern freuten sich deswegen umso mehr. Endlich ließ ich sie mit dem, aus ihrer Sicht, nutzlosen kleinen grauen Kasten aus Japan in Ruhe. Diese Ruhe sollte jedoch nur von kurzer Dauer sein, denn am 15. August 1992 veröffentlichte Nintendo in Deutschland den legendären Super Nintendo.

Die 16-Bit-Revolution in Form eines grauen flachen Kastens musste, wie das NES, an ein Fernsehgerät angeschlossen werden. Auf der oberen Fläche des SNES befand sich ein Schlitz, in den die Spielemodule eingesetzt wurden. Der Powerknopf neben dem Schlitz entführte Millionen Spieler auf der ganzen Welt in eine damals noch nie da gewesene Videospielwelt. Zum ersten Mal konnten Videospiele in bunter und überragender 16-Bit-Grafik daheim auf dem Fernseher gezockt werden. Die Konkurrenz von SEGA war zwar mit dem Mega Drive nicht schlecht ausgestattet, konnte diesem Zauberkasten von Nintendo jedoch nie völlig die Stirn bieten. Das Gamepad allein war eine wahre Revolution und für alle darauffolgenden Spielekonsolen wegweisend. Auf der linken Seite befand sich das klassische Digitalkreuz, auf der rechten Seite des Controllers waren statt zwei Buttons, wie beim NES, nun vier Buttons. Alle vier Knöpfe hatten verschiedene Farben. Y in Grün, X in Blau, B in Gelb und A in Rot. So sah auch das Logo des SNES aus. In der unteren Mitte gab es einen „Start"- und einen „Select"-Button. Und damit nicht genug! Nintendo führte damals als allererster die legendären Schultertasten ein. L und R. Für den Game Boy war schon viel Werbung gemacht worden, aber beim SNES übertrieben sie es komplett. Fast jeder Werbespot zwischen den Zeichentrickserien war von Nintendo. Der Wirbel um das SNES wurde von Tag zu Tag größer. Wie unser Verlangen. Dieses wunderbare Gerät hatte die Zocker in uns wieder wachgerüttelt. Dabei wurden wir gleichzeitig vor eine unlösbare Herausforderung gestellt. Diesmal sollte es noch viel schwieriger werden, unsere Eltern zu überzeugen. Der Game Boy war ja schon teuer, aber das SNES übertraf natürlich locker dessen Preis. Stolze 329 DM kostete das gute Teil damals. Auch die Spiele waren erheblich teurer als die des Game Boys. Eines kostete damals ungefähr zwischen 90 und 140 DM. Von dem Geld hätte man sich schon fast einen nigelnagelneuen Game Boy kaufen können.

Zu der SNES-Konsole gab es das Spiel *Super Mario World* inklusive dazu. So hatten wir Mario und seine Welt bis dahin noch nie gesehen. Dagegen wirkte unser Mario-Spiel auf dem Game Boy wie ein schlechter graugrüner Witz. Zudem ließen sich die Entwickler extra für die SNES-Variante etwas ganz Besonderes einfallen. Der kleine italienische Klempner bekam Verstärkung. Im Verlauf des Spiels konnte man auf einem drachenartigen Wesen namens Yoshi reiten und mit seiner langen Zunge die angreifenden Schildkrötengegner schlucken. Allein dieses neue Super-Mario-Spiel bereitete uns schlaflose Nächte voller Sehnsucht. Immer wieder tagträumte ich davon, die Verpackung mit einer SNES-Konsole darin fest in meinen Händen zu halten.

Wieso musste Nintendo bloß das SNES zwei Monate nach meinem Geburtstag veröffentlichen? Kurz vor meinem sechsten Geburtstag war mein geliebter Wellensittich Toni gestorben und ich hatte zum Trost besonders viele Game-Boy-Spiele geschenkt bekommen. Was sollte ich also nun tun? Meine Eltern hassten Nintendo und würden unmöglich wieder Geld für so ein Ding ausgeben. Erst recht keine 329 DM! Wie sollte ich es bloß anstellen? Wieder quengeln und heulen? Nee, das hatte bei dem Game Boy damals auch nicht viel gebracht. Sparen? Das hätte gefühlt hundert Leben lang gedauert. Meine Großeltern anbetteln? Nein, sie alle hatten mir bereits zum Geburtstag mehrere Game-Boy-Spiele geschenkt. Ich hoffte darauf, dass Calogero vielleicht seine Eltern überreden konnte, ihm den neuen Nintendo zu kaufen.

»Hahahahaha, der war gut! Echt! Der beste Witz des Jahres! Weißt du, was mein Vater mir kauft? Einen schönen neuen Ledergürtel, mit dem er mir dann den Arsch versohlen kann! Du könntest vielleicht doch noch ein SNES von deinen Eltern bekommen, aber meine Eltern ... unmöglich! Sie sind noch viel, viel schlimmer als deine. Glaub mir, ich werde niemals mehr etwas geschenkt bekommen. Erst recht nicht sowas Teures. Es war eh schon ein großes Wunder, dass ich einen Game Boy bekommen habe. Die meinten

damals, dass der Game Boy das Letzte war, was sie mir jemals schenken würden. Alles andere muss ich mir in Zukunft selbst kaufen. Bei den 3,20 DM Taschengeld, die ich in der Woche bekomme, kann ich noch lange für einen Super Nintendo sparen. Das wird leider nie was. Du musst deine Eltern irgendwie überreden. Hast du sie denn schon gefragt?«

Manuel:
»Nein. Ich weiß sowieso, was sie sagen. Ich habe zum Geburtstag schon zu viele Spiele bekommen.«

»Wegen dem Vogel oder ...? Hey! Jetzt fällt mir was ein. Ich weiß, wie wir deine Eltern überreden können!«

Calogero hatte die grandiose Idee, über den toten Toni an das begehrte SNES zu kommen. Sein Plan bestand aus zwei Teilen. Im ersten Teil sollte ich meinen Eltern vorspielen, dass ich immer noch über Tonis Tod sehr traurig war. Eigentlich war ich ja immer noch traurig, aber nicht mehr so sehr wie zwei Monate zuvor. Verdammt, ich wollte diesen Super Nintendo unbedingt haben!

»Du musst es richtig übertreiben. Versuche auch, ein wenig zu weinen. Die müssen denken, dass du richtig traurig bist. Am besten isst du auch so wenig wie möglich. Sag ihnen, dass du so traurig bist, dass du keinen Hunger hast. Ich weiß, es ist schwierig, aber denk immer an den Super Nintendo! Sag, dass du jede Nacht von Toni träumst. Du musst richtig cool bleiben und darfst auf keinen Fall von dem SNES erzählen! Ice Ice Baby! Wenn du das ein paar Tage lang durchhältst, gehen wir zum zweiten Teil des Plans über. Ich sage dir dann genau Bescheid, wenn es soweit ist. Möge die Macht mit dir sein!«

Diese Show sollte ich dann ein paar Tage lang abziehen, bis sie den Köder geschluckt hatten. Zum Glück hatten meine Eltern nicht mitbekommen, dass Nintendo ein neues Gerät auf den Markt geschmissen hatte. Das von Calogero vorgeschlagene Schauspiel konnte ich problemlos abliefern. Den ganzen Tag schmollte ich, aß wenig bis gar nichts und drückte ab und an mal ein paar mitleiderregende Krokodilstränen heraus. Schließlich fragten mich meine Eltern, was denn mit mir los sei. Ich erklärte ihnen dann, dass ich jede Nacht von Toni träume und dass ich ihn sehr vermissen würde. Sie kauften mir die Nummer voll ab, obwohl sie es komisch fanden, dass ich Monate nach seinem Tod aus heiterem

Himmel wieder so um ihn trauerte. Wie dem auch sei, ich hatte sie am Haken. Sie fragten mich, ob ich einen neuen Vogel haben wollte.

Manuel:
»Nein! Ich will keinen neuen Vogel. Keiner ist so wie mein Toni. Er war der beste Vogel auf der ganzen Welt!«

An den beiden darauffolgenden Tagen zog ich die gleiche Tour ab. Völlig geknickt saß ich auf dem Fußboden unseres Kinderzimmers und malte Bilder von meinem Wellensittich. Mal wie er einfach nur tot auf dem Boden lag, mal wie er mit Engelsflügeln und Heiligenschein zum Himmel flog. Meine Eltern versuchten alles, naja, fast alles, um meine Laune zu ändern. Natürlich ohne Erfolg. Sie fragten mich sogar, ob sie mir ein neues Game-Boy-Spiel kaufen sollten, doch auch das Angebot wies ich zurück. Spätestens hier waren sie voll und ganz von meiner Trauer überzeugt. Es lief alles wie am Schnürchen. Alles genau so, wie Calogero es vorausgeplant hatte. Es war an der Zeit, den nächsten Schritt zu machen.

Dann, am nächsten Tag auf dem Hof, briefte ich meinen Auftraggeber und bekam weitere Instruktionen. Ich war bereit für Phase zwei.

Als meine Eltern mich dann an diesem Abend zu Bett gebracht hatten und ich nach einer Weile davon ausgehen konnte, dass sie mich bereits schlafend wähnten, fing ich an, fürchterlich zu schreien und zu weinen. In Panik kamen meine Mutter und mein Vater ins Zimmer geschossen, setzten sich auf mein Bett und versuchten mich zu beruhigen.

Manuels Mutter:
»Hast du wieder von Toni geträumt?«

Manuel:
»J...j...j...ja! Er fehlt mir so sehr!«

Manuels Mutter:
»Gibt es denn irgendetwas, dass wir tun können, damit du dich wieder besser fühlst?«

Oh, verdammt, ja! Sie konnten in der Tat etwas tun. Nun war der Zeitpunkt gekommen. Ich war schon fast am Ziel! Alles, was ich jetzt nur noch tun musste, war, sie davon zu überzeugen, dass nur der neue Super Nintendo mich wieder glücklich machen konnte.

Manuels Mutter:
»Super Imtemdong?«

Manuels Vater:
»Ich glaube, ich habe schon mal die Werbung gesehen. Was kostet das?«

Für einen kurzen Augenblick dachte ich, ich hätte es geschafft. Ich konnte die Verpackung schon förmlich vor meinen Augen sehen.

Manuel:
»Nur 329 Mark. Da ist auch ...«

Manuels Vater:
»Vergiss es! Jetzt kann ich mich erinnern. Das Teil muss man doch auch an einen Fernseher anschließen, oder?«

Abgesehen von den 329 DM war meinen Eltern klar, dass sie auch dann keine Ruhe mehr haben würden, falls sie das SNES kaufen sollten. Wir besaßen damals nur ein Fernsehgerät. Die waren früher sehr teuer, nicht so wie heute, wo fast in jedem Haushalt mindestens zwei Fernseher stehen. Ohnehin war ich aus ihrer Sicht viel zu jung für einen eigenen.

Manuels Vater:
»Denkst du, du kannst dann den ganzen Tag im Wohnzimmer vor der Glotze rumhängen? Die Spiele sind bestimmt auch nicht billig. Nix gibt's! Ihr solltet lieber was für die Schule lernen!«

Manuel:
»Bitte, bitte, bitte! Da ist sogar schon ein Spiel mit dabei, ihr müsst es nicht extra kaufen. Das neue Super-Mario-Spiel. Ihr kennt ihn doch. Und er hat jetzt sogar noch einen Freund bekommen. Yoshi, ein kleiner Drache. Der ist sooooo cool! Der Super Nintendo ist ja nicht nur für mich alleine. Man kann die Spiele zu zweit spielen. Ich kann dann zusammen mit Kalvin zocken und ihr habt dann auch eure Ruhe. Bitte, bitte, bitte, bekomme ich einen? Ich werde euch auch nie wieder nerven!«

Alles im Eimer, spätestens jetzt hatten sie durchschaut, dass ich den guten Toni missbraucht hatte. Die ganze harte Arbeit der vorherigen Tage war komplett für die Füße. Völlig verzweifelt versuchte ich, irgendwie noch ein allerletztes Argument zu liefern:

»In meiner Klasse haben alle Jungs und Mädchen von ihren Eltern einen Super Nintendo bekommen, nur ich nicht! Sogar die Eltern meiner Klassenkameraden spielen damit! Biiiiiitteeeee, bekomm ich auch einen? Ihr könnt ja auch damit spielen. Das wird euch bestimmt Spaß machen. Bitteeeeee! Ich will so gern mit Yoshi spielen! Ich mach auch alles, was ihr wollt!«

Natürlich hatten nicht alle in meiner Klasse ein Super NES, nur ganz wenige. Dieser kleinen Notlüge wurde sowieso keinerlei Beachtung geschenkt. Meine Eltern interessierten sich einen Dreck dafür, im Gegensatz zu mir, was meine Freunde oder Klassenkameraden von ihren Eltern geschenkt bekamen, und selber zockten sie auch nicht. Daraufhin folgte der allseits bekannte Spruch meiner Eltern, der immer dann ausgesprochen wurde, wenn mein Bruder oder ich unbedingt etwas haben wollten:

Manuels Mutter:
»Mach mal deine Äuglein zu, dann siehst du, was du bekommst! Ihr braucht keinen Hoschi!«

Manuel:
»Er heißt Yoshi!«

Jetzt war ich wirklich völlig am Boden zerstört. Es gab überhaupt keine Hoffnung mehr. Auf meinem Game Boy bildete sich eine dicke Staubschicht. Seitdem das SNES auf den Markt gekommen war, hatte ich keine Lust mehr gehabt, mit ihm zu spielen, ganz egal, welche Spiele auch veröffentlicht wurden.

Es war zum Verrücktwerden. Alles und jeder redete nur noch über das SNES. Überall wo man hinsah, tauchte die Werbung dieses Wundergeräts auf. Es gab kein Entkommen. Auch in der Schule ging es unter meinen Klassenkameraden nur noch um ein Thema: Super Nintendo. Verdammt, sogar meine Klassenlehrerin redete davon.

Frau Hase:
»Kinder, vergesst nicht, heute die Hausaufgaben zu machen, bevor ihr mit eurem Super Nintendo spielt.«

Wohl oder übel begnügten Calogero und ich uns wieder mit unseren alten und fast schon verrosteten Game Boys. Kinder der Dritten Welt hätten an unserer Stelle sicherlich vor Freude geweint, doch nicht wir. So undankbar, wie wir waren, weinten wir vor unendlicher Trauer. Dank unserer Nachbarn, den Priems, die mit meinen Eltern gut befreundet waren, fanden wir ein klein wenig Trost. Zum Glück war Anna die Geschäftsführerin der damals größten Videothek unserer Innenstadt, dem deutschen Videoring.

Eines Nachmittags im September 1992 hatten meine Eltern vor, die beiden in ihrer Videothek zu besuchen. Eigentlich hatte ich keine Lust, doch mir blieb ja schließlich nichts anderes übrig, als mitzukommen. Zu der Zeit durfte ich noch nicht alleine zu Hause bleiben und hätte deswegen bei meiner Oma bis zum Abend warten müssen. Darauf hatte ich natürlich auch keine Lust. Bei meiner Oma gab es zwar immer gutes Essen und jede Menge Cola, doch ich wollte viel lieber mit meinem besten Freund spielen. Ich ahnte, dass ich mich bei den Priems langweilen könnte, und so fragte ich meinen Vater, ob mein bester Freund mitkommen durfte.

Manuels Vater:
»Nein! Der muss doch nicht immer und überall dabei sein. Außerdem seht ihr euch doch sowieso fast jeden Tag, da wirst du es doch mal einen Tag ohne ihn aushalten können!«

Richtig genervt und ohne Verständnis stieg ich dann zu meinen Eltern und meinem kleinen Bruder ins Auto und zog bis zum Eintreffen in Annas Videothek ein schmollendes und beleidigtes Gesicht. Das ganze änderte sich schlagartig, als ich dann die vielen SNES- und Game-Boy-Spiele in der Videothek sah. Mein Herz raste vor Aufregung.

Die Videothek war in zwei Bereiche unterteilt. Einen Hauptgeschäftsraum, der für jedermann zugänglich war, und einen abgetrennten Bereich, der nur von Erwachsenen betreten werden durfte, weil es dort ausschließlich Filme für Leute über 18 Jahre gab. An allen Wandregalen und Ständern des Hauptraums, die verteilt herumstanden, waren verschiedene Videofilm-, NES-, Game-Boy-, SNES- und Mega-Drive-Verpackungen gestapelt. Unter ihnen hing jeweils ein farbiges Märkchen mit einer eigenen Nummer. Es gab die Märkchen in drei verschiedenen Farben. Schwarz, rot und gelb. Schwarz, wenn der Film oder das Spiel brandneu war und 50 Pfennig mehr pro Tag kostete, rot für den Standardleihpreis von 1,50 DM und schließlich gelb für einen Film oder ein Game, bei dem der Ausleihpreis um eine Mark gesunken war. Mit dem Märkchen ging man dann zu dem Tresen im hinteren Teil des Raums, gab es dort ab und zeigte seine Mitgliedskarte, ohne die kein Ausleihen möglich war. Hinter dem Tresen der Videothek befand sich ein kleiner Privatbereich mit einem großen Tisch und ein paar Stühlen. Der Bereich war vom Hauptraum durch ein großes Regal abgetrennt, in dem viele weiße Kassettenhüllen mit Nummern gestapelt waren.

Als wir ankamen, war der Tisch des Privatbereichs mit mehreren Getränken und Kuchen gedeckt. Daneben stand ein weiteres Regal mit einem Fernseher und verschiedenen Videorekordern. Hier schaute sich Anna, wenn gerade nichts zu tun war, die neuesten Hollywoodstreifen an. Meist überspielte sie auch gleichzeitig die Filme mit einem zweiten Videorekorder auf leere Videokassetten und gab sie uns oder anderen Bekannten mit. Das war natürlich nicht ganz legal, doch uns kümmerte das nicht. Schließlich mussten wir dafür nichts zahlen und konnten so immer die aktuellsten Blockbuster und Disney-Filme ansehen. Auf diese Weise kamen Kalvin, Calogero und ich auch in den Genuss der Turtles- und Ghostbusters-Filme. Allein deswegen mochten mein Bruder und ich die Priems sehr. Nicht zuletzt auch wegen ihrer herzlichen Art natürlich.

Da Anna nicht auf den Kopf gefallen war und im Gegensatz zu unseren Eltern genau wusste, was Kindern in unserem Alter gefiel, wusste sie auch, dass wir total auf den Super Nintendo abfuhren, aber keinen eigenen besaßen. Genau beobachtete sie meinen Bruder und mich, wie wir mit großen Augen durch die Gänge mit den Videospielen schlenderten und akribisch die Verpackungen der SNES-Spiele begutachteten. Sie rief mich zu sich und ging mit mir in eine Art Lagerraum. Dort standen sehr viele Kartons herum.

Anna:
»Kannst du mir kurz helfen und für mich den Karton hier nach vorne bringen?«

Manuel:
»Okay, kein Problem.«

Puh! Was ist denn da wohl drin, fragte ich mich. Er war nicht ganz so leicht wie er aussah. Wie mir aufgetragen worden war, schleppte ich den Karton zum Privatbereich hinaus.

Manuel:
»Hey, Anna, was ist denn in dem Karton?«

Anna:
»Mach ihn doch mal auf und schau nach.«

Ich öffnete den Karton und traute meinen Augen nicht. Es war wie in meinen Tagträumen.

Manuel:
»Oh mein Gott, oh mein Gott! Da ist ja ein SNES drin!«

Außer den ganzen Filmen und Spielen verlieh Annas Videothek auch Spielekonsolen. Da dieses SNES aber ganz neu eingetroffen war, hatte es sich noch im Lager befunden.

Anna:
»Ich dachte mir schon, dass ihr euch langweilt. Ich schließe ihn euch hier an den Fernseher an, damit ihr ein wenig spielen könnt. Wir haben eine Menge Spiele hier. Sucht euch ruhig etwas aus.«

Es war wie im Paradies! Zum ersten Mal konnte ich in aller Ruhe diesen phänomenalen Wunderkasten ausprobieren. Ich war nicht mehr ansprechbar und ganz in einer anderen Welt. Zwischendurch kam Anna mit meiner Mutter vorbei, um nach dem Rechten zu sehen. Sie mussten sich keine Sorgen machen. Kalvin und ich saßen wie angewurzelt auf unseren Stühlen vor dem Fernseher mit den hochmodernen SNES-Gamepads in den Händen. Am liebsten wären wir von dort nie wieder weggegangen, doch als es schon Abend wurde und meine Eltern gehen wollten, mussten wir uns von unserer neuen Bekanntschaft trennen. Ich fing an zu schmollen und quengelte:

»Mama, Mama, schau! Das ist Yoshi! Ist er nicht toll? Können wir denn nicht noch ein bisschen hierbleiben?«

Manuels Mutter:
»Ja, schön ist er, aber wir müssen jetzt wirklich gehen! Komm und hilf deinem Bruder beim Jackeanziehen.«

Manuel:
»Bitte, bitte, Mama, kauft uns auch einen Super Nintendo! Bitte, bitte, bitte!«

Manuels Mutter:
»Ein für alle Mal ... NEIN! Und jetzt komm!«

Mir liefen dicke Tränen aus den Augen. Der verdammte Super Nintendo hatte mir gehörig den Kopf verdreht. Im Gegensatz zu meinen Eltern hatte Anna Mitleid und machte mir einen Vorschlag:

»Hey, Manuel, nicht weinen! Wenn du magst, kannst du in den nächsten Tagen herkommen und spielen. Der Super Nintendo wird erst ab nächster Woche verliehen.«

Manuel:
»Wirklich? Das wäre echt supercool! Darf ich meinen besten Freund mitbringen? Er heißt Calogero. Bitte, bitte, bitte! Er ist wirklich ein sehr lieber Junge! Wir werden dich auch sicher nicht nerven. Versprochen!«

Anna:
»Kein Problem, bring deinen Freund ruhig mit.«

Überglücklich erzählte ich Calogero am nächsten Tag von Annas Videothek und dem Angebot, bei ihr SNES spielen zu dürfen. Wie zu erwarten freute er sich mit mir. Fast täglich nervte ich dann meine Eltern damit, Calogero und mich zu Anna in die Videothek zu fahren. Meist klappte es auch. Bestens gelaunt verbrachten wir Stunden mit dem Nintendo in der Videothek und waren dann umso mehr am Boden zerstört, wenn wir wieder abgeholt wurden. Wir brauchten unbedingt einen eigenen Super Nintendo. Ein neuer Plan musste schleunigst her.

Beim nächsten Mal, als Calogero und ich bei Anna in der Videothek waren, fragte ich sie scheinheilig:

»Sag mal, Anna, könntest du mir vielleicht helfen? Ich habe ein großes Problem!«

Anna:
»Was für ein Problem hast du denn?«

Manuel:
»Könntest du vielleicht meine Eltern überreden, einen Super Nintendo zu kaufen? Ich hätte soooooo gerne einen Eigenen zu Hause. Dann müsste ich nicht immer mit meinem Freund hierherkommen und dich bei der Arbeit stören.«

Anna:
»Quatsch! Ihr stört mich nicht. Ich kann gerne mal ein gutes Wort bei deinen Eltern einlegen. Versprechen kann ich dir aber leider nichts.«

Das war mir egal. Hauptsache, sie würde es versuchen. Sie war meine einzige Hoffnung, meine Eltern doch noch zu überreden. Egal welchen Grund ich mir bis dahin ausgedacht hatte, nichts zeigte Wirkung und meine Eltern blieben eisenhart. Gespannt wartete ich also ein paar Tage ab, bis sich Anna wieder mit meinen Eltern verabredete. Wie Besessene saßen Calogero und ich vor dem Fernseher im Privatbereich, zockten *F-Zero* und hofften sehnlichst darauf, dass Anna es in der Zwischenzeit schaffen würde, meine Eltern zu überzeugen. Ohne Erfolg. Von meinen Eltern wurde bezüglich eines Nintendos oder generell zu dem Thema kein einziges Sterbenswörtchen verloren. So blieb uns nichts weiter übrig, als uns von meinem Vater in die Videothek fahren zu lassen und dort mit dem von uns so sehr geliebten 16-Bit-Kasten zu spielen.

Während Calogero und ich uns beim nächsten Besuch virtuell gegenseitig die Fressen in *Street Fighter II* polierten, musste er plötzlich dringend auf die Toilette. Anna war gerade vorne an der Theke und bediente einige Kunden.

»Sag mal, Manuel, weißt du, wo hier die Toilette ist? Ich muss ganz dringend kacken. Ich platze gleich!«

Manuel:
»Hmm ... keine Ahnung, aber ich glaube, die ist irgendwo da hinten.«

Ich zeigte auf eine der Türen im hinteren Privatbereich. Es gab dort insgesamt drei.

»Alles klar, ich werde sie schon finden. Bis gleich!«

Und so verschwand Calogero durch die mittlere Tür. Was er und ich nicht wussten war, dass die Tür nicht zu den Toiletten, sondern in die 18er-Abteilung mit den ganzen Erwachsenenfilmen führte. Ungefähr zehn Minuten später kam er dann mit weit aufgerissenen Augen zurück.

Manuel:
»Du hast aber lange gebraucht. Hast du die Toilette gefunden?«

»Nein … ich … aber … ich habe was anderes gesehen. Scusi, ich … irgendwie fühlen mich komisch.«

Manuel:
»Hä? Wo warst du denn und was hast du gesehen?«

»Aa…aa…also ich bin durch die Tür, die du mir gezeigt hast, und auf einmal war ich in so einem großen Raum, wie der andere mit den ganzen Filmen und Spielen. Nur war der anders. Da waren auch Filme, aber auf den Packungen waren überall nackte Frauen und Männer drauf!«

Manuel:
»Nackte Frauen und Männer?«

»Ja, genau! Ich habe mir dann mal eine Filmpackung genauer angeschaut. Da war so eine nackte Frau mit richtig großen Brüsten drauf. Irgendwie wurde mir dann komisch, als ich draufgeschaut habe.«

Daraufhin fragte ich, ob mit ihm alles in Ordnung sei.

»Jaja, mir geht es gut! Ich habe nur auf einmal so ein Jucken in meinem Pimmel bekommen. Irgendwie haben die Brüste mir gefallen, und aufs Klo musste ich auch nicht mehr. Naja, ist ja auch egal … was spielst du grade?«

Calogero machte mich neugierig. Wie komisch? Was redete er da? Ich vergaß es aber auch schnell wieder, da *Super Soccer* mich zurück in seinen Bann zog. Nachdem wir noch eine gute Stunde *Street Fighter II* gegeneinander gespielt hatten, holte uns auch schon mein Vater wieder ab. Die Zeit bei Anna verging leider immer wie im Flug.

Manuels Vater:
»Hallo, Anna, wie geht's? Ich hoffe, die beiden haben dir keinen Ärger gemacht.«

Anna:
»Mir geht es gut, und dir? Ach Quatsch, die zwei Racker haben sich bestens benommen. Ich hatte keine Probleme mit ihnen. Die sind von dem Super Nintendo total hypnotisiert, hahaha!«

Manuels Vater:
»Ach, hör mir auf mit diesem Nintendo. Ich kann es nicht mehr hören! Wir haben momentan kein Geld für so ein Ding. Die sollen lieber mehr für die Schule lernen, als sinnlos vor diesem Kasten rumzuhocken. Die haben schon ganz viereckige Augen von diesem Ding.«

Auf der Rückfahrt konnte ich nicht anders, als meinen Vater erneut auf das SNES anzusprechen. Calogero schaute dabei unschuldig aus dem Fenster.

Manuel:
»Oh, Papa! Es hat heute wieder so einen Spaß gemacht, das glaubst du gar nicht. Kannst du es dir denn nicht doch noch mal überlegen, uns einen Super Nintendo zu kaufen? Biiiiiiiiiiiiiitte! Dann musst du uns auch nie wieder zu Anna in die Videothek fahren und uns abends wieder abholen.«

Manuels Vater:
»Vergiss es! Wie oft soll ich es dir denn noch sagen? Es gibt keinen Nintendo und Schluss! Ich will nie wieder was davon hören, sonst war es heute das letzte Mal, dass ich euch zur Anna gefahren habe!«

Da Anna schließlich ein paar Tage darauf das SNES zum Verleih anbot, war es ohnehin das letzte Mal, dass mein Vater Calogero und mich zum Zocken dorthin fahren musste. Ich fiel auf die Knie und zitterte wie ein Junkie auf Turkey am ganzen Leib. Wir würden Yoshi wahrscheinlich nie wieder sehen. Schwer war auch zu ertragen, dass in vermutlich fast jedem verdammten Wohnzimmer dieser Erde ein italienischer Klempner über den Fernsehbildschirm flimmerte, nur über unseren nicht.

Wochen vergingen. Wochen, in denen Calogero, Kalvin und ich dazu gezwungen waren, Dummheiten zu machen. Und das alles nur deshalb, weil unsere Eltern keine Spielekonsole kaufen wollten und uns langweilig war. Aus unserem Kinderzimmer hörte man nur noch lautes Brüllen, Lachen und ekelhafte Furzgeräusche. Auf meinem kleinen Kassettenrekorder drehten wir Michael Jacksons *Dangerous*-Album so laut auf, dass meine Eltern heftige Kopfschmerzen bekamen und mir dann letzten Endes damit drohten, Calogero rauszuschmeißen. Sie kamen langsam zu der Einschätzung, dass ich mir von meinem besten Freund eine Menge Schimpfwörter und schlechtes Benehmen abgeguckt hatte. Das stimmte nicht! Nun, das mit den Schimpfwörtern vielleicht schon, aber das mit dem Benehmen stimmte nicht. Calogero und ich hatten Benehmen. Schließlich schob ich unser Verhalten auf unsere Langeweile, die ja schließlich nur ausgelöst wurde, weil wir als einzige Kinder keinen Super Nintendo hatten. Ganz egal, wie ich argumentierte, meine Eltern blendeten jeden Satz, in dem das Wort „Nintendo" vorkam, vollkommen aus.

Fortan waren die Tage dunkel und kalt. Regungslos lagen wir in meinem Zimmer auf dem Boden und starrten die Wände an. Wir waren dann so verzweifelt, dass wir alle möglichen Brettspiele ausprobierten. Bis heute konnte ich den Drecksack von Calogero nicht in den Brettspielen Dame und Mühle schlagen. Nicht ein einziges Mal! Darin war er wirklich verdammt gut.

Die Not machte uns richtig kreativ. Ich entdeckte immer mehr und mehr eine Leidenschaft für das Malen und Zeichnen. Auch Calogero hatte seine künstlerische Ader entdeckt und Gefallen daran gefunden. Besonders für das Zeichnen von großen Brüsten. Seitdem er sich in der Videothek verlaufen hatte, bekam er sie nicht mehr aus dem Kopf.

KAPITEL

11

NOVEMBER 92

DM 3,50

SCHEUẞLICH BESTE FREUNDE

IN

MEIN VATER IST EIN HURENSOHN!

EIN RABENSCHWARZER TAG

KAPITEL 11

Mein Vater ist ein Hurensohn!

(November 1992)

Neben den ganzen Micky-Maus-Comics und Yps-Heftchen sammelte Calogero die legendären Turtles-Comics vom damaligen, ebenfalls legendären Condor-Verlag. Die Comics hoben sich deutlich von der uns bekannten Zeichentrickserie ab, waren wesentlich düsterer und richteten sich eher an eine erwachsene Leserschaft. Außerdem hatten die Augenbinden aller vier Turtles die gleiche Farbe und nicht verschieden bunte wie in der Zeichentrickserie. Satte 6,80 DM kostete einer dieser heiß begehrten Comics. Für Calogero damals schon ein kleines Vermögen, doch fleißig sparte er sein mageres Taschengeld von 3,20 DM pro Woche und leistete sich alle von Januar 1991 bis Oktober 1992 veröffentlichten Ausgaben. Im November 1992 sollte dann leider Schluss sein. Die Turtles-Comics wurden danach zwar fortgeführt, waren jedoch dann eine reine Adaption der Zeichentrickserie, welche damals auf RTL ausgestrahlt wurde.

Ein paar Tage bevor der zwölfte und letzte originale Turtles-Comic mit dem Titel *Aprils Albtraum* erschien, war Calogero völlig aus dem Häuschen. Sein Puls raste. Von all seinen gesammelten Comics waren diese, keine Frage, seine wertvollsten. Für jedes einzelne dieser Hefte wäre er buchstäblich durch die Hölle gegangen. Ich selbst durfte sie nie anfassen und mir nur dann ansehen, wenn er für mich die Seiten mit einer Pinzette umblätterte. Keine fremden Finger sollten je dieses gesegnete Papyrus berühren. Wie gerne hätte ich eigene Turtles-Comics gehabt, doch sie waren immer ganz schnell ausverkauft.

Nur noch ein paar Tage und Calogeros nicht mit Gold zu bezahlende Sammlung würde endlich komplett sein. Er hatte im Vorfeld auch schon sämtliche Vorkehrungen dafür getroffen.

»Rudi soll bloß keinen Mist bauen! Ich zähle auf ihn. Habe ihm sogar schon das Geld und eine Mark extra gegeben, damit er das Heft für mich zurücklegt. Du weißt ja, Manuel, die ganzen dreckigen Geierkinder aus der Nachbarschaft sind auch richtig scharf auf die Hefte und er bekommt nicht viele davon. Die können mich am Arsch lecken. Eins davon gehört auf jeden Fall nur mir. Ich bin der größte Turtles-Fan auf diesem Planeten. Es kann nur einen geben!«

In unserer Gegend gab es nur einen einzigen Kiosk, der die Hefte im Sortiment hatte. Rudis Wasserhäuschen. Rudi war ein richtig schmieriger Schmierlappen. Der kleine dunkelhaarige Faltenkopf mit immer nach Schweiß de Toilette stinkendem grünen Pullunder nutzte jede Unachtsamkeit seiner Kunden aus, um ihnen ein paar Mark mehr abzuknöpfen. Dabei gab er einem stets zu wenig Rückgeld, wenn man nicht ganz genau aufpasste. Leider hatte Rudi außer den Turtles-Heften auch die besten Süßigkeiten in der ganzen Gegend. Mindestens einmal pro Woche ging ich mit meinem Vater und Kalvin zu ihm und kaufte eine riesige gemischte Tüte und jede Menge Zehnereis.

Am Tag bevor das langersehnte Heft herauskam, durfte Calogero das erste Mal bei uns übernachten. Wir machten uns einen richtig schönen Abend. Mit einem SNES wäre der Abend sicherlich noch schöner gewesen, doch als Trost brachte Calogero einige neue Game-Boy-Spiele mit, die er sich mal wieder von irgendeinem Klassenkameraden ausgeliehen hatte. Wie Verrückte zockten wir den halben Abend *Double Dragon 3*, *Tiny Toon Adventures* und *Bart Simpson's Escape from Camp Deadly*, während uns Kalvin aufmerksam zuschaute und dabei seine geliebten Benjamin-Blümchen-Kassetten hörte. Bevor wir schlafen gingen, las uns Calogero eine Gutenachtgeschichte vor. Naja, nicht wirklich eine Geschichte, er las uns aus dem Limit-Magazin vor.

Für diejenigen, die das Limit-Magazin nicht kennen: Limit war DAS Magazin, das Jungs haben mussten. Egal ob Actionfilme, Comics, Wrestling, Extremsport oder Technik, in Limit war alles vorhanden. Der Großteil der Themen war eigentlich nicht wirklich für kleine Kinder geeignet. So wurden die neuesten Filme von Schwarzenegger und Stallone vorgestellt, während bei den TV-Tipps Steven Seagal und Dolph Lundgren die Richtung vorgaben. In jedem Heft gab es zudem einen kleinen Disney-Comic und eine Witzeseite, bei der Screenshots aus bekannten Filmen mit lustigen Sprechblasen versehen waren.

Nachdem Calogero uns einen Artikel darüber vorgelesen hatte, wie Chuck Norris Van Damme all seine Tricks beibrachte, schliefen wir ganz tief und fest ein. Nur Calogero fiel es ein wenig schwer einzuschlafen. Er konnte an nichts anderes denken als an den letzten Turtles-Comic.

Am nächsten Morgen zogen wir uns dann nach einem kaiserlichen Frühstück erst einmal das komplette Zeichentrickprogramm rein. Samstagmorgens liefen auf RTL, Tele 5 und Sat 1 immer die besten Cartoons. Die Titellieder der ganzen Serien, ganz besonders die von *Michel Vaillant*, *Saber Rider* und *Bionic Six*, sangen wir fleißig mit. Auf dem Sender ARD lief samstagnachmittags außerdem immer der *Disney Club*, der von den drei Moderatoren Ralf, Stefan und Antje präsentiert wurde. Nach *Chip & Chap* und *Käpt'n Balu* war es dann endlich soweit.

Calogero und ich machten uns auf den Weg zu Rudis Kiosk. Da ich mittlerweile den Schulweg alleine gehen durfte, durfte ich ihn auch alleine zum Wasserhäuschen begleiten. Fröhlich und munter sang mein Kumpel auf dem Weg dorthin sein Lieblingslied:

»Hey, jetzt kommen die Hero Turtles, superstarke Hero Turtles, Calogero liebt die Hero Turtles …«

Auf halber Strecke begegneten wir Pepino. In der rechten Hand hielt er eine Einkaufstasche. Mit seinem typischen dämlichen Grinsen fragte er uns, wo wir hinwollten.

»Schnauze, Faccia di Minchia, das geht dich gar nichts an! Los weiter, Manuel. Wir haben keine Zeit!«

Pepino:
»Bis später, ihr Trottel!«

Wir ließen Pepino links liegen und sausten die restlichen Meter zum Kiosk, als wäre ein wild gewordenes Wolfsrudel hinter uns her. Bei Rudi angekommen, konnte Calogero es kaum glauben. Sein Turtles-Comic war nicht mehr da.

»WO IST MEIN COMIC, RUDI? LOS! Rück ihn raus!«

Rudi:
»Du hast doch dein Heft schon bekommen. Dein Bruder war gerade hier und hat es für dich abgeholt.«

»Mein Bruder? Ich habe gar keinen Bruder!«

Rudi:
»Vor fünf Minuten war ein kleiner Junge hier, der gesagt hat, dass er dein Bruder Pipino ist und für dich das Heft abholen soll, weil du krank im Bett liegst. Das verstehe ich jetzt nicht.«

»ICH HABE KEINEN BRUDER! Und krank bin ich auch nicht, das siehst du doch! Das ist ein dummer Junge aus meiner Nachbarschaft. Der hat dich verarscht! Hast du kein anderes mehr?«

Rudi:
»Oh, tut mir leid, das wusste ich nicht. Nein, ich habe nur dieses eine Heft bekommen. Vielleicht bekomme ich nächste Woche noch ein paar. Das kann ich dir aber leider nicht versprechen.«

In Calogeros Augen war blanker Hass zu sehen. Vor lauter Wut fingen seine Nasenflügel an zu flattern. Ohne weiter mit Rudi zu diskutieren, rannte er mit einem Affenzahn aus dem Kiosk in Richtung unseres Hofs. Ich hatte Mühe, ihm zu folgen, und konnte gerade noch so Schritt halten. Calogero blendete alles aus. Fast wäre er beim Überqueren der Straße von einem Auto angefahren worden, doch das war ihm egal. Er dachte nur daran, Pepino kurz und klein zu schlagen. Die Rotznase hatte ja Calogero schon oft provoziert und deshalb Prügel kassiert, doch jetzt hatte er den Bogen mehr als überspannt.

Als wir an dem benachbarten Park unseres Hauses vorbeirauschten, bemerkten wir, dass dort Pepino mit ein paar Kindern aus unserer Nachbarschaft stand. Lautes Gelächter war zu hören. In seiner linken Hand hielt Pepino den Turtles-Comic, in seiner rechten ein Feuerzeug.

Pepino:
»Komm mir bloß nicht zu nahe, sonst verbrenne ich das Heft!«

»NEEEEIIIIINNN! Bitte, tu das nicht! Was willst du? Willst du meine Wrestlingkarten? Kein Problem, ich gebe dir alle, die ich habe. Ich will nur meinen Comic haben! Bitte! Pepino!«

Pepino:
»Deine Scheißkarten kannst du behalten. Auf diesen Moment habe ich soooo lange gewartet! Kannst du dich noch daran erinnern, wie du mich damals wegen dem Mercedesstern geschlagen hast? Die ganze Zeit habe ich überlegt, wie ich es dir heimzahlen kann. Und als du die letzten Tage andauernd von diesem blöden Comic geredet hast, ist mir diese tolle Idee eingefallen.«

»WAS WILLST DU?«

Pepino:
»Du wirst jetzt alles tun, was ich sage, sonst verbrenne ich das Heft vor deinen Augen!«

»NIEMALS! Ich verhandele nicht mit Psychopathen!«

Während alle Kinder sich schlapp lachten, ließ Pepino die Flamme des Feuerzeugs immer näher an das Heft kommen.

»Schon gut, schon gut! Sag schon, was willst du?«

Pepino:
»Siehst du den Mülleimer da hinten? Leck ihn ab!«

»Was? Spinnst du?«

Die Flamme des Feuerzeugs berührte fast das Comicheft. In Gedanken sah ich es schon lichterloh brennen.

»Okay, okay, ich mach's, aber danach will ich den Comic haben!«

Pepino:
»Das muss ich mir noch überlegen, leck erst mal den Mülleimer ab.«

Calogero lief geradewegs zu dem Mülleimer, der neben einer der Parkbänke stand. Die lachenden Kinder waren ihm völlig egal. Ganz fest petzte er seine Augen zusammen, streckte seine Zunge raus und schleckte, wie gefordert, den Mülleimer von unten bis oben ab. Gleich danach spuckte er einen fetten grünen Schleimklumpen auf den Boden. Bis auf meinen besten Kumpel und mich bepissten sich alle vor Lachen. Calogero forderte seinen Comic ein, doch Pepino war das Ablecken noch nicht genug. Nun konnte er seine sadistische Ader ganz und gar ausleben. Als nächstes sollte mein Kumpel aus dem Mülleimer eine Bierflasche herausholen, in der noch ein wenig Flüssigkeit war. In der Flüssigkeit schwammen ein paar vergammelte Zigarettenstummel herum. Ich ahnte, was als nächstes passieren sollte.

Pepino:
»Trink!«

»Spinnst du? Niemals! Ich habe doch schon den Mülleimer abgeleckt. Das reicht! Gib mir endlich meinen Comic, du geistesgestörter Freak!«

Pepino:
»Mir egal. Trink! Oder willst du, dass ich das Heft jetzt verbrenne? Ich mach keinen Spaß, das ist mein Ernst!«

Wieder hielt Pepino die Flamme ganz nah an den Comic. Egal, wie sauer Calogero war, er wusste, dass Pepino ihn an den Eiern hatte. Zum ersten Mal war er gegen ihn machtlos. Im Chor sangen alle Kinder „*trink, trink, trink*“. Ohne Kommentar nahm er die Bierflasche, führte sie an den Mund und pumpte sie in einem Zug aus. Dabei schaffte er es aber nicht, den Pissrest der Flasche herunterzuschlucken und so spuckte er den Siff direkt wieder aus.

»Bäh, mir ist schlecht. Ich glaube, ich muss kotzen. Willst du, dass ich sterbe? Das reicht doch jetzt. Du hast deine Rache gehabt. Komm schon, gib mir jetzt bitte das Heft! Wir sind quitt!«

Alle zeigten angewidert mit dem Finger auf meinen Freund und schnitten dabei komische Grimassen.

Pepino:
»Hahaha, wie ekelhaft du bist! Nein, Stronzo! Wir sind noch lange nicht quitt! Wegen dir habe ich einen Monat lang fette blaue Flecken am ganzen Körper gehabt. Siehst du den Mann dahinten mit dem Hund?«

»Verdammt, was hast du vor?«

Der Hund des Mannes seilte gerade einen üppigen und cremigen Haufen auf die Wiese.

Pepino:
»Du wirst jetzt deine Finger in den Haufen stecken und sie ablutschen!«

Fast gleichzeitig gaben alle Kinder ein provozierendes „*Iiiieeeeehhh*“ von sich. Für einen kurzen Moment dachte Calogero daran, ihm einfach das Heft aus der Hand zu reißen, doch Pepino hielt immer noch das Feuerzeug darunter. Zu groß war die Gefahr, dass die Turtles gegrillt würden, und dieses Risiko konnte er einfach nicht eingehen. Das Lachen der Kinder hingegen wollte einfach nicht aufhören. Noch nie war Calogero so erniedrigt worden, schon gar nicht vor den Kindern der Nachbarschaft, die eigentlich großen Respekt vor ihm hatten. Ihm musste schnell etwas einfallen. Er konnte es nicht zulassen, so gedemütigt zu werden, und erst recht nicht von Pepino. Andererseits war ihm der Turtles-Comic wichtiger als die Meinung dieser dämlichen Kinder. Widerwillig lief er zu dem dampfenden Haufen und steckte drei Finger seiner linken Hand rein. Wieder riefen sie gemeinsam im Chor „*lutsch, lutsch, lutsch*". Selbst der Mann, dessen Hund zuvor den Haufen geschissen hatte, grinste dreckig und schaute gespannt zu, was als nächstes passieren würde.

Calogero führte ganz langsam seine mit Kacke glasierten Finger zu seinem Mund, doch im letzten Augenblick zog er die Hand von seinem Gesicht wieder weg und schmierte die daran klebende Scheiße quer durch Pepinos hässliche Fratze. Lautes Gelächter brach aus. Sogar das Herrchen und sein Hund lachten sich schlapp. Mit dieser Aktion hatte mein Kumpel prompt seine Ehre wiederhergestellt. Damit hatte Pepino wirklich nicht gerechnet. Während er geschockt versuchte, sich mit seinem Ärmel die Kacke aus den Augen zu wischen, riss ihm Calogero schnell das Feuerzeug aus der Hand. Fast hätte er noch den Comic mit seinen sauberen Fingern der anderen Hand greifen können, doch bevor er es schnappen konnte, schmiss Pepino dem Hund die Turtles zum Fraß vor. Der Vierbeiner dachte, es sei ein Spielzeug, und setzte sofort zum Sprung an. Mit einem gewaltigen Tackling rammte Calogero den Hund jedoch zur Seite und schmiss sich anschließend schützend auf den Comic. Noch bevor das Herrchen reagieren konnte, griff der zähnefletschende Köter Calogero an und zerfetzte dabei sein schwarzes T-Shirt. Keines der Kinder lachte mehr. Die Situation war auf einmal todernst. Jeder rechnete damit, dass der Schäferhund Calogero fertigmachen würde, doch das Gegenteil passierte. Ohne das Heft in Gefahr zu bringen, schlug er dem Köter mit voller Wucht auf die Schnauze, woraufhin dieser sich dann jaulend zurückzog. Der Hund gab sich geschlagen und legte sich ergebend auf den Rücken. Anders als sein Herrchen. Wutentbrannt ging er auf Calogero los, doch der kleine tapfere Sizilianer entfesselte, dank des Comics, ungeahnte Kräfte. Mit einem wuchtigen Tritt in die Weichteile beförderte er den Mann auf den Boden, neben seinen jaulenden Köter. Die Kinder und ich jubelten wie blöde und feuerten Calogero an. Er zögerte nicht lange und rannte mit dem Heft in der Hand aus dem Park heraus.

»Los, Manuel! Schnell weg von hier!«

Speedy Gonzales war eine Schnecke gegen ihn. Noch nie hatte ich ihn so schnell rennen gesehen. Selbstverständlich flitzte ich hinterher. Als ich mich noch einmal nach hinten umdrehte, sah ich, wie die restlichen Kinder Pepino und den Mann auslachten.

Ich folgte meinem Kumpel bis hin zu seiner Haustür. Völlig außer Puste atmeten wir beide dort erst einmal ganz tief durch. Nach all den Qualen nahm die Geschichte doch ein gutes Ende. Naja, fast. Das Comicheft hatte nach all der Action ein paar Eselsohren abbekommen. Mir war das nicht so wichtig, Hauptsache, wir hatten das Comicheft zurückerobert.

Manuel:
»Denen hast du es aber gezeigt! Juhuuu, jetzt können wir uns endlich den neuen Comic anschauen. Zeig mal her!«

»Noch nicht. Es gibt da noch jemanden, mit dem ich eine Rechnung offen habe. Wir müssen noch einmal zu dem verdammten Wasserhäuschen!«

Wenngleich Calogero über Umwege doch noch an sein heiß geliebtes Turtles-Heftchen gelangt war, wollte er von Rudi sein hart erspartes Geld zurückfordern. Immerhin war ihm wegen des geizigen Kioskbesitzers sein T-Shirt zerrissen und sein halber Oberkörper zerkratzt worden. Obwohl er seine Finger auf dem Weg an irgendeiner Hauswand abwischte, klebte an ihnen immer noch ein wenig Hundescheiße. Das Schlimmste für ihn waren jedoch die Knicke im Comic. So liefen wir wieder zu dem Kiosk. Mit einem kräftigen Pushkick öffnete mein Kumpel die Tür von Rudis Schuppen und wir beide betraten das Wasserhäuschen, völlig selbstbewusst wie zwei echte Bosse.

»RUDI! Schau, was du angerichtet hast! Wegen dir musste ich eine Mülltonne ablecken, eine ekelhafte Bierflasche austrinken, meine Finger in Hundescheiße drücken und gegen einen tollwütigen Köter kämpfen! Mein T-Shirt wurde zerrissen und ich habe am ganzen Körper blutige Kratzer. Dabei hätte ich abkratzen können! Und das ist nicht das Schlimmste von allem! DAS HEFT IST GEKNICKT! Ich will mein Geld zurück, aber PRONTO!«

Calogeros schrecklicher Anblick ließ Rudi völlig kalt. Nicht in hundert Leben hätte er daran gedacht, auch nur einen Groschen zurückzugeben. Erst recht nicht an zwei Kinder wie uns.

Rudi:
»Hey, Kleiner, für dein zerrissenes T-Shirt und die Knicke in deinem Heft habe ich keine Schuld. Ich habe diesem Jungen, der sich als dein Bruder vorgestellt hat, das Heft gegeben. Mehr nicht! Das tut mir leid, aber jetzt hast du es ja und alles ist gut. Ich kann dir eine kleine gemischte Tüte spendieren. Die Süßigkeiten kannst du dir auch aussuchen.«

Rudi blieb eisern. Keinen müden Pfennig wollte er herausrücken. Es war schon wirklich sehr großzügig von ihm, dass er uns eine kleine gemischte Tüte anbot. Als ich schon wieder nach draußen laufen wollte, packte Calogero noch ein Ass aus dem Ärmel:

»Wetten, dass ich mein Geld wiederbekomme? Hör mir jetzt gut zu, Rudi. Ich schwöre auf Thomas Gottschalk. Wenn ich die Kohle jetzt nicht sofort wiederbekomme, erzähle ich meinem Onkel davon, dass du mich verarscht hast und mir mein Geld nicht zurückgeben willst. Du kennst meinen Onkel! Vinnie Caruso. Der versteht keinen Spaß, Strozzino!«

Das Argument zog. Allein der Name „Vinnie Caruso" ließ Rudi heftig schwitzen. Ihm lief umgehend die Brühe von der Stirn.

Rudi:
»Vinnie Caruso? Äh, schon gut! Ist doch alles in Ordnung. Du musst doch deinen Onkel nicht wegen mir rufen. Hier sind deine 7,80 DM. Und warte ... ich mache dir und deinem Freund noch zwei große gemischte Tüten. Was sagst du?«

»Geht doch! Normalerweise müsste ich noch ein neues Shirt von dir bekommen!«

Ich war erstaunt und fragte mich, wer genau dieser Onkel Vinnie denn war. Offensichtlich hatte Rudi jede Menge Respekt vor ihm. Der sonst so geiernde Geizhals schenkte uns zwei wirklich riesige gemischte Tüten mit allen möglichen Süßigkeiten unserer Wahl. Nicht nur uns schenkte er etwas. Er hatte auch ein Geschenk für den Onkel meines Kumpels. Rudi verschwand für einen kleinen Moment im Nebenraum und kam kurz darauf mit einer komischen Zeitschrift zurück.

Rudi:
»Pass bitte gut darauf auf und gib das deinem Onkel, ja? Richte ihm bitte viele Grüße von mir aus!«

Zum Abschied reichte er meinem Freund die Hand. Währendessen bemerkte Rudi nicht, dass ihm Calogero dabei die restliche Hundekacke an die Hand schmierte. Nachdem wir das Wasserhäuschen verließen, nahm Calogero die Zeitschrift für seinen Onkel genauer unter die Lupe und bekam Stielaugen.

Manuel:
»Was ist los, Calogero?«

»Gar nichts! Das ist nur so eine langweilige Zeitung für Erwachsene. Die wird dich sicher nicht interessieren.«

Blitzschnell, ohne dass ich sie mir ansehen konnte, steckte er sie zwischen die Seiten seines Turtles-Comics, sodass man sie von außen nicht mehr richtig sehen konnte.

Manuel:
»Können wir uns jetzt endlich den Comic anschauen? Bitteeee!«

»Ähh, jetzt noch nicht, aber gleich. Ich muss nur noch schnell meinem Onkel die Zeitschrift von Rudi vorbeibringen. Du kannst ja kurz unten vor der Tür warten. Ich beeile mich!«

Sein Onkel wohnte ja im selben Haus wie er, so dauerte es nur wenige Minuten, bis wir dort ankamen. Wie abgesprochen wartete ich vor der Haustür und Calogero sprintete ins Treppenhaus. Aber nicht zu seinem Onkel, sondern zu sich in die Wohnung. Sein Vater machte im Wohnzimmer ein Nickerchen auf der Couch. Zuallererst wusch sich Calogero die Hände, dann schlich er sich leise in das Wohnzimmer und öffnete vorsichtig seinen Schrank, in dem er all seine Spielzeuge und Comics bunkerte. Völlig aufgeregt schaute er um sich. Seine Hände zitterten. Ehe er in dem Heft blättern konnte, wurde plötzlich sein Vater wach.

Calogeros Vater:
»Wasse du make? Wasse dasse? Wie siehesde du ausse, eh?«

»Äh, das ist nur ein Comic von meinen Lieblingsfiguren, den Turtles. Du kennst sie doch. Leonardo, Donatello, Raphael und Michelangelo. Das sind die Figuren, nach denen ich meine Urzeitkrebse benannt habe.«

Calogeros Vater:
»Mire scheise egale. Wasse isse mide deine Hemde passierde, eh?«

»Ich bin beim Fußballspielen in einen Busch mit Dornen gefallen. Mir geht's gut, das T-Shirt ist aber leider kaputt. Tut mir leid.«

Sein Vater stand auf und riss ihm den Comic aus der Hand. Dann blätterte er durch das Heft und stieß dabei auf die Zeitschrift zwischen den Seiten. Es war die damals aktuelle Ausgabe des Playboys mit einer halbnackten Bardame in der Frankfurter Bar Cookys auf dem Cover. In ihrem Mund qualmte eine Zigarette. Grimmig schaute Giuliano auf Calogero und dann zurück auf das Heft. Danach blätterte er sich durch die Seiten mit den nackten Frauen und sein grimmiger Blick entspannte sich wieder. Beim Ausklappen des Posters fiel plötzlich ein weißer Umschlag herunter, auf dem etwas geschrieben stand. Calogeros Vater hob ihn auf. Nachdem er den Text gelesen, den Umschlag geöffnet und hineingeschaut hatte, rastete er auf einmal völlig aus. Calogero bekam sofort jede Menge Ohrfeigen. Ohne dass er den heftigen Schreien seines Vaters antworten konnte, zerriss dieser den Comic samt Playboy. Doch damit nicht genug. Sein Vater holte alle restlichen Turtles Comics aus seinem Schrank und riss sie ebenfalls in kleine Fetzen. Währenddessen versuchte der heulende und völlig entsetzte Calogero, ihn daran zu hindern. Immer wieder wurde er heftig zur Seite gestoßen, wenn er eingreifen wollte. Vergeblich. Er war viel zu schwach und konnte nur hilflos zusehen. Jedes Mal, wenn sein Vater eine Seite zerriss, fühlte es sich für ihn so an, als ob ein Stück seines Herzens mit herausgerissen wurde. Mein Kumpel war völlig am Tiefpunkt.

Von unten hörte ich panische Schreie aus einem der Fenster über mir. Auf einmal regnete es viele, kleine bunte Papierschnipsel von oben auf den Gehweg. Ein paar von den Fetzen flogen mir dabei in die Hand. Neugierig schaute ich sie mir genauer an und musste mit Entsetzen auf einem der Schnipsel die Gesichter der Turtles erblicken. Ich war verwirrt. Kurz darauf ging die Haustür auf und ein völlig niedergeschlagener Calogero stand vor mir.

»Er hat alle meine Turtles-Comics zerrissen und aus dem Fenster geworfen! Er soll verrecken! Eines Tages werde ich ihn umhauen, das schwöre ich! Er hat sogar meine Urzeitkrebse die Toilette runtergespült. Das Leben stinkt!«

Manuel:
»Ich verstehe das nicht. Warum hat er das gemacht?«

»Was soll ich sagen, Manuel? Mein Vater ist ein Hurensohn!«

KAPITEL

12

DEZEMBER 92

SCHEUßLICH BESTE FREUNDE

IN

WUNDERBARE WEIHNACHT

KAPITEL 12

Wunderbare Weihnacht

(Dezember 1992)

Noch Wochen nach der sinnlosen Zerstörungsaktion seines Vaters war Calogero völlig niedergeschlagen. Egal was wir auch zusammen spielten, er empfand überhaupt keine Freude dabei. Er steckte mich sogar mit seiner miesen Laune an. Als einer unserer Lieblingsfernsehsender, Tele 5, verkauft und komplett abgesetzt wurde, hob das nicht gerade unsere Laune. *Bim Bam Bino* war nun offiziell tot und ein Haufen unserer geliebten Cartoons verschwand einfach so von der Bildfläche.

Die schlechte Stimmung zog sich dann bis kurz vor Weihnachten. Ein paar Tage vor Heiligabend fiel mächtig viel Schnee. Irgendwann mittags an diesem Tag klingelte dann unser Telefon und ein total gut gelaunter Calogero war am Apparat. Seine Eltern waren gerade beide außer Haus, arbeiten. Ganz aufgeregt bat er mich, ihn besuchen zu kommen. Ich sollte mich aber schleunigst beeilen. Meine Eltern hatten nichts dagegen einzuwenden. So packte ich mich warm ein, ging nach draußen in die weiße Landschaft und kämpfte mich durch den Schnee bis hin zu Calogeros Haus. Dort angekommen schaute ich auf die andere Straßenseite und sah Patrick den Schnee vom Gehweg schippen. Patrick war der Lehrling der Metzgerei Barsch, die sich dort am Straßeneck befand.

Namensgeber der Metzgerei war der damalige Metzger Herbert Barsch, ein kleiner fetter Mann mit sehr lichtem weißgrauem Haar und einer Brille mit solch dicken Gläsern, dass man nur seine vergrößerten Pupillen sehen konnte. Gattin Gisela Barsch war rothaarig und ebenfalls ziemlich korpulent. Das wabbelige Doppelkinn ihres knautschigen Gesichts stach einem direkt ins Auge. Es sah fast wie ein zweiter Mund aus. Wenn sie mit einem sprach, schwabbelte der zweite Mund munter hin und her. Trotz ihres leicht unheimlichen Aussehens waren die beiden wirklich sehr nette Menschen. Ihr Fleischangebot und ganz besonders ihre Frikadellen waren legendär. Täglich rannten die Leute ihnen die Bude ein, um ein paar dieser leckeren Buletten zu ergattern. Wann immer meine Oma mit mir dort zum Einkaufen vorbei geschaut hatte, bekam ich von den netten Metzgern ein paar dicke Scheiben ihrer besten Gelbwurst zum Probieren geschenkt.

Calogero konnte ihren Lehrling Patrick nicht ausstehen, weil er von ihm schon oft im Vorbeigehen grundlos als Fettsack beschimpft worden war. Dafür nannte Calogero ihn immer einen dürrrapelligen, rothaarigen Hexenbastard.

Während Patrick den Schnee vor sich hinschaufelte, fluchte er so laut, dass jeder Nachbar in der Straße ihn hören konnte. Nachdem ich bei meinem Kumpel geklingelt hatte, erklang auch schon sofort das Surren des elektrischen Türöffners. Oben angekommen nahm er mich fröhlich in Empfang. Seit dem Verlust seiner geliebten Comics freute ich mich nun riesig, ihn wieder lachen zu sehen, und fragte mich, was er wohl diesmal ausgeheckt hatte. Sein breites Grinsen kam nicht von ungefähr.

»Komm schnell mit, ich will dir etwas zeigen!«

Ich folgte ihm ins Wohnzimmer. In seiner Hand hielt er einen kleinen Tritt und stellte ihn vor das Fenster, weil ich zu klein war, um bis hinunter zum Gehweg zu schauen. Voller Verachtung guckte er in Richtung der Metzgerei.

»Siehst du diese hässliche Bohnenstange da unten?«

Manuel:
»Ja. Das ist doch dieser blöde Patrick, den du nicht magst, oder?«

»Ganz genau! Und den werden wir jetzt mal ein wenig ärgern. Du musst jetzt ganz genau hinhören und ihn beobachten.«

Dann flitzte Calogero in den Flur. Meine Augen blieben, ohne zu blinzeln, auf den dünnen Rotschopf gerichtet. Plötzlich hörte ich durch das gekippte Fenster eine Stimme von unten. Patrick reagierte, indem er sich umdrehte und irgendetwas zurückrief. Ich hörte genauer hin. Wieder ertönte von unten diese hysterische Stimme:

»ARSCHLOCH!«

Es war Calogero über die Sprechanlage. Nach mehreren Schreien kam mein Kumpel vom Flur zurück ans Fenster gerannt, um sich Patricks Schauspiel selbst mitanzusehen. Der drehte richtig hohl und warf wütend seine Schneeschippe zu Boden. Dann schlich er um die parkenden Autos herum, um den Schuldigen zu finden. Wir lachten uns kaputt. Er war wohl zu dumm, um zu merken, dass die Stimme aus der Sprechanlage gegenüber gekommen war. Als der Metzgerstrolch sich irgendwann abreagiert hatte und wieder die Schippe aufhob, flitzte Calogero erneut zur Sprechanlage in den Flur.

»SCHWEINEPRIESTER! ARSCHLOCH! SKELETTMENSCH!«

Wieder drehte sich Patrick herum.

Patrick:
»Ich kriege dich, du kleine Ratte! Du kannst dich noch so gut verstecken, ich werde dich kriegen, hörst du?«

Je mehr sich Patrick aufregte, desto mehr lachten wir uns einen ab. Es war schon einige Zeit her, dass mein bester Freund und ich so herzhaft lachen mussten. Calogero waren die Schreie jedoch nicht befriedigend genug, er packte noch eine Schippe drauf. Auf der äußeren Fensterbank des Wohnzimmerfensters lag, schon vorbereitet, ein großer gelblicher Schneeball. Sobald sich Patrick wieder seiner Aufgabe zuwandte, öffnete Calogero vorsichtig das Fenster.

»Schau genau zu und lerne!«

Ziemlich treffsicher warf Calogero den Schneeball auf Patricks rosafarbene Banatzel. Schnell duckten wir uns, damit er uns nicht sehen konnte. Der Idiot hatte keine Ahnung, wer es auf ihn abgesehen hatte. Mit angewidertem Gesicht wischte er sich die weiß-gelben Brocken vom Kopf. Auf dem Weg zurück in die Metzgerei rutschte er zu allem Übel noch heftig auf dem Gehweg aus. Für Calogero ein wahres Fest für die Augen. Siegreich triumphierte er mit erhobenen Armen.

Alsbald die Luft rein war und Patrick von der Straße verschwand, zogen wir unsere Jacken an und machten uns nach draußen, da Calogeros Eltern bald wieder von der Arbeit zurückkommen sollten. Er schlug mir dann vor, im benachbarten Park einen Schneemann zu bauen. Mir gefiel die Idee, und so stapften wir los. Unterwegs machten wir uns noch einmal richtig über Patrick und den ekelhaften Pissschneeball lustig.

»Der hat richtig gesessen. Hoffentlich hat er ihm geschmeckt! Ich hab extra dafür drei Päckchen Sunkist auf ex getrunken, hahaha.«

Manuel:
»Das war sooo lustig! Ein Wunder, dass er uns nicht gesehen hat.«

»Wunder? Es gibt keine Wunder!«

Manuel:
»Doch, gibt es! In der Weihnachtszeit geschehen immer ganz viele Wunder.«

»So ein Quatsch! Wer hat dir diesen Mist erzählt? Peter Pan, oder was? Dass ich nicht lache!«

Manuel:
»Das habe ich in der Kirche gehört.«

Obwohl Calogero und seine Eltern katholisch waren, hielten sie nie viel von der Kirche. Erst recht nicht von Weihnachten.

Manuel:
»Du hast aber auch schon mal vom Weihnachtswunder geredet!«

»Heweps! Niemals! Daran kann ich mich nicht erinnern! Wann soll das denn gewesen sein? Das hast du bestimmt geträumt!«

Manuel:
»Als du damals deinen Game Boy zu Weihnachten bekommen hast, weißt du noch?«

»Ach, das habe ich damals nur so gesagt! Ich habe den nur bekommen, weil mein Onkel ein gutes Wort für mich bei meinem Vater eingelegt hat. Sonst hätte ich wie immer gar nichts bekommen.«

Manuel:
»Also dann war es doch ein Wunder, oder?«

»Wie oft muss ich es dir noch sagen? Es gibt keine Wunder! Und wenn es sie gibt, dann passieren sie nur anderen Trotteln, aber nicht mir. Wenn es Wunder geben würde, dann wären meine Turtles-Comics noch ganz und mein elender Vater in irgendeiner Höhle auf Sizilien!«

Calogeros Laune begann wieder, wie die Temperatur an diesem Tag, zu sinken. Ohne weitere Kommentare zum Thema Wunder begannen wir im Park mit dem Bau unseres Schneemanns. Hinter einem Busch suchte mein Kumpel uns ein paar Äste für die Arme unseres Schneekameraden zusammen. Dabei fiel ihm auf der eingeschneiten Wiese etwas Glänzendes auf. Als er genauer hinsah, entdeckte er mehrere Fünfmarkstücke unter dem Schnee begraben. Dieser Anblick ließ ihn sofort wieder fröhlich werden.

Manuel:
»Boa, so viele Fünfmarkstücke habe ich noch nie gesehen!«

»Das sind ja ganze neun Stück! Das ist ja der Wahnsinn!«

Manuel:
»Das ist ein Wunder!«

Sein Lächeln verwandelte sich wieder in einen bösen Blick.

»Was habe ich dir denn vorhin erklärt? Es gibt keine Wunder! Warum checkst du das nicht? Das ist nur ein komischer Zufall. Bestimmt wurden die Fünfmarkstücke hier von einem Penner versteckt. In Sizilien sagt man, dass man keine Bettler beklauen darf, sonst bekommt man Unglück!«

Manuel:
»Und was machst du jetzt?«

»Natürlich die Fünfmarkstücke mitnehmen. Was glaubst du denn? Das sind 45 Mark! Dafür muss ich ein halbes Leben lang sparen!«

Manuel:
»Und was ist mit dem Bettler?«

»Ich sehe hier keinen Bettler. Du etwa? Vergiss diesen dämlichen Schneemann. Lass uns zu Rudi gehen und ein paar Süßigkeiten kaufen. Ich bezahle!«

Auch wenn er nicht daran glauben wollte, für mich war es ein kleines Wunder. Irgendwie verriet mir dies mein Bauchgefühl.

Am nächsten Tag geschah wieder etwas Unglaubliches. Beim Mittagessen verriet Calogeros Vater, dass er und seine Mutter ihm doch, entgegen ihrer Tradition, ein Geschenk geholt hatten. Er sagte, es habe sogar etwas mit Super Mario zu tun, mehr wollte er aber nicht verraten. Später, als mein Kumpel mich besuchen kam, rätselten wir dann gemeinsam in meinem Zimmer, was ihm seine Eltern wohl gekauft hatten.

Manuel:
»Vielleicht geschieht ja doch noch ein Wunder und deine Eltern haben dir einen Super Nintendo gekauft!«

»Fängst du jetzt schon wieder mit diesem Wunderquatsch an? Ich dachte, wir hätten das ein für alle Mal geklärt. Meine Eltern würden lieber vergiftete Spaghetti essen, als mir einen Super Nintendo zu kaufen. Die legen mich sicher rein. Das ist bestimmt die Rache dafür, dass ich gestern nach dem Kacken vergessen hatte, die Kloschüssel richtig sauber zu machen. Warum sollten die mir auf einmal ein Weihnachtsgeschenk kaufen? Wir haben, seitdem ich auf der Welt bin, noch nie Weihnachten gefeiert. Nicht ein einziges Mal hatten wir einen Weihnachtsbaum! Verdammt, ich hasse Weihnachten! Sei froh, dass deine Eltern nicht so sind. Du bekommst bestimmt einen Super Nintendo.«

Meine Chancen standen genauso schlecht wie die meines Kumpels. Schon Wochen vor Heiligabend versuchte ich meinen Eltern zu verklickern, dass ich mir „nur" ein SNES zu Weihnachten wünschte. Die Reaktionen auf meinen Wunsch waren alles andere als positiv. Im Gegensatz zu Calogero hatte ich jedoch die Hoffnung auf ein Weihnachtswunder noch nicht völlig aufgegeben.

Am Abend vor dem 24. allerdings sollte sich auch Calogeros Einstellung zu Wundern ändern. Vor dem Schlafengehen erspähte er im Schlafzimmer seiner Eltern eine in grünes Geschenkpapier gewickelte Box, die eine ähnliche Größe wie die SNES-Verpackung hatte. War es wirklich möglich, fragte er sich immer wieder. Die Grübelei darüber ließ ihn nicht einschlafen. Je länger er darüber nachdachte, desto mehr hoffte er auf dieses Wunder. In dieser Nacht war er nicht der Einzige, der vor lauter Aufregung nicht einschlafen konnte. Mir ging es genauso.

Knapp 24 Stunden später war es dann endlich soweit. Unter unserem Weihnachtsbaum lächelte mich ein Geschenk ganz besonders an. Es war recht groß, quadratisch und in glänzendes, rot-violettes Papier eingepackt. Obendrauf eine wunderschöne blaue Schleife und ein Zettel, auf dem liebevoll „Für Kalvin und

Manuel" geschrieben stand. Nachdem meine Eltern, meine Großeltern und mein Bruder gemeinsam mit mir zu Abend gegessen hatten, war es Zeit für die Bescherung. Bevor wir schließlich die Geschenke auspacken durften, mussten mein Bruder und ich unseren Verwandten noch irgendein Weihnachtslied vorsingen. Wir trällerten ein wenig *O du Fröhliche* vor uns her und kassierten Beifall. Dann, endlich, konnten wir uns wie ausgehungerte Hyänen auf die Geschenke stürzen. Ich griff mir natürlich als allererstes das rot-violett verpackte. Kalvin schaute gespannt zu.

Manuels Vater:
»Das ist von deiner Mutter, deinen Großeltern und mir. Frohe Weihnachten!«

Vorsichtig riss ich an einer Ecke das sorgfältig umwickelte Geschenkpapier auf.

Manuel:
»Was ist denn das?«

Sofort stieß mir das SNES-Logo in die Augen und ich erstarrte in Ehrfurcht. Mit Sabber an beiden Mundwinkeln entfernte ich gierig den Rest des Geschenkpapiers. Im Hintergrund fing mein kleiner Bruder an, den Moonwalk zu tanzen. Obwohl er erst zweieinhalb war, wusste er ganz genau, was dieses Geschenk zu bedeuten hatte.

Manuel:
»Oh, danke lieber Gott! Du hast meine Gebete erhört, ich danke dir! Und euch natürlich auch! Ich werde euch nie wieder nerven. Ich verspreche es!«

Manuels Mutter:
»Da bin ich mal gespannt!«

Manuels Vater:
»Denk daran, das Ding ist nicht nur für dich alleine! Es ist auch für deinen Bruder. Und glaube nicht, dass du jetzt den ganzen Tag vor dem Fernseher sitzen wirst. Allerhöchstens zwei Stunden am Tag mit Pause, hast du verstanden?«

Manuel:
»Ja, ja, in Ordnung.«

Endlich konnten auch wir bei uns zu Hause das neue Super-Mario-Spiel mit Yoshi zocken. Kalvin und ich waren richtige Glückspilze, denn außer der SNES-Spielekonsole mit *Super Mario World* bekamen wir von unseren Großeltern noch *Mario Paint* geschenkt. Inklusive der dazugehörigen Maus, mit der dieses Malspiel bedient wurde. Bei all der Freude gab es aber leider jemanden, der nicht so ein Glück hatte wie mein Bruder und ich.

Während Calogero und seine Mutter in der Küche zu Abend aßen, lag sein Vater im Wohnzimmer auf der Couch, schnitt sich die Fußnägel und schaute nebenbei fern. Als ein Werbespot für den Super Nintendo gezeigt wurde, rief er in Richtung Küche:

»Due liebe doke diese Nintendo Mario, Calogero, eh? Wire haben dire gekaufde etewas schönes von die Mario!«

Calogeros Herz explodierte fast vor Freude. Er dachte sich, wenn das wirklich wahr sein sollte, dass ihm seine Eltern ein SNES gekauft hatten, dann wäre das mit Abstand der beste Tag seines Lebens. Er wäre sogar dazu bereit gewesen, das Comic-Desaster zu vergessen. Seine Mutter ging nach dem Essen ins Schlafzimmer, um Calogeros Präsent zu holen.

Calogeros Mutter:
»Hiere, deine Geschenk.«

Es war tatsächlich die in grünes Papier eingepackte Box, die er am Abend zuvor im Schlafzimmer seiner Eltern gesehen hatte. Siegessicher riss er das Geschenkpapier herunter. Schock! Eine weiße Pappbox ohne Aufdruck. Vielleicht hatten sie ja das SNES in eine andere Verpackung gelegt, weil die originale beschädigt worden war. Noch hegte er Hoffnung auf das Wunder. Doch spätestens nachdem er den Deckel der Box aufgerissen hatte, waren Wunder endgültig für ihn gestorben. In der Box befanden sich ein Paar Hausschuhe mit Super-Mario-Aufnäher, ein Yoshi-Schlüsselanhänger, ein Super-Mario-Malbuch und eine Luigi-Zahnbürste. Wieder einmal war Calogero vollkommen enttäuscht worden. Er brach in Tränen aus und rannte aus der Wohnung. Seine Eltern riefen ihm noch hinterher, dass er nicht abhauen solle, doch ihm war alles egal.

Niedergeschmettert und völlig geistesabwesend schlenderte Calogero durch die Gassen unserer Nachbarschaft. Es begann wieder heftig zu schneien und er fing an, wie blöd am ganzen Leibe zu zittern, weil er vor lauter Aufregung beim Rausgehen vergessen hatte, eine Jacke mitzunehmen. Während er an all den Häusern mit verschiedenen bunten Beleuchtungen vorbeilief, blickte er hin und wieder in eines der vielen Fenster. Dabei sah er meist fröhliche Familien, die herzlich lachten und sich gegenseitig in den Armen lagen. Er sah viele tolle Geschenke, die unter prachtvollen Weihnachtsbäumen ausgebreitet waren. Wie gern wäre er jetzt auch so glücklich wie diese Familien, die er beobachtete.

Nachdem er einige Runden um den Block gedreht hatte, beruhigte er sich ein wenig und ging wieder zurück nach Hause. Im Treppenhaus begegnete er seinem Onkel Vinnie. Er war ganz aufgeregt, denn er hatte Calogero schon überall gesucht, um ihm sein Weihnachtsgeschenk zu überreichen. Tja, und so kam mein Kumpel nun doch noch zu seinem SNES und ganz persönlichen Weihnachtswunder.

»Das war kein Wunder! Das war mein Onkel Vinnie!«

KAPITEL

13

AUGUST 93

DM 3,50

SCHEUẞLICH BESTE FREUNDE

IN

EIN NEUER FREUND

Zwei Narren für

Zelda

KAPITEL 13

Ein neuer Freund

(August 1993)

Selbst nach einem ganzen Jahr auf der Teichschule hatte Calogero dort immer noch keinen richtigen Freund gefunden. Zwar gab es in seiner Klasse den einen oder anderen, mit dem er sich ab und zu unterhielt, doch so richtig angefreundet hatte er sich bislang mit keinem von ihnen. Es schien nur einen zu geben, der an Calogero Interesse hatte, aber leider nicht im positiven Sinne. Der schulbekannte Klassenrowdy Goran hatte es schon vom ersten Tag an auf meinen Kumpel abgesehen und ihn zu seinem persönlichen Lieblingsopfer auserkoren. Er war locker einen Kopf größer als Calogero und hatte für sein Alter schon eine sehr muskulöse Figur. Stets trug er die besten und teuersten Markenklamotten und Turnschuhe, was man von meinem besten Freund nicht behaupten konnte. In den Augen seiner Eltern waren ein Paar Schuhe völlig ausreichend. Zudem mussten die Schuhe mindestens zwei Jahre lang halten, schließlich hatten sie kein Geld für neue Latschen und erst recht nicht für teure Markenschuhe oder Markenklamotten. Wenn Calogero mal neue Kleidung bekam, dann wurde diese bei C&A oder Woolworth gekauft.

In der Schule versuchte der kräftige und großgewachsene jugoslawische Junge, wann immer er die Möglichkeit dazu hatte, meinen besten Freund in Bedrängnis zu bringen. Meist ließ mein Kumpel sich von seinen Beleidigungen nicht provozieren, doch wenn es ganz fies wurde und Goran sich in der großen Pause Unterstützung von anderen Jungs aus der Schule holte, suchte Calogero das Weite und versteckte sich irgendwo auf dem Schulhof, bis die Pause vorüber war. Er war nie ein Angsthase gewesen, doch er selbst alleine konnte es nicht mit mehreren Jungs aufnehmen, von denen jeder einzelne viel größer war als er.

Ab dem Beginn des sechsten Schuljahrs im August 1993 fanden der Englisch- und der Matheunterricht nur noch in jeweils zwei Kursen statt. Die guten Schüler der Förderstufenklassen kamen gemeinsam in den E-Kurs (Erweiterungskurs), die weniger guten in den G-Kurs (Grundkurs). Da Calogero besonders gut in Englisch war, wurde er ohne Probleme in den E-Kurs gesteckt. Das Beste daran war, dass Goran überhaupt kein Englisch konnte und in den G-Kurs abgeschoben wurde.

Zumindest hier hatte Calogero nun seine Ruhe vor ihm. Anders hingegen sah es in Mathematik aus. Dort reichte es nur für den G-Kurs, den Goran leider auch besuchte. In beiden Kursen begegnete Calogero schicksalhaft einem Jungen aus der anderen Klasse namens Falih.

Falih war ungefähr ein Jahr jünger als Calogero. Seine Eltern hatten, wie die Eltern meines Kumpels, irgendwann Ende der Siebzigerjahre ihrem Heimatland, der Türkei, den Rücken zugekehrt, um sich in Deutschland eine bessere Zukunft aufzubauen. Gemeinsam mit seinen Eltern, seinem jüngeren Bruder Fethi und seiner Schwester Hatice wohnte Falih in einer kleinen und bescheidenen Dreizimmerwohnung im Zentrum der Innenstadt. Für sein Alter war Falih sehr schmächtig und kleiner als die anderen Jungs, was automatisch dazu führte, dass er bei den Mädels und coolen Kids nicht sonderlich beliebt war. Zudem war er sehr schüchtern. Als Sportskanone konnte man ihn auch nicht bezeichnen. Im Sportunterricht wurde er beim Fußball von den anderen Kindern immer ins Tor gestellt und abgeschossen, da sie keine Verwendung für ihn auf dem Feld sahen. Seine schulischen Leistungen waren auch eher durchschnittlich. Er achtete nie besonders auf die Sauberkeit seiner Klamotten oder auf sein Aussehen und kämmte sich nicht einmal die Haare, wenn er aus dem Haus ging, weil er nie einen guten Grund dafür sah. Vielmehr hatte er damals eine große Leidenschaft für Comics, Filme und Videospiele, ganz wie Calogero. Seit seinem Schulwechsel auf die Teichschule hatte Falih ebenfalls bis dahin keinen richtigen Freund auf der Schule gefunden. Wie Calogero gehörte er zu den Geeks.

Schon in der allerersten gemeinsamen Englischstunde hatte der mollige sizilianische Junge mit der großen Klappe, der vor Falih saß, seine ungeteilte Aufmerksamkeit. Völlig angetan lauschte er vor dem Unterricht Calogeros Erzählungen vom neuen Stallone-Film *Cliffhanger*, mit denen er seinen Tischnachbarn Ümit zutextete. Von Satz zu Satz wurde er Falih immer sympathischer, und das, obwohl die beiden bisher kein einziges Wort miteinander gewechselt hatten. Da es im Englischunterricht keinen Goran gab, blühte Calogero hier voll auf. Gern hätte Falih seinen Geschichten über *Passagier 57* und Wesley Snipes weiter zugehört, doch seine schwache Blase zwang ihn, schnell die Toilette aufzusuchen.

Als er nach dem Toilettengang zurück in das Klassenzimmer kam, bemerkte er, dass Calogero im hinteren Teil des Raums stand und ein Heft in der Hand hielt. Einige der anderen Jungs hatten sich neugierig um ihn herum versammelt und hörten seinen Predigten aufmerksam zu. Zwar war Falih wie erwähnt sehr schüchtern, doch in diesem Moment überwältigte ihn seine Neugier und er lief zu ihnen hinüber. Während er näher kam und schließlich erkennen konnte, was der sizilianische Junge in seiner Hand hielt, konnte er es kaum fassen. Er hatte tatsächlich das Club-Nintendo-Magazin 04/93 mit *Super Mario All Stars* auf dem Cover und zeigte den anderen Jungs die Seiten, auf denen *Zelda IV – Links Awakening* für den Game Boy vorgestellt wurde. Falih liebte Zelda, er besaß sogar *Zelda II* für das NES und selbstverständlich auch *Zelda III - A Link to the Past* für das SNES. Die Club-Nintendo-Ausgabe, die Calogero in den Händen hielt, gab es nur für exklusive Nintendo-Mitglieder.

Für eine Mitgliedschaft musste man auf eine Nintendo-Postkarte, die sich gelegentlich in einer neuen Spieleverpackung befand, seinen Namen und seine Adresse schreiben und zu Nintendo schicken. Ein paar Wochen später bekam man eine Club-Nintendo-Mitgliedskarte aus Plastik mit seinem Namen darauf zurückgesendet. Man hatte auch automatisch ein kostenloses Abo der Club-Zeitschrift.

Falih war ebenfalls Mitglied in diesem Club. Daher wusste er also auch über das neue Zelda-Spiel bestens Bescheid. Er wusste auch, dass das Spiel in Europa noch gar nicht erschienen war. Es sollte erst im November 1993 veröffentlicht werden. Dieser Junge prahlte jedoch lauthals damit, das Spiel schon sein Eigen zu nennen. Angeblich hatte er es auch schon durchgespielt. Falih fragte sich, ob Calogero wirklich, wie behauptet, das Spiel besaß oder ob er sich nur wichtig machen wollte und große Töne spuckte. Um die Sache aufzuklären, nahm er seinen ganzen Mut zusammen und fragte ihn:

»So, du hast also das Spiel?«

»Na klar! Was glaubst du denn?«

Falih:
»Und durchgespielt hast du es auch schon?«

»Na logo! Selbstverständlich!«

Falih:
»Sehr gut, vielleicht kannst du mir ja dann eine Frage beantworten.«

»Kein Problem, ich bin Nintendo-Profi! Was willst du wissen?«

Falih:
»Also, wie kommt man in das Windfischei? Und was passiert dann?«

Bei *Zelda IV – Links Awakening* übernahm man aus der Vogelperspektive die Rolle der Hauptfigur Link, die nach einem Schiffbruch auf der Fantasie-Insel Cocolint gestrandet ist. Während seines Aufenthalts wird dem Helden klar, dass er von der Insel nicht mehr alleine weg kann. Nur allein der legendäre Windfisch kann ihm dabei helfen. Doch dieser schläft in einem riesigen Ei und die einzige Möglichkeit, ihn wieder zu erwecken, sind die acht Instrumente der Sirenen. So macht sich der Spieler mit Link auf eine entdeckungsvolle Reise mit vielen gefährlichen Kämpfen und Rätseln, um alle Instrumente zu finden und somit den Windfisch aus seinem Schlaf zu holen.

Noch bevor Calogero Falihs Frage beantworten konnte, betrat der Englischlehrer den Raum und bat alle Schüler, sich wieder auf ihre Plätze zu setzen, damit der Unterricht beginnen könne. Während er zurück zu seinem Tisch ging, machte der selbsternannte sizilianische Nintendo-Profi Falih den Vorschlag, in der großen Pause des Rätsels Lösung zu offenbaren. Falih war sehr gespannt, welche Antwort Calogero parat haben würde.

Der Unterricht verging wie im Flug, die Pausenglocke ertönte, und nachdem der Lehrer die Hausaufgaben verteilt und die letzten Worte gesprochen hatte, rannten alle Schüler raus auf den Pausenhof. Ehe das Rätsel gelöst werden konnte, bat Falih Calogero, ihn in fünf Minuten vor dem Schulkiosk zu treffen, da er noch einmal dringend auf die Toilette müsse.

»Abgemacht! Dann sehen wir uns vor dem Kiosk. Ich gehe schon mal vor. Bis gleich!«

Derweil seine neue Bekanntschaft auf die Schultoilette ging, schlenderte Calogero zum Schulkiosk, um sich eine Schokomilch zu holen. Dann wartete er dort wie verabredet. Fünf Minuten vergingen, keine Spur von Falih. Calogero schaute sich gründlich um. Vielleicht hatte er ihn ja übersehen. Fehlanzeige. Mein Kumpel trank seine Schokomilch aus und blätterte ein wenig in der Club-Nintendo-Zeitschrift. Es vergingen weitere fünf Minuten, doch auch dann war Falih nicht zu sehen. Er wurde ein wenig sauer und fragte sich langsam, ob er von dem kleinen schmächtigen Jungen verarscht worden war. War er etwa mit Goran befreundet, und die beiden versuchten, ihn reinzulegen? Kaum hatte er den Gedanken zu Ende gefasst, kam auch schon Goran mit zwei seiner Lakaien um die Ecke.

Goran:
»Na, wen haben wir denn hier? Der dumme Fettsack aus meiner Klasse. Hast du mich schon vermisst, Schwabbelbacke? Was hast du da in der Hand? Gib her!«

Mit einem kräftigen Ruck riss der ungezogene Tyrann Calogero das Heft aus der Hand. Mein Kumpel versuchte daraufhin, Goran irgendwie zu besänftigen:

»Komm schon, Goran, das ist nur ein Nintendo-Heft. Das interessiert dich doch sowieso nicht. Wenn du mir mein Heft zurückgibst, bring ich dir dafür morgen einen fetten Stapel Fußballkarten mit, versprochen!«

Goran und seine Entourage lachten sich schlapp. Sie liebten es, besonders im Rudel, Druck auf die schwächeren Schulkinder auszuüben. Calogeros Betteln rief bei ihnen kein Erbarmen hervor. Die drei liefen mit dem Heft zu den Müllcontainern des Hofs und warfen es in einen von ihnen hinein.

Goran:
»Hol es dir doch, wenn du es wieder haben willst. Such im Müll, du fettes Schwein! Hahaha! Viel Spaß beim Suchen! Grunz, grunz!«

Es klingelte und die Pause war zu Ende. Die drei Arschlochkids gingen zurück in das Schulgebäude und Calogero kletterte in den mittleren Müllcontainer zu seinem Heft.

»Na super! Wegen dieser Fehlgeburten komme ich jetzt zu spät zum Matheunterricht, verdammte Kacke!«

Plötzlich ertönte es aus dem Müll:

»Ich auch!«

Fast schiss Calogero sich vor Angst in die Hose, doch dann erkannte er, dass sich Falih zwischen dem Müll und plattgetretenen Pappkartons versteckt hatte.

»Scheiße, Mamma Mia! Was machst du denn hier?«

Falih:
»Sind sie weg?«

»Falls du Goran und seine hirnlosen Esel meinst, ja, sie sind weg. Was haben sie mit dir gemacht? Was suchst du hier?«

Falih erklärte ihm, dass Goran es ebenfalls seit einiger Zeit auf ihn abgesehen hatte. Schon öfter hatte er ihm in der Pause das Essensgeld geklaut. Nachdem Falih auf der Toilette gewesen war und wie mit Calogero verabredet zum Kiosk gehen wollte, liefen ihm Goran und Co. über den Weg. Dann rannte er um sein Leben und versteckte sich letzten Endes im Müllcontainer. Und da waren sie nun beide. Im Restmüll der Teichschule.

»Wie heißt du eigentlich?«

Falih:
»Ich heiße Falih und du?«

»Hahaha, Falih. Das klingt wie ein Mädchenname! Ich heiße Calogero.«

Falih:
»Und Calogero hört sich wie ein Hundename an!«

Beide begannen heftig zu lachen.

»Hey, du wolltest doch wissen, wie man in das Windfischei kommt und was danach passiert. Also pass gut auf. Als allererstes muss man alle acht Instrumente haben und die Ballade vom Windfisch lernen. Dafür musst du zu Marin gehen, sie bringt sie dir dann bei. Danach gehst du zum Ei, spielst das Lied, dann kannst du hinein. Im Ei erwartet dich ein Labyrinth. Zuerst gehst du in den nächsten Raum und lässt dich hinunterfallen. Danach musst du den richtigen Weg gehen, sonst kommst du nicht zum Endgegner. Einmal rechts, dann zweimal geradeaus, die nächste rechts, dann wieder zweimal geradeaus, rechts und wieder geradeaus. Dann steht man vor einem Loch. In dieses musst du nur noch hineinhüpfen und du stehst vor dem Endgegner. Ganz easy! Willst du noch was wissen?«

Falih war baff und konnte es nicht glauben. Erzählte dieser Junge wirklich die Wahrheit? Das, was er da von sich gab, klang absolut realistisch aber eine Sache verstand er dabei trotzdem nicht.

Falih:
»Aber wie kann das sein? Das Spiel kommt doch erst im November raus. Wie kannst du es schon haben?«

»Tja, mein Onkel Vinnie hat mir die amerikanische Version besorgt. In Amerika gibt es das Spiel schon seit Anfang August. Ab und zu musste ich mal das Englisch-Wörterbuch benutzen, aber sonst habe ich fast alles verstanden. Wenn du magst, kann ich dir das Spiel ja mal in den nächsten Tagen zeigen. Kennst du die Zeichentrickserie von Zelda auf RTL? Ehrlich gesagt ist die schon ziemlich scheiße gezeichnet. Die Figuren sehen voll kacke aus! Seitdem es RTL 2 gibt, sind die Cartoons auf RTL richtig scheiße geworden. Schade, dass es kein Tele 5 mehr gibt!«

Damit konnte er Falih völlig überzeugen. Er sprach ihm aus der Seele. Irgendwie fühlte er, dass er in Calogero endlich einen guten Freund gefunden hatte.

»Oh, shit! Wir müssen zurück in die Klasse!«

Wie Flash, der rote Blitz, rasten beide zum Unterricht. Als sie den Raum betraten, brach großes Gelächter aus.

Goran:
»Da sind ja endlich unsere beiden Turteltäubchen! Der Schwabbel hat noch Lippenstift auf seiner Backe, hahahaha!«

Lehrer:
»Ruhe! Woher kommt ihr beiden? Warum seid ihr zu spät?«

»Ähh ... also ... wir ... ähh ... wir hatten noch ein Gespräch mit unserem Englischlehrer. Wir hatten noch ein paar wichtige Fragen zu den Hausaufgaben.«

Lehrer:
»Und das soll ich euch glauben? Naja, wie auch immer, setzt euch jetzt hin!«

Nach dem Unterricht ging Calogero auf seinen neuen Kumpel zu. Im Hintergrund konnte man hören, wie Goran laute Schweinegeräusche von sich gab.

»Hey, Falih. Sag mal, kannst du mir einen Gefallen tun? Kannst du zufälligerweise Flöte spielen?«

Falih:
»Nein, warum?«

»Das macht nix! Hör zu, du musst morgen in der Fünfminutenpause die Ballade vom Windfisch spielen, okay?«

Falih:
»Hä? Wie soll ich das denn machen? Und warum?«

»Das erkläre ich dir morgen, dann zeige ich dir auch die Melodie. Die Flöte bringe ich auch mit. Also dann, bis morgen!«

Mit einem großen Fragezeichen über dem Kopf ließ Calogero seinen neuen Kumpel stehen. Falih konnte sich nicht erklären, was der sizilianische Junge von ihm wollte, doch so verrückt die ganze Sache auch war, wollte er versuchen, ihm zu helfen.

Dann, am nächsten Tag, kurz vor der Mathe-Doppelstunde, klärte Calogero Falih halbwegs auf. Er drückte ihm eine alte vergammelte Blockflöte in die Hand und pfiff eine komische Melodie.

»Kannst du das nachspielen? Ist doch ganz einfach. Versuch es mal!«

Was Falih anschließend von sich gab, klang ganz und gar nicht nach der Ballade des Windfischs.

»Egal, das ist gut! Das reicht schon! Also, in der Fünfminutenpause stellst du dich vor Goran und spielst dieses Lied. Verstanden? Mehr musst du nicht machen.«

Falih:
»Was? Vor Goran? Spinnst du? Der schlägt mich doch zu Brei! Was soll der Unsinn überhaupt bringen mit der Flöte? Ich werde mich außerdem vor der ganzen Klasse blamieren!«

»Vertrau mir, dir wird nichts geschehen und die Klasse wird das ganz schnell vergessen haben. Du willst wissen, was das bringen soll? Wir werden den Windfisch wecken!«

Erstmals begann Falih, an seinem neuen Kumpel zu zweifeln. War er verrückt? Letzten Endes brachte Calogeros Überredungskunst ihn dazu, diesem Wunsch nachzukommen. Wie verlangt stellte sich Falih in der Fünfminutenpause mit der gammeligen Blockflöte vor Goran, der sich gerade mit Stella unterhielt, dem hübschesten Mädchen der gesamten 6. Klasse. Falih bekam Herzflimmern und wackelige Knie. Goran und Stella schauten ihn angewidert an, als er sich vor sie stellte.

Goran:
»Was willst du? Verpiss dich, du hässlicher Gnom!«

Trotz einer Menge Angst spielte Falih die Ballade vom ... naja, die Ballade vom Falih, und die ganze Klasse hörte ihm aufmerksam dabei zu. Wie erwartet brachen alle vor Lachen in Tränen aus.

Goran:
»Hey, was soll das? Bist du behindert?«

Der sonst so schüchterne Falih ließ sich, seinem neuen Kumpel zuliebe, nicht beirren und trällerte munter weiter. Alles versammelte sich um ihn herum und begann hämisch zu klatschen. Falihs Magen drehte sich, doch er riss sich zusammen und flötete sich die Seele aus dem Leib. Als es dann irgendwann zu laut wurde, unterbrach der Lehrer das Schauspiel. Außerdem war die Pause bereits zu Ende. Als alle wieder auf ihren Plätzen saßen, waren fast alle Augen immer noch auf Falih gerichtet. Mit ungläubigem Blick schüttelte Goran pausenlos den Kopf. Zwischendurch hörte man noch einzelne Lacher, doch nach wenigen Minuten hatte sich die Lage wieder einigermaßen beruhigt. Falih atmete auf. Auch sein Magen beruhigte sich wieder ein wenig. Plötzlich begann es im Raum fürchterlich zu stinken.

Lehrer:
»Was zum Teufel ist das? Was stinkt hier so? Es hat doch nicht etwa einer von euch so eine Stinkbombe gezündet?«

Der Lehrer ging durch die Reihen und versuchte, die Quelle dieses erbärmlichen Gestanks ausfindig zu machen. Er forderte alle Schüler auf, ihre Rucksäcke auf die Tische zu legen und zu öffnen. Goran schaute in seinen Rucksack und erblickte einen stark verwesten Fisch, um den schon einige Fliegen kreisten. Diesen Rucksack konnte er in den Müll werfen, der Fisch hatte von innen alles unwiederbringlich eingesaut. Goran verwandelte sich in einen wildgewordenen Affen, hüpfte herum und schrie, was das Zeug hielt. Die Klasse brach in schallendes Gelächter aus, und das noch heftiger als bei Falihs merkwürdigem Flötenkonzert. Spätestens jetzt war sein mysteriöser Auftritt vergessen, wie Calogero es ihm genauestens prophezeit hatte. Unter starkem Protest schickte der Lehrer Goran mit seinem vergammelten Rucksack aus dem Klassenzimmer. Dabei schaute mein Kumpel zu Falih hinüber und zwinkerte ihm zu.

»Du hast den Windfisch geweckt!«

DM 3,50

SCHEUẞLICH BESTE FREUNDE

IN

ONKEL VINNIE

Calogeros Onkel ist einfach der Beste!

KAPITEL 14

Onkel Vinnie

(September 1993)

Mitte September 1993 durfte ich nach langer Zeit mal wieder Calogeros Wohnung betreten. Während sein Vater mittags noch auf der Arbeit war, saß seine Mutter am Küchentisch und las eine italienische Klatschzeitung. Calogero und ich pflanzten uns im Wohnzimmer auf die Couch und schauten den John-Candy-Film *Allein mit Onkel Buck* auf RTL. Wie schon so oft begann Calogero dann stolz von seinem Onkel Vincenzo, der damals ein Stockwerk unter ihm wohnte, zu prahlen. Wir waren jetzt schon seit über drei Jahren miteinander befreundet gewesen, doch seinen Onkel hatte ich immer noch nicht persönlich kennengelernt. Ich kannte ihn nach wie vor nur von Erzählungen.

»Mein Onkel Vinnie ist der Beste und Coolste auf der ganzen Welt! Ein paar Mal in der Woche kommt er zu uns nach Hause und bringt mir was Schönes mit. Schau mal, vorgestern hat er mir Starwing mitgebracht! Meine Eltern würden nicht mal einen lumpigen Pfennig für ein Super-Nintendo-Spiel springen lassen. Manchmal gehe ich zu ihm runter und wir gucken dann so richtig coole Filme für Erwachsene. Einmal hat er mir so einen supergruseligen Horrorfilm gezeigt. Da kamen so komische Steinmonster aus dem All auf die Erde und haben dann voll brutal die Menschen in einer Stadt gejagt und plattgemacht.«

Manuel:
»Boa! Und dein Onkel erlaubt dir einfach, sowas zu gucken?«

»Na klar! Mein Onkel weiß doch, dass ich kein kleines Kind mehr bin! Letzte Woche waren wir zusammen im Kino und haben Jurassic Park gesehen. Das war soooo cool, sag ich dir! Das war einer der besten Filme, die ich je gesehen habe. Wenn der auf Video rauskommt, musst du ihn dir unbedingt von der Anna geben lassen. Du magst doch Dinos, oder?«

Manuel:
»Na klar, ich liebe Dinosaurier!«

»Dann wirst du auch diesen Film lieben. Da kannst du In einem Land vor unserer Zeit in die Mülltonne werfen! Eigentlich bin ich nicht schreckhaft, aber ich muss zugeben, bei Jurassic Park habe ich mir schon ein paar Mal vor Angst fast in die Hose geschissen. Besonders vor dem T-Rex! Der sieht so echt aus! Sogar mein Onkel hat kurz einen Schreck bekommen und er hat wirklich vor gar nichts Angst. Ja, ja, mein Onkel ist einfach der Beste! Ich würde ihn gern öfters besuchen, aber mein Vater, der Penner, will es nicht.«

Manuel:
»Warum?«

»Keine Ahnung! Der ist nur neidisch, dass ich Onkel Vincenzo mehr mag als ihn. Er ist genau so, wie mein Vater eigentlich sein sollte. Dem bin ich doch eh scheißegal. Der kommt nur zu mir, um mich zu nerven! Hey, weißt du was? Ich habe noch ein Zweimarkstück. Lass uns schnell zu Rudi gehen und eine große gemischte Tüte kaufen. Ich habe richtig Lust auf Apfelringe!«

Auf dem Weg ins Treppenhaus rief Calogeros Mutter ihm noch etwas auf Italienisch hinterher.

»Wir dürfen nicht zu spät zurückkommen, meine Mutter kocht später für uns.«

Bevor wir zu Rudi wanderten, gab ich noch schnell meinen Eltern Bescheid, dass ich bei Calogero zu Abend essen würde.

Während wir gemütlich durch unsere Nachbarschaft in Richtung Rudis Kiosk schlenderten, schwärmte er weiter in höchsten Tönen von seinem Onkel. Kurz bevor wir dann endlich den Kiosk erreichten, öffnete sich dessen Tür und ein mir unbekannter Mann kam herausgelaufen. Wie heißt es doch so schön, wenn man vom Teufel spricht.

»Heeeeyyy, das ist mein Onkel Vinnie! Jetzt lernst du ihn endlich kennen!«

Vor mir stand er nun. Der hochgepriesene Onkel Vincenzo, oder Vinnie, wie ihn nur seine engsten Freunde und Verwandten nennen durften.

Er war sehr groß, muskulös und trug einen feinen dunkelgrauen Seidenanzug. Er muss damals so um die Mitte 30 gewesen sein. Seine schwarzen Haare waren akkurat nach hinten gekämmt und glänzten wie frisch geschnittener Parmaschinken. An seinen Fingern trug Vinnie viele prächtige Goldringe und um seinen Hals hing eine funkelnde Goldkette mit einem diamantenverzierten Kreuzanhänger. Er musste wohl in Parfum gebadet haben. Als er herauskam, roch es auf einmal sehr stark nach einem penetrant mediterranen Duftwässerchen.

Vinnie:
»Eeehhh, Callo! Come stai?«

»Eeehhh, va bene zio! Das hier ist mein bester Freund Manuel. Er wohnt bei uns gleich um die Ecke.«

Manuel:
»Hallo, Herr Vincenzo!«

Vinnie:
»Eehhh, nixe Herr Vincenzo, sagsde due Vinnie. Freunde vone meine Calogero sinde auke meine Freunde. Ische habe schon viele von dire gehörde, Manuele. Freude mische dische kennenzulerne. Wasse makte ihre beide jezze, eh?«

»Wir wollten uns gerade bei Rudi eine gemischte Tüte holen und danach zu mir nach Hause gehen.«

Vinnie:
»Eehh, diese Rudi isse eine kleine Geier, solle blose aufpasse! Eehh, hasde due Lusde mire zu helfe mide deine Freunde?«

Onkel Vinnie musste für seinen Chef den Müll wegbringen. Dieser hatte sich stark erkältet und konnte es nicht selbst erledigen. Für unsere Hilfe bot Vinnie jedem von uns satte 10 DM an. Keine Frage, mein Kumpel und ich willigten ein. Vinnie versicherte uns, dass es nicht lange dauern würde. Meine Eltern waren ohnehin in dem Glauben, dass ich bei Calogero zu Hause war. Es würde schon gutgehen.

Mein bester Freund log nicht, sein Onkel war wirklich sehr, sehr sympathisch. Solange wir zu seiner Karre liefen, sang er vergnügt irgendein italienisches Lied. Sein Auto, besser gesagt Cabriolet, raubte mir den Atem. Es war ein blankpolierter, feuerroter Alfa Romeo.

»Na? Da bleibt dir die Spucke weg! Das ist kein billiger Manta Manta!«

Calogero und ich nahmen auf der Rückbank Platz. Vinnie setzte sich auf den Fahrersitz, legte eine Kassette in das Autoradio, zückte einen Kamm aus seiner rechten Sakkotasche und kämmte sich mit ihm lässig über den gegelten Scheitel. Aus den Lautsprechern dröhnte das Lied *24.000 Baci* von Adriano Celentano. Es war eines dieser Lieder, bei denen man sofort den Drang zum Tanzen verspürte, wenn man es hörte. Mir gefiel es. Vinnie startete gleich danach den Motor und die Fahrt konnte losgehen. Zu den Klängen aus dem Südlande flog uns der Fahrtwind um die Ohren. Der Refrain des Songs brannte sich allmählich in meine Gehörgänge. Mein Kumpel schnippte dazu rhythmisch mit den Fingern.

»Das ist mein absolutes Lieblingslied!«

Vinnie:
»Eeehh, Jungse, habde ihre Freundeninne?«

Im Rückspiegel sah ich einen grinsenden und zwinkernden Vinnie. Ich traute mich kaum zu antworten.

Manuel:
»Ähm ... nein.«

»Nein, Onkel. Warum fragst du?«

Vinnie:
»Eeehh, ische gebe eusche eine gude Rade fure die Zukunfte. Wenne ihre habde eine Fraue un ihre wollde heirade, immer make Ehevertragehe! Nixe ohne! Immer getrennde Gelde oder die Alde wirde eusche bisse aufe die Hose auseziehe!«

»Aber Onkel, wir sind doch noch viel zu klein zum Heiraten!«

Manuel:
»Warum wollen die uns die Hosen ausziehen?«

Vinnie:
»Eeeeeheee, hahahaha, due hasde Reschte! Ihre noke zu kleine. Callo, due haste sizilianische Blude. Wenn due bisde eine wenisch älder, due kannsde habe jede Fraue die due willsde! Wir sinde die beeesten Liebehaber von die ganze Welde! Aber aufpasse! Niemals

gebe Fraue zu viele von die Gelde! Un das wischtigste Jungs isse, Fraue musse koke könne. Wenne nixe kann, Fraue musse weg! Sizilianische Fraue alle könne koke!«

»Onkel, wieso hast du keine Frau?«

Vinnie:
»Eeehh, ische hadde eine Fraue vore viele Jahre, aber sie, eeeh ... sie ware nixe gude zu mire. Sie hadde geklaude alle meine Soldi, dann ische musse umziehe in die kleine Wohnunge in eure Hause. Vorher ische habe gelebde in eine Palaste! Danake ische gelebde wie Penner! Aber jezze gehde mire wieder gude. Neue Arbeide, keine Ehefraue, keine Probleme un die Briefeditasche immer volle! Hahaha.«

Manuel:
»Wo ist deine Frau jetzt?«

Vinnie:
»Eh, isse nixe Fraue, isse Exefraue! Sie leben jezze irgendwo in Italia. Sie nixe Sicilia, sie aus Napoli. Deine Oma hadde immer gesagde, nixe nehmen Frau aus Napoli! Isse Diabolo! Mamma mia, hädde ische bloße aufe dische gehörde! Mamma immer haben Reschte!«

Allmählich kamen wir an einer pompösen Villa an. Sie war ziemlich abgelegen. Ringsherum befand sich nur ein großer dichter Wald. Auf das eingezäunte Gelände der Villa gelangte man über ein riesiges Gittertor. Vinnie parkte den Wagen direkt davor, stieg aus, klingelte und stieg wieder ein. Daraufhin öffnete sich das elektrische Schiebetor. Nachdem wir durchgefahren waren, konnte ich in der Ferne einen großen dicken Mann in einem orangefarbenen Bademantel erkennen. Langsam und keuchend trabte er auf uns zu. Als er nur noch ein paar Schritte von uns entfernt war, sah ich, dass er um einiges älter war als Vinnie. Schätze, er war so um die 55 Jahre alt gewesen. Kurz bevor er das Cabrio erreichte, stiegen wir aus. Der dicke Kerl streckte seine linke Hand nach vorne. An seinem kleinen Wurstfinger war ein fetter, funkelnder Goldring. Vinnie verbeugte sich vor ihm, küsste den Klunker und umarmte den korpulenten Kerl.

Vinnie:
»Eeehee, Brigata di Ragazzi, das isse meine Scheffe. Ere isse wie eine Papa fure mische! Ische kenne schone seide viele, viele Jahre. Seine Name isse Don Alberto. Sagde ciao zu Don Alberto.«

»Ciao, Don Alberto!«

Manuel:
»Guten Tag, Herr Don Alberto!«

Alberto:
»Ouuu, ciao ragazzi! Come stai? Due bisde Calogero, è vero? Deine Ongel hadde mire schone viele von dire erzählde! Ere sage, due bisde gude Junge! Vielleischte späder, wenn due älder bisde, due arbeide fure mische, eeh?«

»Mille grazie, Don Alberto! Das wäre klasse!«

Alberto:
»Ouuu! Un were bisde due, eh?«

Damit meinte er mich und sah mich dabei irgendwie komisch an.

Vinnie:
»Eeh, das isse eine gude Freunde von meine Nipote. Ere isse auke eine sehr gude Junge.«

Alberto:
»Ouu, woher kommen due? Sei italiano?«

Manuel:
»Nein, ich bin kein Italiener, ich bin ...«

Alberto:
»OOOUUU! Isse egale woher due komme, due nixe Italiano. Ische habe mire gleische gedakte. Due sehen nixe ausse wie Italiano! Ehh, Vincenzo, komme mide mire in die Garden. Due weißde, ische habe doke diese Probleme mide die Mulledibeutel!«

Vinnie:
»Si, ische weiße! Jungse, ihre bleibde hiere und ische komme gleische zuruck mide die Mulledibeutel, capito?«

Komischer Kauz, dieser fette Don Alberto, dachte ich mir. Hatte mich nicht einmal aussprechen lassen. Er war offensichtlich nicht so freundlich wie Calogeros

Onkel. Wie konnte er für ihn nur wie ein Vater sein? Nun ja, ich war ja schließlich kein Italiener, um das verstehen zu können.

Vinnie folgte Alberto in das Haus und beide verschwanden aus unserem Sichtfeld. Derweil betrachteten wir uns sein, zugegeben, beeindruckendes Anwesen. Vor der Villa standen große, weiße antike Statuen und ein riesiger Springbrunnen. Ich fragte mich, womit Don Alberto wohl sein Geld verdiente.

Wenige Minuten später kamen die beiden dann mit jeweils zwei großen und prall gefüllten blauen Müllbeuteln wieder zurück. Völlig genervt klatschte Alberto seine beiden Beutel auf den Boden und nuschelte irgendetwas auf Italienisch vor sich her. Dann öffnete er den Kofferraum von Vinnies Auto. Nachdem alle vier Beutel im Kofferraum verstaut waren, verabschiedeten sich Alberto und Vinnie auf traditionell italienische Weise. Bei einer innigen Umarmung küssten sie sich im Wechsel gegenseitig auf beide Wangen.

Als wir in das Auto einstiegen, bemerkte ich ein starkes und unangenehmes Aroma. Es stank richtig abartig. Ein undefinierbarer Geruch. Wenn ich ihn beschreiben müsste, würde ich sagen, eine Mischung aus vergammeltem Schinken und verschimmeltem Käse. Ich war der Meinung, sogar etwas Primo Sale herausgerochen zu haben. Nicht einmal Calogeros Fürze konnten diesem scheußlichen Geruch das Wasser reichen. Vinnie stieg wieder auf den Fahrersitz und drehte sich zu uns herum.

Vinnie:
»Eeh, so, jezze wir nur noke musse wegbringe die Mull!«

»Onkel, was zum Teufel ist in den Säcken? Puzza infernale, das stinkt ja wie die Hölle! Ich kotze gleich!«

Vinnie:
»Eeehh, Jungse! Konnde ihre behalde eine Geheimnis fure eusche?«

Neugierig willigten wir ein. Es war schon eine Ehre vom großen Vinnie ein Geheimnis anvertraut zu bekommen.

Vinnie:
»Alberto hadde gemakte eine Unfalle vore seine Hause. Ere hadde uberfahren die Hunde von die Tokter. Leider tot. Musse jezze beerdige. Seine Tokter darfe nixe wisse. Ere hadde gekaufde neue Hunde. Siehde ausse genaue wie die Alde.«

Manuel:
»Oh nein!«

»Wie viele Hunde waren das Onkel?«

Vinnie:
»Eeehhh ... quattro cani, Calo. Diese kleine brutti Bastardi ... wie heissde? Chiaoaua. Alle tode. Aber wasse solle ische make? Esse ware eine Unfalle! Sie hadde gude Lebe. Alberto isse jezze krank un hadde eine Schocke. Ere kanne nixe alleine maken. Ische tue Gefalle fure ihn. Ere auke make ofde Gefalle fure mische. Isse keine Probleme. Ische kenne gude Platze, woe wire könne beerdige die Hunde.«

Nach ein paar Minuten Fahrtzeit kamen wir an irgendeinem Waldstück an. Weit und breit war niemand zu sehen.

Vinnie:
»Eeh, wire musse unse beeile. Isse verboden, Hunde in die Walde zu begrabe, wegen die Nature. Kosde Geldedistrafe!«

Aus dem Kofferraum holte Vinnie drei Schaufeln. Danach nahm er jeden der vier Säcke einzeln heraus. Der Gestank wurde nun intensiver. An den Säcken klebte eine Horde Fliegen. Fast kam mir die Kotze hoch, doch ich konnte mich gerade noch so zusammenreißen. Auf keinen Fall durfte ich mich vor Calogero und seinem coolen Onkel blamieren. Den beiden schien der bestialische Geruch nichts auszumachen.

Vinnie:
»Eeeeh, nimmde jeder eine Schaufel un grabde eine schöne große Loke. Alle die Säcke musse reinpasse. Ische helfe eusche.«

So spuckten wir kräftig in die Hände, schnappten uns jeder eine Schaufel und gruben wie die Irren drauf los. Es dauerte nicht lange, bis wir, wie Vinnie sagte, ein schönes großes Loch gegraben hatten. Dafür lobte uns Vincenzo auch ganz besonders.

Vinnie:
»Ouuu, habde ihre gemakte fantastico! Ihre konnde stolze seien, Jungse! Bravissimo!«

Und das waren wir auch. Wir hatten das Gefühl, richtig was geschafft zu haben. Calogeros Onkel nahm danach einen Sack nach dem anderen in die Hand und schleuderte ihn mit voller Wucht in das von uns gebuddelte Loch. Dabei sagte er nach jedem Wurf:

»Ehhh, buonanima. Du gude Hunde komme in die Himmel! Amen!«

Irgendwie musste ich dabei an *Charlie – Alle Hunde kommen in den Himmel* denken. Zum Schluss schüttete Vinnie das Loch zu und klopfte mit dem Rücken der Schaufel den Boden glatt. Sah gut aus. Niemand hätte je gemerkt, dass dort vier Hunde begraben waren.

Vinnie:
»Eeeheee, nake die harde Arbeide komme die suße Vergnugen! Jezze wire gehen in die Restaurante von meine Freunde Toni un wire waschen unsere Hände. Dann wire essen, un ische gebe eusche eure Belohnunge. Ihr habde bestimmte Hunger!«

Wir ließen nicht viel Zeit verstreichen und machten uns sofort auf den Weg. Ungefähr zehn Minuten später kamen wir an Tonis Restaurant an. Auf dem Parkplatz des Lokals fuhren ein paar Kinder mit ihrem Fahrrad herum.

Vinnie:
»Sehde ihre diese kleine dicke Junge aufe die Fahrrade da hinten? Dasse isse die Sohne von meine Freunde Toni. Ere heißde Pasquale. Isse eine dumme fresche Bengel! Eeehh, Jungse wolle wire meine Freunde Toni eine Streische spiele? Ere verarsche mische auke sehr ofde, jezze er bekomme eine Streische von mire zuruck!«

Das klang in der Tat nach Spaß und für Streiche jeglicher Art waren Calogero und ich sowieso immer zu haben. Selbstverständlich wollten wir Vinnie diesen Gefallen tun. Er erklärte uns dann ganz genau den weiteren Ablauf: Calogero und ich sollten gemeinsam durch die Eingangstür in den Hauptraum des Restaurants laufen. Laut seinen Erzählungen war sein Kumpel ein kleiner dicker Kerl mit Glatze und Schnauzbart. Zudem gab Vinnie folgende Anweisung:

»Ihre gehde zue die Kellner ane die Theke un fragde nake Toni. Sagde, dass ihre Freunde vone seine Sohne Pasquale seide un dasse seine Sohne eine Unefalle passierte isse, drausen auf die Parkediplatze. Musse soforde rauskomme.«

Manuel:
»Ist das nicht gemein? Dem Jungen ist doch gar nichts passiert.«

Vinnie:
»Eeeehhh, nee isse nixe schlimme! Isse lustisch! Ere wirde sische freue, wenne ere mische dann drause sehe. Keine Sorge!«

Der Kellner des Restaurants, ein buckeliger Rotschopf, kaufte uns die Geschichte voll ab. Man konnte ihm schon ansehen, dass er keine Leuchte war. Wir mussten dabei richtig aufpassen, nicht zu lachen. Unmöglich durften wir Onkel Vinnies Streich versauen, er würde uns sonst bestimmt nie wieder irgendwohin mitnehmen. Wenige Sekunden später kam Toni panisch aus der Küche gerannt.

Toni:
»Woeee isse erre? Woeee isse meine Pasquale? Woeee? Oh, Madonna!«

Nachdem wir mit den Fingern auf den Ausgang in Richtung der Parkplätze zeigten, rannten wir gemeinsam mit dem unwissenden Toni nach draußen, wo schon Onkel Vinnie um die Ecke wartete und sich mit dem quicklebendigen Pasquale unterhielt. In seiner rechten Hand hielt Vinnie eine eingerollte Zeitung.

Vinnie:
»EEEEEHHH, TOOOOONIIII! Lange nixe mehre gesehen! UBERRASCHUNG! Freusde due dische mische zu sehen, eh?«

Dabei nahm er Toni freundlich in den Arm. Der schien wirklich sehr überrascht. Er sagte kein Wort und blieb wie versteinert stehen.

Vinnie:
»Ragazzi, lasse unse rein gehe. Toni makte unse dann eine wunderbare Menu! Nischte wahre, Toni?«

Toni:
»Eeh ... siii! Si, Signore Caruso!«

Drinnen zeigte uns Calogeros Onkel einen Tisch, an den wir uns setzten. Das gut besuchte Restaurant war von innen sehr schick und edel eingerichtet. Calogero und ich fühlten uns wie Könige. Während wir uns schon einmal aus der großen Speisekarte etwas zu essen heraussuchten, ging Onkel Vinnie mit seinem alten Kumpel nach hinten in dessen Büro. Die beiden hatten sich ja schon lange nicht mehr gesehen und sich wohl einiges zu erzählen. Nachdem wir uns endlich für die passenden Speisen entschieden hatten, gab mein Kumpel unsere Bestellung bei dem buckligen Kellner durch. Selbstverständlich auf Italienisch.

»Weißt du was, Manuel? In Italien gibt es ein Sprichwort. Wenn du von so einem Buckligen den Buckel streichelst, bekommst du ewiges Glück!«

Manuel:
»Echt? Stimmt das wirklich?«

»Na klar! Glaubst du, ich lüge?«

Manuel:
»Dann lass uns seinen Buckel streicheln!«

Inzwischen war Vinnies und Tonis Gespräch vorüber und Calogeros Onkel gesellte sich gut gelaunt zu uns an den Tisch.

»Hey, Onkel, wir wollen den Buckel von dem hässlichen Kellner da hinten streicheln, damit er uns Glück bringt.«

Onkel Vincenzo fing an, laut zu lachen.

Vinnie:
»Ehhh, hahaha, due wolle diese Kruppele Buggele streischeln? Na gude, hoffelische ere bringde molto Glucke. HEY, STORPIO! Komme zu unse an die Tische! Bringe die Getränke! Avanti!«

Wie ein gut erzogener Hund kam der Kellner geradewegs an unseren Tisch geschlichen. Auf einem Silbertablett servierte er Vinnie einen edlen Rotwein und meinem besten Freund und mir eine eiskalte Cola. Anschließend erklärte ihm Vinnie, was wir sonst noch so von ihm wollten. Ohne Widerworte durften wir dann kurz über seinen Buckel streicheln. Calogero und ich strahlten über beide Backen.

»Kannst du die Power schon fühlen, Manuel? Von jetzt an werden wir immer Glück haben, du wirst sehen! Grazie, Onkel! Grazie, Storpio!«

Vinnie:
»Eeehh, Storpio, due sage Toni, dasse ere sische beeile solle mit die Essen! Wire haben Hunger! Avanti, avanti!«

Vinnie machte eine kreisende Bewegung mit seiner rechten Hand und ohne einen Mucks von sich zu geben, rannte unser Glücksbringer in die Küche zurück zu Toni. Nur wenige Zeit später kam unsere wohlverdiente Mahlzeit, serviert vom Chefkoch Toni höchstpersönlich. Es sah köstlich aus und so wie es ausschaute, duftete es auch. Vinnie und Calogero bestellten sich eine Pizza Sicilia und ich eine klassische mit Salami und Käse. Bis dahin hatte ich selten eine bessere Pizza als diese gegessen. Mein Magen war im siebten Himmel. Ruckzuck putzten wir unsere Teller leer und waren wunschlos glücklich, doch Vinnie reichte dies noch nicht. Wieder rief er Toni zu uns an den Tisch.

Vinnie:
»Eeehh, Toni! Die Essen ware in Ordenunge aber die Käse hatte gehabde eine komische Gesmacke. Due hasde doke nixe komische gemakte mide unsere Essen, eh? Andiamo, stai scherzando?«

Toni:
»Noooooo, Signiore Caruso! Ische genomme nure die besde Zutade! Bitte glaube mire, Signore! Ische schwöre aufe die heilige Beatrice!«

Vinnie:
»Bene, Toni, isse gude. Ware nure eine Spaße. Wire wolle noke eine Gelati. Aber eine große un viele Sahne. Eehh, meine Neffe hadde heude Geburtstage. Compleanno, capito? Due make aufe seine Eis eine große Wunderdikerze. Un wenne due bringe, due singe eine Lied fure ihn, capice? Un nixe vergesse deine hausegemakte Tiramisu! AVANTI! Da nulla si scava nulla!«

Toni verbeugte sich stillschweigend und rannte zurück in die Küche. Mein Kumpel grinste dreckig.

»Aber ich habe doch heute gar nicht Geburtstag, Onkel.«

Vinnie:
»Ische weise doke, Callo. Ische nure verarsche die Toni eine wenisch, hahaha. Ci sarà da divertirsi, Callo!«

Als Toni mit unseren Rieseneisportionen und Vinnies Tiramisu zurückkam, drehten sich die zahlreichen Gäste aufmerksam nach ihm um. Die strahlende Wunderkerze auf Calogeros Eis war ein echter Hingucker. Dann begann Toni laut auf Italienisch ein Geburtstagsständchen zu trällern. Die Gäste lachten sich herzhaft schlapp. Er war wahrlich kein guter Sänger. Von einem Eros Ramazzotti oder Adriano Celentano war er Lichtjahre weit entfernt. Doch das machte nichts. Dank ihm hatten wir einen Riesenspaß. Am Ende stand Calogero auf und verneigte sich vor Toni. Im Hintergrund hörte man lautes Klatschen und Grölen der zahlreichen Gäste.

»Grazie, Toni! Das war bravissimo!«

Der Gesang hatte es in sich. Toni war komplett nass geschwitzt. Von seinem dicken Glatzkopf liefen fette Schweißperlen herunter. Er fragte Vinnie, ob er zufrieden wäre und ob er uns noch einen Wunsch erfüllen könne.

Vinnie:
»Toni, jezze due spiele eine Klaun fure meine Neffe!«

Voller Scham senkte Toni seinen Kopf. Er hatte keine Ahnung, wie er einen Clown spielen sollte, das sah man ihm ganz deutlich an. Schließlich machte er pantomimische Bewegungen und schaute dabei mit einem sehr angespannten Blick durch den Raum. Nonstop lief ihm dabei der kalte Schweiß in die Augen.

Vinnie:
»Eeehh, wasse isse dase fure eine scheise? Wenne due nixe make Klaun, dann due make eine Affe. Soe eine wie Celentano, Bingo Bongo.«

Toni schaute mit reumütigem Blick Calogeros Onkel an.

Toni:
»Signiore Caruso, prrreeeegooo! Wasse solle denge meine Gäste? Scusi, ische nixe könne make eine Affe.«

Vinnie:
»Cosa? Due nixe könne? Doke, ische glaube due kannste! Jungse, wasse glaubte ihre? Kanne Toni maken eine Affe?«

»Na klar! Toni, mach jetzt einen Affen! Ich habe Geburtstag! Subito!«

Vinnie erhob sich von seinem Stuhl und baute sich drohend vor Toni auf.

Vinnie:
»Due hasde gehörde! Meine Neffe hadde Compleanno! Due wolle die Junge doke nischte traurisch make, eh? Wenne ere isse traurisch, ische bine auche traurisch! Due wolle mische doke nischte traurisch make, oder Toni, eh?«

Toni:
»No! Per amore di dio! Signiore Caruso, nooo!«

Vinnie:
»Woraufe due danne warde, eh? MAKE EINE AFFE! CELENTANO, BINGO BONGO! SUBITO!«

Und wie er den machte. Mit letzten Kräften hampelte Toni vor uns herum und gab dabei sehr merkwürdige Geräusche von sich. Die Gäste waren entzückt und amüsierten sich prächtig. Für einen kurzen Moment wurde aus Tonis Restaurant Zirkus Roncalli. Als Toni irgendwann keuchend über einem der Tische zusammenbrach, erlöste ihn Vinnie von seinem Leid. Mittlerweile hatten wir auch schon unser Eis aufgegessen. Unsere Bäuche waren bis aufs Maximum angespannt. Meine Hose passte nicht mehr, und so musste ich die restliche Zeit über mit offenem Hosenknopf dasitzen. Hat aber zum Glück niemand gemerkt. Calogeros Onkel ließ sich dann die Rechnung bringen, das dachte ich zumindest. Vinnie bezahlte überraschenderweise keinen einzigen Pfennig, stattdessen bekam Vinnie von Toni einen dicken weißen Umschlag in die Hand gedrückt.

Vinnie:
»La scimmia è sempre scimmia, anche vestita di seta. Soe, Jungse, wire gehen nache Hause. Sagde ciao zu Scimmia Toni.«

»Ciao, Toni!«

Manuel:
»Ciao, Herr Toni!«

Vinnies alter Kumpel begleitete uns bis zum Ausgang und küsste zum Abschied mehrere Male Vinnies Hand. Das sah schon sehr komisch aus. Danach stiegen wir in das rote Cabriolet und sausten Richtung Heimat.

Auf der Fahrt erzählte uns Calogeros Onkel ein paar Geschichten aus seiner Kindheit. Dann gab er uns wieder einen gut gemeinten Ratschlag:

»Wenne jemande eusche ine die Schule oder drausen aufe die Strase ärgerde, ihre haude ihne soforde aufe die Schnauze un klaude seine Taschendigelde! Dasse Wischtigsde isse, ihre beide musse Freunde bleibe un zusammenhalde! Isse wischtiger alse die Fraue un die Gelde. Eine gude Freunde isse die Besde, wasse gibde aufe die ganze Welde!«

Plötzlich leuchtete hinter uns ein blaues Licht auf. Die Polizei! Bis dahin kannte ich die Polizei nur aus *Police Academy* und der Serie *Großstadtrevier*, die ich immer begeistert mit meinem Opa schaute. Mein Herz begann wild zu klopfen. Vinnie steuerte das Cabrio an den Straßenrand und stoppte. Er drehte seinen Kopf zu uns rüber und erklärte uns, dass alles in Ordnung sei. Wir sollten einfach nur ruhig sitzen bleiben. Sekunden später traten zwei große Polizisten an das Cabrio heran. Einer der beiden stellte sich mit grimmigem Gesicht vor die Fahrertür.

Polizist:
»Guten Abend, Verkehrskontrolle. Ich würde gerne Ihren Ausweis, Ihren Führerschein und Fahrzeugschein sehen.«

Vinnie:
»Gude Abend, Herre Waktemeistere. Keine Probleme! Eine Momende, ische hole rause ause meine Briefeditasche.«

Polizist:
»Woher kommen Sie gerade?«

Vinnie:
»Ische ware mite meine Neffe un seine Freunde ine die Zoo. Haben beobakte die Affe. Danake wire ware bei diese Mek Donalds. Jezze wire fahre nake Hause. Ische bine totale mude, diese Ragazzi maken mische fertische, hahaha.«

Der Polizist schaute Calogero und mich misstrauisch an, dann begutachtete er mit kritischem Auge Vinnies Papiere. Schließlich gab er grünes Licht und wünschte uns eine gute Heimreise. Vincenzo zwinkerte uns spitzbübisch zu und startete wieder den Motor.

Als wir in unserer Nachbarschaft ankamen, war es schon spät am Abend. Ich musste sofort nach Hause und darauf hoffen, dass meine Eltern nicht bereits bei Calogero angerufen hatten. Bevor sich Vinnie von uns verabschiedete, gab er uns noch die Belohnung für unsere Hilfe.

Vinnie:
»Eh, Callo, fasste ische hadde vergesse. Ihre bekommde noke eure Belohnunge. Hiere! 20 Marke fure jeden. Lasste eusche gude gehe! Gehde in die Kino un makte eusche eine schöne Tag. Sage aber nixe deine Vater Callo, eh?«

Der Wahnsinn! Es hätte Wochen, wenn nicht sogar Monate gedauert, bis ich 20 Mark zusammengespart hätte. Wir hüpften und sangen vor Freude das Titellied von den *Galaxy Rangers*. Calogero fiel seinem Onkel um den Hals und bedankte sich vielmals.

»Boooaaaaa, mille, mille grazie, zio! Nein, ich werde nichts verraten. Versprochen!«

Calogeros Onkel ging nach oben in seine Wohnung und mein Kumpel begleitete mich noch in unseren Hof. Es war wirklich ein toller Tag mit ihm und Vinnie gewesen. Mein Kumpel hatte wirklich großes Glück, so einen coolen und wohlhabenden Onkel zu haben. Ich war richtig neidisch. Neugierig fragte ich ihn:

»Sag mal, Calogero, was arbeitet dein Onkel?«

»Mein Onkel arbeitet in einer großen italienischen Firma. Die bringen viele tolle Sachen von Italien nach Deutschland, die es hier nicht gibt, wie zum Beispiel das Eis, das wir vorhin gegessen haben. Mein Onkel sagt immer, dass seine Arbeit wie eine große Familie ist. Wegen der Arbeit hat er wenig Zeit und deswegen auch keine Frau und keine Kinder. Aber dafür verdient er sehr viel Geld.«

Im Hof angekommen verabschiedeten wir uns wie immer mit einem High five. Das Glück des Buckligen war mir hold, meine Eltern hatten nichts bemerkt. Sie blieben in dem Glauben, dass ich bei Calogero daheim zu Abend gegessen hatte.

Leider hatte der Buckel meinem besten Freund weniger Glück gebracht. Bei ihm zu Hause warteten seine Eltern ungeduldig in der Küche. Wir hatten völlig vergessen, dass seine Mutter extra für uns gekocht hatte. Das Abendessen war schon kalt geworden. Lässig öffnete Calogero den Kühlschrank und holte sich eine Flasche Metzeral-Wasser heraus. Sein Vater hingegen sah ihn alles andere als lässig an und fragte wütend:

»Woe warsde due? Woe isse deine Freunde, eh? Essen isse schone kalde! Ese gibde Steake. Hiere, mangia! Isse gude!«

»Nein danke, ihr hättet nicht auf uns warten brauchen. Onkel Vinnie hat mich und Manuel auf eine Pizza eingeladen. Bin nicht mehr hungrig. Tut mir leid, habe vergessen, euch Bescheid zu sagen. Lege mich auch gleich schlafen. Ich bin voll müde! Buona notte!«

Calogeros Vater packte ihn beim Vorbeigehen ruckartig am Kragen.

Calogeros Vater:
»Wolle due mische verarsche? DIESE STEAKE ISSE TEUER! ISCHE HARDE ARBEIDE FURE EINE MALE INE DIE WOKE STEAKE! DUE ESSE JEZZE!«

»Nein, ich kann nichts mehr essen! Ich platze sonst!«

SKLÄTSCH,

und Calogero bekam eine elektrisierende Ohrfeige, die ihm durch Mark und Bein fuhr.

Calogeros Vater:
»Due nixe gehe mehre zue deine Ongel! Ische wille nixe, dasse due seine Geschenge nehme! Wenn ische dische noke eine Male sehe bei Vinnie, ische klatsche deine Arsche rosso e blu un verkaufe deine Mario-Spiele! Jezze ab mide dire in die Bette!«

SKLÄTSCH

Mein bester Kumpel bekam noch eine weitere sizilianische Sandmannschelle mit auf den Weg ins Traumland. Mit bitteren Tränen in den Augen und unendlichem

Hass in seinem Herzen quetschte sich Calogero in seinen Pyjama und ging zu Bett. Warum musste sein Vater nur so sein, dachte er sich immer wieder, bis er dann irgendwann völlig erschöpft einschlief. Das laute Diskutieren seiner Eltern aus der Küche blendete er komplett aus.

Am nächsten Tag traf ich ihn dann auf dem Nachhauseweg von der Schule. Er war ganz traurig. Was war los? Wir hatten doch einen Tag zuvor so viel Spaß gehabt. Ich fragte ihn, was passiert war. Er erzählte mir dann von den Ereignissen der letzten Nacht. So etwas hatte er wirklich nicht verdient. Er musste ohnehin schon einiges wegen der Turtles-Comics ertragen. Onkel Vinnie war doch ein prima Kerl. Warum durfte Calogero keinen Kontakt mehr zu ihm haben? Er tat mir wirklich von Herzen leid. Ich wollte ihn ein wenig aufmuntern und fragte ihn, ob er Lust hätte, mit mir zum Kiosk zu laufen. Ich wollte uns beiden eine Capri-Sonne spendieren.

»Okay, gehen wir.«

Auf dem Weg zum Kiosk redete er nicht so viel wie gewöhnlich, sonst quasselte er immer wie ein Wasserfall. Ich überlegte krampfhaft, wie ich ihn aufmuntern könnte, doch mir fiel nichts besonders Gutes ein. Fast wie gerufen kam aus heiterem Himmel Vinnie mit seinem roten Cabrio um die Ecke geflitzt. Als er uns sah, hielt er sofort am Straßenrand an.

Vinnie:
»Eeehhh, Jungse, come stai? Callo, wasse lose? Wieso due gucke so traurische? Isse wasse passierde?«

Calogero fing an zu erzählen. Kurz darauf unterbrach ihn sein Onkel und bat uns, in sein Auto zu steigen. Nachdem wir auf der Rückbank Platz genommen hatten, erzählte Calogero weiter. Vinnie grinste nun nicht mehr wie sonst.

Vinnie:
»Eeehee, Madoooonna! Callo, deine Vater isse eine Dummekopfe! Ere isse nure frustrierde, dasse ere harde arbeide un nixe viele Gelde habe. Ere arbeide könne in meine Firma, aber wollde nixe! Ische habe ihn angebode! Wasse solle ische make? Höre nixe aufe ihne! Due bisde gude Junge, Callo! Egale wasse ere sagen! Ische wäre soe stolze aufe eine Sohne wie dische! Ti amo come un figlio, Calogero!«

»Wirklich, Onkel Vinnie?«

Vinnie:
»Eehhh, assolutamente, Callo! Un wenne ere dische wieder schlage, ische trede seine fette Arscheloke! Wie fruher, wo wir waren kleine Ragazzi.«

Mein bester Freund fand sein Lächeln wieder und vergoss dabei eine kleine Freudenträne. Im Anschluss fiel er seinem Onkel um den Hals und umarmte ihn ganz fest. Es tat so gut, ihn wieder lachen zu sehen. Vinnie steckte ihm einen Zehner zu und ließ uns vor Rudis Kiosk wieder aussteigen. Mit ganzen vier Capri-Sonnen und zwei großen gemischten Tüten gingen wir dann zu mir nach Hause. Meine Mutter erlaubte es, dass er bei uns zu Mittag aß. Mit vollgeschlagenen Bäuchen machten wir es uns dann mit den Süßigkeiten vor dem Fernseher im Wohnzimmer meiner Eltern gemütlich und zockten für ein paar Stunden *Turtles in Time*, ehe mein Vater uns dann wieder von der Glotze verjagte. Mein Kumpel war ziemlich erschöpft und wollte dann auch gleich nach Hause gehen. Da es noch nicht ganz so spät war, begleitete ich ihn.

An seinem Haus angekommen, sahen wir seinen Vater draußen vor der Tür stehen. In seiner rechten Hand hielt er eine Karstadt-Tüte.

Calogeros Vater:
»GERO! Veni qua!«

»Was willst du?«

Calogeros Vater:
»Komme hiere here, habe ische gesagde!«

Gezwungenermaßen schlenderte Calogero zu ihm. Als er näher kam, bemerkte er, dass sein Vater unter seinem linken Auge ein kleines blaues Veilchen hatte. Aus der Tüte kramte er das Game-Boy-Spiel *Track & Field* hervor. Ein eher mittelmäßiges Sportspiel von Konami, bei dem man von der vielen Tastenhämmerei mächtige Blasen an den Daumen bekam. Anders konnte man das Spiel auch nicht spielen. Meistens ging es nur darum, in den paar angebotenen Minispielchen, so schnell wie möglich die A- und B-Taste hintereinander zu drücken.

»Was soll ich damit? Das ist ein Scheißspiel!«

**SKLÄTSCH*,*

machte es und die Hand seines Vaters rutschte wieder einmal aus. Der Mann hatte wirklich ein sehr dünnes Nervenkostüm. Dann zog er Calogero ins Treppenhaus. Allein und mit Wut auf Calogeros Vater ging ich dann zurück zu mir nach Hause.

Einen Tag später klingelte es nachmittags an unserer Tür. Ich schaute aus unserem Küchenfenster auf den Hof und sah meinen besten Kumpel mit einer Kiste unter seinem Arm.

»Manuel, Manuel! Du musst sofort rauskommen! Ich muss dir was erzählen! Komm schon, beeil dich!«

Während er das aufgeregt sagte, sah er sehr komisch aus. Fröhlich, aber irgendwie auch nicht. Schnell zog ich meine Schuhe an und rannte zu ihm nach draußen.

Manuel:
»Was ist denn los?«

»Ich habe eine richtig gute und eine richtig schlechte Nachricht! Zuerst die Schlechte. Mein Onkel Vincenzo ist bald weg!«

Manuel:
»Waaaasss? Oh, neeeiiiinn! Wo geht er denn hin? Was ist passiert?«

»Ich weiß, ich habe auch voll geweint, als ich es erfahren habe. Er muss für ein paar Monate zurück nach Italien. Unserer Oma geht es sehr schlecht. Heute Abend nimmt er sofort das Flugzeug nach Sizilien. Ich hoffe, dass sie bald wieder gesund ist und mein Onkel ganz schnell zurückkommt.«

Manuel:
»Das ist echt traurig, aber deiner Oma geht es ja nicht gut.«

»Ja, das stimmt. Hey, du wirst es nicht glauben! Er hat auch gesagt, dass wir zwei irgendwann mal mit ihm zusammen nach Sizilien reisen können. Das wäre der Superknaller! Dann lernst du mal meine ganze Familie kennen. Du wirst Sizilien lieben, das schwöre ich dir!«

Manuel:
»Boa, das wäre sooo cool! Ist das die gute Nachricht?«

»Nein! Er hat mir ja noch ein Abschiedsgeschenk gegeben! Muhahaha!«

Manuel:
»Und was ist es?«

»Ein Arbeitskollege von Onkel Vinnie kennt jemanden, der bei Nintendo arbeitet, und der hat ihm eine Kiste mit Super-Nintendo-Spielen geschenkt. Er konnte sie aber nicht gebrauchen und hat sie dann meinem Onkel gegeben. Und rate mal, wer diese Kiste jetzt hat!«

Es war nicht zu glauben. Auf einen Schlag hatte sich Calogeros SNES-Spielekollektion fast verdreifacht. In der Kiste waren *Super R-Type, Pilot Wings, Sim City, Top Gear, Super Mario Kart, Batman Returns, Simpsons - Bart's Nightmare, Super Castlevania IV* und viele, viele mehr. Selten hatte ich meinen besten Freund so glücklich bis über beide Ohren strahlen sehen. Und auch ich war glücklich, doch hatte ich auch irgendwie das dumme Gefühl, dass wir Onkel Vinnie niemals wiedersehen würden.

KAPITEL

15

NOVEMBER 93

DM 3,50

SCHEUẞLICH BESTE FREUNDE

IN

LIEBE GEHT DURCH DEN MAGEN

HIER FLATTERN KEINE SCHMETTERLINGE DURCH DEN BAUCH!

KAPITEL 15

Liebe geht durch den Magen

(November 1993)

Für gewöhnlich quatschten Calogero und Falih in den Schulpausen immer über Videospiele, Filme und Zeichentrickserien. Umso mehr war Falih verblüfft, als Calogero plötzlich, im Gegensatz zu sonst, von einem Mädchen zu schwärmen anfing. Seit mein Kumpel nämlich *Jurassic Park* im Kino gesehen hatte, redete er eigentlich von nichts anderem mehr als von Velociraptoren und dem T-Rex. Nachdem sich *Super Mario Bros. Der Film* und *Ninja Turtles 3* als absolute Gurken entpuppt hatten, war *Jurassic Park* endlich mal wieder ein Streifen, der meinen Kumpel so richtig umhaute. *Turtles 3* war bis auf die Turtles-Puppen ein einziger Flop. Ganz im Gegensatz zu dem dritten Teil der Game-Boy-Spielreihe, der war spitze. *Super Mario Bros. Der Film* war meiner Meinung nach sogar besonders scheiße. Und zwar so scheiße, dass es für mich wohl einer der beschissensten Filme aller Zeiten ist. Ich frage mich bis heute, wie man auf die Idee kam, einen Super-Mario-Film mit echten Darstellern zu drehen.

Dank *Jurassic Park* war nun Robert Muldoon statt des italienischen Klempners oder der mutierten Schildkröte mit der blauen Augenbinde Calogeros neuer Held. So gesehen war Robert Muldoon eine der unbedeutendsten Figuren aus *Jurassic Park*, doch Calogero liebte ihn, warum auch immer. Sogar eine verdammte Actionfigur hatte er sich von ihm besorgt. Ein T-Shirt mit dem *Jurassic Park*-Logo auf der Brust durfte auch nicht fehlen. Fast jeden Tag trug er es in der Schule.

Doch eines Tages dann im November 1993 machte mein bester Freund während des Unterrichts eine wunderbare Entdeckung, die wie ein Komet alle Dinosaurier in seinem Kopf samt Robert Muldoon auf einen Schlag ausrottete. So erfuhr Falih schließlich, als Calogero sich ihm in der Pause offenbarte, dass mein Kumpel sich heimlich in Stefania verliebt hatte.

Stefania ging in Falihs Klasse und wurde genauso wie Calogero in Italien geboren. Glücklicherweise besuchte Stefania ebenfalls in Englisch den E- und in Mathematik den G-Kurs. Während ihrer gemeinsamen Unterrichtsstunden hatte mein bester Kumpel genug Zeit, sie in aller Ruhe von Kopf bis Fuß zu begutachten. Nach den Doppelstunden schwärmte er dann pausenlos von seiner Angebeteten:

»Sie ist so ein hübsches Ding. Ihre Haare glänzen so schön in der Sonne. Ihre Augen verzaubern mich jedes Mal, wenn ich sie anschaue. Ihr Lächeln ist einfach zum Dahinschmelzen! Oh, Madonna! Sie ist so wunderbar! Sie hat dieses besondere Etwas. Keine von den ganzen anderen Mädchen hat solche großen Glocken wie Stefania! Und das schon in unserem Alter! Falih, ich kann nur noch an Stefania denken. Ich habe deswegen sogar keine Lust auf Super Double Dragon, kannst du dir das vorstellen? Ich kann mich gar nicht mehr konzentrieren. Was soll ich denn machen? Du kennst sie doch so gut!«

Falih:
»Naja, ich kenne sie nicht sooo gut. Sie ist zwar in meiner Klasse, aber ich habe noch nie richtig mit ihr gesprochen. Habe nur ab und zu mal hallo zu ihr gesagt.«

Falih wusste nicht, was er seinem neuen Freund für einen Ratschlag geben sollte. Für ihn waren begehrenswerte Mädchen immer außer Reichweite gewesen. Sie interessierten sich einfach nicht für Jungs wie ihn oder Calogero. Erst recht nicht für ihre Hobbys. Die beiden lasen statt der Bravo lieber ihre Comics oder Videospielzeitschriften. Nur standen in diesen keine Tipps, was man machen sollte, wenn man in ein Mädchen verliebt war. Falih überlegte, bekam plötzlich eine gute Idee und schlug ihm etwas vor:

»Sprich sie doch einfach nach dem Englischunterricht an und frage sie, ob sie mit dir mal ins Kino gehen möchte.«

»Nein! Das geht nicht! Ich kann sie doch nicht einfach so ansprechen!«

Falih:
»Dann schreibe doch etwas, was du sie fragen willst, auf einen Zettel und ich gebe ihr den für dich.«

»Ich bin total in sie verliebt, weiß aber nicht, wie ich es ihr sagen soll. Ich weiß nicht mal, ob sie mich auch mag. Ich meine, sie schaut schon oft zu mir rüber. Das hat doch was zu bedeuten, oder? Ich will sie so gerne küssen! Was soll ich nur tun?«

Falih:
»Sag mal, hörst du mir nicht zu? Schreib ihr was auf einen Zettel und ich übergebe den für dich!«

»Hey, das ist wirklich eine gute Idee! Aber was genau soll ich ihr denn schreiben?«

Falih:
»Das kann ich dir nicht sagen, das musst du schon selbst wissen. Ich kann für dich nur die Nachricht überbringen.«

»Okay, dann lass ich mir schnell was einfallen und gebe dir dann den Zettel.«

Am nächsten Morgen schielte Calogero im Englischunterricht permanent mit einem Auge auf Stefania. Mit dem anderen starrte er auf ein Blatt Papier und feilte an seinem Billetdoux herum. Dann, nach dem Unterricht, übergab er rasch seinen Liebesbrief an Falih.

Falih:
»Kann ich ihn mal lesen?«

»Spinnst du? Auf gar keinen Fall! Das ist privat! Versprich mir, dass du nicht nachschaust! Du musst ihr den so schnell wie möglich geben, hörst du?«

Falih:
»Okay, okay! Ich verspreche es.«

Kurz bevor der Deutschunterricht begann, ging Falih dann mit dem Liebesbrief auf Stefania zu.

Falih:
»Hey, Stefania, ich muss mal kurz mit dir reden. Also, vielleicht kennst du den Calogero. Der ist mit uns zusammen in Englisch und Mathe. Ich soll dir diesen Zettel von ihm geben. So ... also ich muss dann mal auf meinen Platz. Bis dann!«

Falih war sehr überrascht, als Stefania ihm später in der Fünfminutenpause einen Zettel für Calogero überreichte. Eigentlich hatte er gedacht, dass von ihr keine Antwort kommen würde. Auf dem gemeinsamen Heimweg gab er den, selbstverständlich ungelesenen, Brief dann sofort an Calogero weiter.

Falih:
»Du wirst es nicht glauben! Ich habe einen Zettel von Stefania zurückbekommen.«

»Waaaaaas? Echt jetzt? Willst du mich verarschen?«

Falih:
»Nein, echt jetzt! Hier!«

»Oh ... okay ... das kann ... okay ... ich ... na, dann gucke ich gleich mal, was sie geantwortet hat. Ich bin so aufgeregt ... booaaa, mein Herz klopft wie verrückt! Mein Bauch tut weh. Ich glaube, ich scheiße mir gleich in die Hose!«

Mit zittrigen Händen nahm mein bester Freund den kleinen, gut gefalteten rosafarbenen Zettel entgegen und roch daran.

»Ohhhh, der riecht sooooo gut! Er duftet nach Amarelli, genauso wie sie! Einfach köstlich! Keine ist wie Stefania!«

Ganz behutsam öffnete er ihn und las sorgfältig ihre mit lila Aquamaler geschriebenen Zeilen. Sein Herz wurde zu einer Beatbox.

Falih:
»Und?«

»JAAAAAAAAAA! Sie will sich mit mir treffen! Ich bin so glücklich! Siehst du, Falih? So macht man das! Yessss! I'm too sexy for the girls, too sexy for the world!«

Falih:
»Was hast du ihr geschrieben? Komm schon, verrate es mir doch!«

»Nein! Das bleibt mein Geheimnis!«

Ab da war Calogero wie ausgewechselt. Er war plötzlich nicht mehr so schüchtern und unsicher wie sonst. Aus seiner Sicht war er schon fest mit Stefania zusammen. Der rosa Brief hatte es für ihn besiegelt. Etwas abgehoben beschrieb er Falih am nächsten Tag in der großen Pause, wie er sich seine Zukunft mit Stefania vorstellte:

»Wenn wir 18 sind, werde ich um ihre Hand anhalten. Dann werden wir nach Italien ziehen und in einem großen Haus leben. Sie wird auf die Kinder aufpassen, während ich morgens auf der Arbeit bin. Mittags, wenn ich heimkomme, steht ein gut gekochtes

Essen auf dem Tisch. Und nach dem Essen wird bis abends gezockt. Ach ja, das wird eine tolle Zeit!«

Falih freute sich zwar für ihn, war aber auch ein bisschen neidisch. Und das, obwohl er wusste, dass Calogero noch nicht wirklich mit Stefania zusammen war.

Falih:
»Bevor das passiert, musst du dich erst mal mit ihr treffen. Wann ist es denn soweit? Habt ihr euch schon verabredet?«

»Äh, also, wir treffen uns heute nach der Schule auf dem Hof.«

Falih:
»Und dann?«

»Dann gehen wir ... ähm ... das ist privat! Sei nicht so neugierig. Wir gehen vielleicht ein Eis essen. Nix Besonderes. So, und jetzt Schluss mit dem Thema! Hast du eigentlich schon Last Action Hero gesehen? Angeblich soll es einer von Arnies besten Filmen sein. Da bin ich mal gespannt.«

Wie verabredet wartete Calogero nach dem Unterricht am Eingang des Schulgeländes auf Stefania. In seiner rechten Hand hielt er eine Aldi-Tüte und in der linken eine rote Rose. In Gedanken versuchte er sich die Nervosität zu nehmen und redete sich selbst immer wieder gut zu:

»Komm schon, Callo! Du schaffst das! Du bist der größte Casanova auf der Schule! Sie wird sich in dich verlieben! Dein Onkel hat dir doch gesagt, du kannst jede Frau haben, die du ...«

Stefania:
»Hi, Calogero. Ohhh, die Rose ist ja schön! Ist die für mich?«

Völlig in Gedanken versunken hatte Calogero nicht bemerkt, dass Stefania bereits auf ihn zugelaufen war.

»Ähh ... ciao, Stefania! Du ... du siehst wunderbar aus! Ja ... die hier ist für dich! Ich hoffe, sie gefällt dir.«

Zum Dank bekam er einen kleinen Schmatzer auf die Wange, der ihn sofort erröten ließ.

Stefania:
»Danke, das ist sehr lieb von dir! Die Rose ist wunderschön! Ich finde es auch richtig klasse, dass du mich in das Restaurant deines Vaters einlädst.«

»Du brauchst dich doch nicht zu bedanken, Amore mio! Übrigens, mein Opa war der erste Italiener in Deutschland, der eine Pizzeria eröffnet hat. Und vor allem die Beste! Jetzt hat mein Vater das Restaurant und unser geheimes Familienrezept schlägt niemand. Vielleicht lernst du meinen Vater später mal kennen. Er wollte mir noch seinen neuen Ferrari zeigen. Wenn ich 18 werde, bekomme ich auch einen eigenen. Aber bis dahin ist es wie bei der Nescafé-Werbung. Isch habe gar kein Auto, hahahahaha!«

Stefania zeigte sich sichtlich beeindruckt von Calogeros Münchhausen-Geschichten. Der Fisch näherte sich langsam dem mit Mozzarella gespickten Haken. Ein Kompliment jagte das nächste. Obwohl mein Kumpel es schaffte, sich äußerlich zusammenzureißen und dabei noch selbstsicher den Casanova zu mimen, war er doch innerlich sehr nervös und es dauerte nicht lange, bis er Bauchschmerzen bekam. Sein Magen brummte und setzte ihn unter Druck. Wenn er seine Herzdame erobern wollte, so dachte er, müsse er ganz besonders viel Süßholz raspeln. Er feuerte alle Sprüche raus, die er zufällig beim Fernsehen aufgeschnappt oder von seinem Onkel gelernt hatte:

»Süße, ich kann gar nicht sagen, wie glücklich ich bin, heute mit dir zusammen zu sein. Ich konnte gestern an gar nichts anderes mehr denken. Du bist so süß und wunderschön. Wenn ich dich sehe, fühle ich tausend Schmetterlinge in meinem Bauch. Du strahlst für mich wie die Sonne. Nein! Darling, du bist die Sonne! Ich wünsche mir, dass dieser Tag niemals zu Ende geht!«

Seine Angebetete wurde ganz rot. Ihr gefiel die Umgarnung und sie bekam das Grinsen nicht mehr aus ihrem Gesicht. Sein Plan schien aufzugehen. Kurz bevor die beiden bei der Pizzeria ankamen, kramte Calogero etwas aus der mitgebrachten Aldi-Tüte heraus.

»Hey, Stefania. Ich habe gestern von meinem Vater ein Inter-Mailand-Trikot geschenkt bekommen und konnte es bisher noch nicht anziehen. Du hast doch sicher nichts da-

gegen, wenn ich es mir jetzt anziehe, oder? Ich möchte meinen Vater nicht traurig machen.«

Sie fand es schon etwas merkwürdig, warum er sich ausgerechnet jetzt ein Fußballtrikot anziehen wollte, doch sie hatte nichts dagegen einzuwenden und machte sich darüber auch keine Gedanken mehr.

»Ah, meine Liebste, das hätte ich fast vergessen zu sagen. Ich habe zwei Vornamen. Calogero und Giordano. Meine Eltern und die Leute in der Pizzeria nennen mich nur Giordano. Nicht, dass du dich später wunderst.«

Stefania:
»Kein Problem. Mir gefällt Giordano sowieso viel besser.«

Nachdem die beiden das Restaurant betreten hatten, begrüßte sie auch schon Cosimo, der Kellner:

»Ciao, Giordano! Ou, mamma mia, due habe eine schöne Freundine!«

»Grazie, Cosimo. Wir wollen einen Tisch für zwei. Ungestört! Bring der Dame, was sie will. Mir kannst du gleich eine große Cola bringen. Mit viel Eis, aber dalli! Und vergiss die Speisekarte nicht! Was möchtest du trinken, meine Liebste?«

Stefania:
»Ich hätte gerne einen Apfelsaft. Danke.«

Cosimo brachte sie in den hinteren Teil des Raumes zu einem kleinen runden Tisch, zündete eine Kerze an und stellte diese in die Tischmitte. Danach rannte er sofort zur Theke, um die Getränke zu holen.

»Vor zwei Jahren habe ich Cosimo das Leben gerettet. Er war damals noch ein Penner und hat unter einer Brücke gelebt. Meine Kumpels und ich haben da oft Fußball gespielt. Er hat mir immer sehr leid getan und so habe ich ihm einen Job in unserem Restaurant besorgt.«

Stefania:
»Oh, Giordano! Das ist soooo süß von dir! Du bist so ein herzensguter Mensch!«

»Ja, ja, so bin ich! Mein Herz ist groß für so Menschen wie ihn. Letztes Jahr war ich mit meinem Vater in Afrika, und wir haben dort für die armen Kinder eine Schule gebaut.«

Cosimo kam zurück an den Tisch und brachte die Getränke.

»Stronzo! Du hast die Karte vergessen! Meine Begleitung stirbt vor Hunger! Hopp, hopp! Hol schnell die Karte! Avanti, avanti!«

Mit einer kreisenden Handbewegung machte Calogero dem Kellner unmissverständlich klar, dass er sich verziehen sollte. Daraufhin rannte Cosimo ohne Widerworte erneut zur Theke.

»Bitte entschuldige ihn. Er ist ein bisschen blöd. Aber er ist fleißig! Weißt du, Stefania, es ist schwer heutzutage, gutes Personal zu finden.«

Als die beiden endlich die Speisekarte bekamen, bestellte Calogero für sich eine große Cinque-Formaggi-Pizza und für seine Perle eine Schinkenpizza.

»Wir haben den besten Schinken auf der ganzen Welt, Stefania. Der kommt frisch aus Mailand. Für dich ist mir nichts gut genug! Was auch immer du möchtest, sag es mir. Ich erfülle dir jeden Wunsch!«

Stefania:
»Danke! Du bist so süß Ca... ich meine ... Giordano! Hihi!«

Prompt kam das Essen und beide ließen es sich schmecken. Der sizilianische Casanova blickte während des Kauens tief in Stefanias Augen und stellte sich dabei die legendäre Restaurantszene von *Susi und Strolch* vor. Er verfluchte sich innerlich, weil er keine Spaghetti bestellt hatte, und überlegte permanent, wie er es schaffen konnte, seine Principessa zu küssen. Nach dem Essen fragte er sie ganz scheinheilig aus:

»Hat es dir geschmeckt, meine Schöne?«

Stefania:
»Oh, ja, Giordano, es war sehr, sehr lecker! Vielen Dank noch mal für die Einladung! Du bist sooo lieb!«

Flink wurde wieder Cosimo herbeigewunken, sodass er die Teller abräumen konnte. Auch er erkundigte sich, ob die beiden mit dem Essen zufrieden waren.

»Ja, ja, war okay. Hätte aber ruhig noch mehr Käse drauf sein können! Räum mal schnell hier die Teller ab und spiel Musik für uns!«

Anschließend stand er auf und flüsterte dem Kellner etwas ins Ohr.

Cosimo:
»Si, Signore! Wirde gemakte!«

Nachdem Cosimo die Teller weggeräumt hatte, legte er, wie Calogero ihm befohlen hatte, das gewünschte Lied auf. Durch das ganze Lokal dröhnte *Se Bastasse Una Canzone* von Eros Ramazzotti. Fokussiert wandte sich der kleine Casanova seiner vermeintlich zukünftigen Braut zu und fragte sie wild entschlossen:

»Kann ich dich mal etwas fragen, mein Herz?«

Stefania:
»Ja, natürlich! Was denn?«

»Magst du mich?«

Stefania:
»Oh, Giordano! Ja, ich mag dich sogar sehr!«

»Kann ich dich noch etwas fragen?«

Stefania nickte mit dem Kopf.

»Dürfte ein Junge wie ich ein Mädchen wie dich küssen?«

Stefania:
»Hihihi ... äh ... ja! Warum nicht? Du darfst mich küssen, hihihi. Du bist wirklich voll süß Calogero. Äh, verdammt! Tut mir Leid! Giordano.«

In Gedanken stellte sich Calogero die Kussszene aus *Hot Shots* 2 vor.

»Schau mir in die Augen, Kleines!«

Zum ungünstigsten Zeitpunkt überhaupt meldete sich wieder Calogeros Magen. Das waren zu viele Schmetterlinge in seinem Bauch. Nie hätte er sich erträumen lassen, dass seine Wünsche wahr werden würden. Die Aufregung ließ seinen Darm rebellieren. Alarmstufe Rot auf Sizilien. Der Vulkan Ätna drohte auszubrechen, wenn er nicht schleunigst auf die Toilette gehen würde. Sein Magen übertönte mittlerweile die Musik. Calogero stand zwischen Himmel und Hölle. So galant, wie er nur konnte, verabschiedete er sich kurz von seiner Göttin:

»Entschuldige, Darling, ich bin mal kurz für kleine Könige. Und wenn ich zurück bin, machen wir da weiter, wo wir aufgehört haben.«

Völlig liebestrunken ließ er seine Angebetete zurück und rannte in Höchstgeschwindigkeit auf die Toilette. Kaum hatten seine Arschbacken die Brille berührt, schiss er sich die Seele aus dem Leib. Immer dann, wenn er dachte, dass er fertig wäre, begann sein Magen erneut zu stechen und eine weitere Ladung kam in die Schüssel geflogen. Dabei fluchte er laut:

»Warum jetzt? So viel habe ich doch gar nicht gegessen! Gott, warum hasst du mich so sehr?«

Gute zehn Minuten vergingen und Stefania saß immer noch alleine am Tisch. In Gedanken träumte sie von Calogero beziehungsweise Giordano. Oder Calogero Giordano. Oder Giordano Calogero. Wie auch immer, desto mehr sie an ihn dachte, umso mehr begann auch sie sich zu verlieben. Zeitgleich wollte Calogeros Magen immer noch keine Ruhe geben und das, obwohl die Schüssel schon halb voll war. Es nahm kein Ende.

»PORCA MISERIA! WARUM HÖRT DAS NICHT AUF? CHE PORCHERIA! STA MINCHIA!«

Cosimo kam irgendwann zu Stefania an den Tisch und fragte sie, ob sie noch etwas zu trinken haben wolle. Sie verneinte, wollte von ihm aber wissen, ob mit Giordano alles in Ordnung sei. Er hatte doch vor, nur kurz auf die Toilette zu gehen, war jetzt aber schon fast eine halbe Stunde lang verschwunden. Sie machte sich Sorgen.

Cosimo:
»Giordano? Ere ware noke vore eine Minude hinden bei seine Papa. Oh, uno momento! Da iste ere!«

Dabei zeigte er auf die Eingangstür des Restaurants. Es war der echte Giordano, und wie immer trug er sein Inter-Mailand-Trikot. Cosimo rief ihn herbei. Stefanias Augen funkelten, als sie ihn erblickte. Sie erkannte nicht im Geringsten, dass es nicht ihr Calogero-Giordano, sondern ein anderer war, da er meinem Kumpel wirklich fast zum Verwechseln ähnlich sah. Das Trikot erledigte den Rest. Völlig geblendet vor Liebe steuerte Stefania auf den echten Giordano zu und küsste ihn, ohne dass der etwas sagen konnte, sofort auf den Mund. Genau in diesem Moment kam Calogero-Giordano völlig fertig und erschöpft aus der Herrentoilette. Er konnte nicht fassen, was sich gerade vor seinen Augen abspielte.

»Was zum Scoreggia ist hier los? Du dreckiger Bastardo! Nimm deine Fettfinger von meiner Verlobten!«

Ehe Giordano sich versah, rollte Calogero wie ein Panzer über ihn drüber und donnerte ihm eine saftige Maulschelle. Cosimo und Stefania schauten sich beide geschockt an. Sie sahen aus, als hätten sie einen Geist gesehen.

»Cosimo, schnapp dir diesen Betrüger und schmeiß ihn hier raus!«

Giordano:
»Ich bin der echte Giordano! Du bist hier der Betrüger! Cosimo, schmeiß ihn raus!«

»Hör nicht auf diesen Cazzo! Ich bin der echte Giordano! Der gibt sich als mich aus, um dieses Mädchen rumzukriegen!«

Giordano:
»Cosimo! Wir kennen uns doch schon so lange! Ich bin es! Siehst du das denn nicht? Schmeiß ihn raus!«

»Schau ihn nicht an! Der lügt, glaube mir! Wirf ihn raus, auf den Müll!«

Cosimo war total verwirrt. Für ihn gab es keinen Unterschied zwischen den beiden.

Cosimo:
»Ische ... ähh ... nixe verstehen! Ische hole eure Papa! Ere isse hinden in die Buro.«

Damit hatte Calogero nicht gerechnet! Game over. Seine Betrügereien würden nach all den Jahren auffliegen. Wie sollte er sich jetzt noch herausreden? Der Magen begann wieder zu streiken. Während er sich weiter mit Giordano zoffte, starrte Stefania immer noch regungslos auf das doppelte Giordanochen. Das Ganze hatte ihr die Sprache verschlagen. Mit offenem Mund blieb sie wie versteinert vor den Zwillingen stehen. Kurz darauf kam Cosimo mit dem Vater zurück.

Cosimo:
»Hiere sinde die beiden. Were isse die Betruger? Welsche ische solle rauseschmeise?«

Giordanos Vater:
»Isse mir egale! Schmeise beide rause!«

Giordano:
»Aber Papa, ich ...«

Giordanos Vater:
»RAUSE MIDE BEIDE! ISCHE HABE KOPFEDISCHMERZZE!«

Unser Betrüger hatte das Glück, dass Giordanos Vater zuvor im Büro eine ganze Weinflasche ausgetrunken hatte, um seinen Hass auf das Finanzamt zu begießen. Er hatte daher keinen Kopf für solche Spielchen. So kam Cosimo dem Befehl nach, packte die beiden am Kragen und zerrte sie zum Ausgang.

»Aber Papa, das kannst du doch nicht mit deinem eigenen Fleisch und Blut machen! Ich bin doch dein Erstgeborener!«

Giordano:
»Papa, warum machst du das mit mir?«

Beide flogen im hohen Bogen auf den Gehweg. Danach kam es, wie es kommen musste. Sie prügelten sich. Auch Stefania hatte mittlerweile das Restaurant verlassen. Von dem ganzen Hin und Her hatte sie ebenfalls Kopfschmerzen bekommen und wollte nur noch nach Hause. Ihr war es nun egal, wer der echte Giordano war, und sie lief einfach davon. Vor lauter Kloppe bemerkte Calogero nicht, dass sie verschwand. Viel zu sehr war er damit beschäftigt, seinem falschen Zwilling den Arsch aufzureißen. Ihn ärgerte es so sehr, dass dieser Junge ihm seinen ersten Kuss geklaut hatte. Erst als mein Kumpel ihn völlig ausgeknockt hatte, sah er sich nach Stefania um. Mit einem lauten Schrei riss er sich das Inter-Mailand-Trikot vom Leib und schmetterte es dem am Boden liegenden Giordano ins Gesicht, dann lief er traurig nach Hause. Um den Herzschmerz etwas zu lindern, vertrieb er sich den restlichen Abend mit *Blues Brothers* auf seinem Game Boy.

Am Tag darauf in der Schule war Calogero sich unsicher, wie Stefania nach dem Debakel auf ihn zu sprechen sein würde. Bevor der Lehrer den Raum betrat, lief er zu ihrem Platz und sprach sie an:

»Hey, Stefania! Bitte verzeihe mir den Ärger von gestern. Nicht zu fassen, wie frech dieser dumme Junge war, zu uns in das Restaurant zu kommen und sich als mich auszugeben. Das ist unfassbar, nicht wahr? Tut mir leid, dass du den Falschen geküsst hast. Der Richtige kann das viel besser! Wir können uns ja heute nach der Schule treffen.«

Stefania:
»Tut mir leid, aber ich habe da schon etwas anderes vor. Geh bitte und lass mich in Ruhe.«

Calogero war baff. Damit hatte sich das Thema Stefania von einer auf die andere Sekunde für ihn erledigt. Als Falih ihn in der Pause auf das Treffen ansprach, kotzte er sich richtig aus:

»Es war stinklangweilig! Die hat sich benommen wie ein Kind. Ich dachte, sie wäre etwas Besonderes, aber sie ist wie alle anderen Mädchen. Sie spielt sogar noch mit Barbie-Puppen und von Nintendo hat sie auch keine Ahnung. Ihre Möpse sind auch nicht so groß, wie ich dachte. Von Nahem sehen die irgendwie komisch aus. Ich glaube, sie stopft sich den BH mit Tempos aus. Bin sehr enttäuscht von ihr, die soll sich verpissen! Diese dämlichen Weiber wollen alle am liebsten so einen Boygroup-Spasti, wie von Caught in the Act oder den Backstreet Boys. Hey, scheiß auf Mädchen! Das hätte ich wegen der dummen Kuh schon fast vergessen. Hast du die neue Batman-Animated-Zeichentrickserie auf Pro 7 gesehen? Das ist die beste Batman-Serie aller Zeiten!«

Von da an sprachen Calogero und Stefania nie wieder ein Wort miteinander. Während der gemeinsamen Unterrichtsstunden ignorierten sie sich einfach.

Durch einen dummen Zufall wurden sie und der richtige Giordano eine Woche nach dem Desaster schließlich ein Paar und blieben bis zu ihrem 18. Geburtstag zusammen. Gleich danach heirateten die beiden und zogen nach Mailand, um dort eine Familie zu gründen. C'est la vie!

KAPITEL

16

SCHEUßLICH BESTE FREUNDE

IN

RACHE SCHMECKT NACH SCHOKOMILCH

DM 3,50

RACHE IST EIN GERICHT, DAS AM BESTEN KALT SERVIERT WIRD!

KAPITEL 16

Rache schmeckt nach Schokomilch

(Dezember 1993)

In der ersten Dezemberwoche 1993 lernte ich Falih endlich persönlich kennen. Ich kannte ihn bis dahin nur von Calogeros Erzählungen. Es muss ein Freitag gewesen sein, an dem mein bester Freund und Falih nach der Schule bei uns im Hof vorbeischauten. Ich war auch schon von der Schule nach Hause gekommen und wartete auf das Mittagessen. Als ich die beiden vom Küchenfenster aus sah, konnte ich aber nicht anders, als kurz nach draußen zu gehen. Direkt als ich zur Tür hinausschritt, stellte mir Calogero seinen Schulfreund vor. Falih erschien mir sofort sehr sympathisch und wir verstanden uns auf Anhieb sehr gut miteinander. Nachdem wir kurz über den neuen Disney-Film *Aladdin* diskutiert hatten, fragte ich die beiden, was sie denn noch so unternehmen wollten. Da erzählte Calogero, dass sie vorhatten, in die Stadt zu gehen, um sich die neuesten Super-Nintendo-Spiele anzusehen.

»Willst du mitkommen?«

Manuel:
»Sehr gerne, aber meine Eltern werden es bestimmt nicht erlauben.«

»Du bist doch schon sieben! Außerdem bist du doch mit uns unterwegs. Wir passen ja auf dich auf. Dir wird schon nix passieren. Soll ich mal mit deiner Mutter reden?«

Natürlich sollte er das und wer hätte das gedacht, ihm war es dann auch tatsächlich gelungen, in kürzester Zeit meiner Mutter eine Erlaubnis zu entlocken. Erst eine Woche zuvor hatte ich eine Zwei bei einem Deutschtest geschrieben und Calogero war daran nicht ganz unbeteiligt gewesen. Sehr oft half er mir während seiner Besuche mit den Hausaufgaben oder lernte gemeinsam mit mir für meine Tests. Damit sammelte er mächtig Pluspunkte bei meinen Eltern. Vielleicht war dies ja der Grund, weshalb meine Mutter zustimmte. Es war also nun das allererste Mal, dass ich alleine mit meinem Kumpel und Falih in die Innenstadt ging. Bevor es dunkel sein würde, sollte ich aber wieder zu Hause sein. Ausnahmsweise durfte ich auch auf das Mittagessen verzichten. Vor lauter Aufregung hatte ich sowieso keinen Hunger mehr. Ohne viel Zeit zu verschwenden machten wir uns dann sofort auf die Socken. Irgendwann auf halber Strecke kamen wir an einem Obdachlosen vorbei, der quer über dem Gehweg lag. Er hatte wuschlige, grau vergilbte Haare und trug dreckige und zerrissene Klamotten. Ihn umgab ein fürchterlicher Gestank, der sich einem sofort in die Nase bohrte und Würgereiz verursachte. Obwohl ich mich ekelte, empfand ich großes Mitleid mit ihm. Kaum hatte er uns gesehen, bettelte er uns auch schon um ein paar Mark an.

Obdachloser:
»Ich habe solchen Hunger! Schon seit zwei Wochen habe ich keine richtige Mahlzeit mehr gehabt. Jungs, ich bitte euch, helft mir! Habt ihr ein wenig Kleingeld für mich? Ihr würdet mir das Leben retten! Ich bin so verdammt hungrig. Wenn ich nicht bald etwas zum Essen bekomme, werde ich sterben!«

»Echt jetzt?«

Calogero bekam ebenfalls großes Mitleid und spendete ihm von seinen letzten Ersparnissen ganze fünf Mark und zwanzig Pfennig. Daraufhin bedankte sich der Obdachlose mit einem breiten Grinsen und wünschte uns noch einen angenehmen Tag. Anschließend liefen wir weiter in die Innenstadt hinein.

Gute zehn Minuten später kamen wir endlich in der Videospielabteilung des Kaufhauses Karstadt an. Sämtliche Videospiele waren damals hinter einer riesigen Glasvitrine eingeschlossen und nur der Abteilungsleiter hatte den Schlüssel zu dieser Schatzgrube. Wenn man ein Spiel, egal für welche Konsole, kaufen wollte, so musste man diesen nett ansprechen. Er drückte dir das Spiel aber nicht in die Hand, nee, nee, er begleitete dich bis hin zur Kasse und beobachtete ganz genau, ob du auch artig bezahlen gingst. Als Calogero und Falih die Vitrine erblickten, strahlten sie über beide Backen. Dann gab mein bester Kumpel zu jedem Spiel seinen persönlichen Kommentar ab:

»BOAAAHHH! Jungs, die haben tatsächlich Goof Troop! Das ist so ein cooles Spiel mit richtig abgefahrener Grafik. Das sieht wie ein Zeichentrickfilm aus. Ich muss das unbedingt haben!«

Manuel:
»Hat schon mal jemand von euch das Spiel gezockt?«

Falih:
»Nein, leider nicht.«

»Ich auch nicht, aber ich weiß, dass es sooooo cooool ist! Und hier, Super Probotector, zwar schon etwas älter, aber der absolute Wahnsinn! Ich hatte es mal für einen Tag ausgeliehen. Irgendwann werde ich es mir selbst holen und dann werde ich es endlich mal durchspielen. Das verdammte Spiel ist sowas von schwer!«

Manuel:
»Das sind ja coole Roboter!«

»Was?«

Manuel:
»Die Roboter. Ich meine, die Roboter sehen cool aus!«

Ich zeigte dabei auf die Verpackung des Spiels, auf der man zwei gigantische Kampfmaschinen bewundern konnte.

»Ja, weißt du eigentlich, warum das Roboter sind, Manuel?«

Manuel:
»Ähh ... nein, warum?«

»Also, eigentlich heißt das Spiel ja Contra 3 und nicht Super Probotector. Die von Konami haben das Game nur in Europa Super Probotector genannt. In Japan und Amerika spielt man auch keine Roboter, sondern Menschen!«

Manuel:
»Menschen?«

»Ja, Menschen! Die hat man dann hierzulande durch Roboter ausgetauscht.«

Manuel:
»Warum das denn?«

»Ja, um eine Indizierung zu verhindern.«

Manuel:
»Was ist ein Indiziegung?«

»Das heißt Indizierung! Also, wenn ein Spiel voll brutal ist oder Blut spritzt, wird es sofort indiziert, also verboten. Du kannst das dann auch nicht kaufen, und wenn doch, und du wirst damit erwischt, dann bist du weg. Sofort! Bestimmt so zehn Jahre Gefängnisstrafe, aber nur in Deutschland. Wo anders ist es nicht so, da kannst du das Spiel kaufen und auch zocken.«

Manuel:
»Boa! Woher weißt du das alles, Calogero?«

»Das habe ich in der Fun Vision gelesen. Aber hey, die Roboter finde ich trotzdem cooler als die Menschen.«

Falih:
»Diese Fun-Vision-Ausgabe habe ich auch. Kann mich aber nicht erinnern gelesen zu haben, dass man deswegen ins Gefängnis kommen kann.«

»Dann war das in dieser Videospielzeitung, die Maniac heißt. Die ist ganz neu, deswegen kennst du sie bestimmt noch nicht!«

Falih:
»Oh, das kann sein. Habe aber schon von ihr gehört. Wollte sie mir mal die Tage kaufen.«

»NEEEEEEIIIIIIINNNNN!«

Falih:
»Was ist los?«

»Guck mal, wer da hinten ist, Falih! Wir müssen schnell hier weg! Wir treffen uns am Ausgang.«

Plötzlich rannte Calogero, so schnell er konnte, los und ließ mich mit Falih alleine vor der Vitrine stehen. Als Calogeros Schulfreund sich dann umsah, bekam er einen ängstlichen Gesichtsausdruck. Er packte mich rasch am Arm und rannte ebenfalls los. Vor lauter Panik konnte er den Ausgang nicht finden, stattdessen sprinteten wir dann zu den Toiletten, versteckten uns in einer der Kabinen und schnappten erst mal nach Luft. Ich verstand das Theater nicht und fragte ihn, was denn los sei.

Falih:
»Hast du diesen großen Jungen gesehen, der gerade mit der Rolltreppe hochgefahren ist?«

Manuel:
»Äh, ich glaube ja. Wer ist das?«

Falih:
»Das ist Goran. Er ist in Calogeros Schulklasse. Der will mit uns befreundet sein, aber wir mögen ihn nicht, deshalb verstecken wir uns vor ihm.«

In dem Augenblick fand es Falih richtig, mir nicht die Wahrheit zu sagen. Er wollte Calogero vor mir nicht wie einen Angsthasen aussehen lassen. Aus Erzählungen wusste er, dass Calogero für mich wie ein großer Bruder war und ich zu ihm aufsah. So ließ er mich einfach in dem Glauben, dass mein bester Freund nur keine Lust auf den Jungen hatte. Die Realität sah jedoch ein wenig anders aus.

Seit Anbeginn des 5. Schuljahrs war Calogero von Goran regelmäßig schikaniert worden. Ein ganzes Jahr lang durfte er sich fast jeden Tag in der großen Pause und zwischen den Schulstunden Beleidigungen wie „Fettsack“, „Milkakuh“ oder „Hängebauchschwein“ gefallen lassen. Goran machte die ganze Sache zu seinem alltäglichen Ritual. Wenn er Calogero auf dem Pausenhof nicht auf Anhieb fand, suchte er auf dem ganzen Schulgelände nach ihm, um ihn mit seinen fiesen Freunden zu beleidigen und auszulachen. Als er aber nach ein paar Monaten gemerkt hatte, dass Calogero einfach die Beleidigungen ignorierte und sich nicht mehr beeindrucken ließ, legte er einen Gang zu. So wie in der Woche vor unserem gemeinsamen Karstadt-Ausflug. Da hatte Goran es so richtig übertrieben. Während Calogero sich vor dem Sportunterricht mit den anderen Jungs seiner Klasse in der Kabine umgezogen hatte, stellte er meinen besten Kumpel vor allen bloß.

Goran:
»Kannst du eigentlich deinen Schwanz noch sehen, Fettsack? Dir hängt doch der ganze Bauch runter, hahahahaha! Du fetter Stinker!«

Dann hatte er Calogero mit einem Handtuch ausgepeitscht.

Goran:
»Hahaha, schaut mal, wie seine Hängetitten schwabbeln. Hey, Fettarsch! Ich habe gehört, dass du dich bei Stefania voll blamiert hast. Sie hat mir alles erzählt, hehehe! Sie hat gesagt, dass deine Titten größer sind als ihre!«

Anschließend grunzte Goran wie ein Schwein vor sich hin. Alle lachten sie meinen besten Freund aus. Fast hätte er geweint, doch die Wut in seinem Herzen konnte seine Tränen zurückhalten. Daraufhin zog er sich schnell wieder seine Straßenklamotten an, rannte mit seinem Rucksack aus der Turnhalle und entfernte sich unerlaubt vom Schulgelände. Als wären die Beleidigungen nicht schon schlimm genug gewesen, bekam er später dann noch zusätzlich einen Megaanschiss von seiner Klassenlehrerin, weil er den Sportunterricht geschwänzt hatte. Zum Glück wurden Calogeros Eltern deswegen nicht informiert. Von Gorans Schikanen erzählte er außer Falih keiner Menschenseele etwas, weil er sich dafür mächtig schämte. Seinen Lehrern berichtete er nichts davon, weil er Angst hatte, noch schlimmer tyrannisiert zu werden und vor der ganzen Klasse als Petze dazustehen. Falih war der Einzige, der genau wusste, was Calogero durchmachte. Auch er war ja von Goran oft als Opfer auserkoren worden, allerdings traf es ihn nie so hart wie meinen besten Freund.

Vorsichtig schlichen Falih und ich aus der Karstadt-Toilette und suchten den Ausgang. Diesmal brauchten wir nicht lange nach einem zu suchen. Draußen stand bereits Calogero auf der anderen Straßenseite an einem Brezelstand. Sobald er uns sah, kam er sofort zu uns hinüber und bat uns, umgehend zurück in unsere Nachbarschaft zu laufen. Mir kam das Ganze immer noch sehr komisch vor. Auf dem Heimweg fragte ich ihn zu diesem Goran aus:

»Warum hast du keine Lust auf diesen Goran, Calogero?«

»Äh, Manuel, weißt du, der stinkt, hat Mundgeruch, der wäscht sich nie. Immer wenn ich mit ihm gesprochen habe, hat es mich am ganzen Körper gejuckt. Deshalb muss ich mich immer verstecken, wenn ich ihn sehe. Der ist so ekelhaft! Glaub mir, so jemanden wie ihn will keiner zum Freund haben. Der redet nur dummes Zeug und geht einem auf die Nerven.«

Manuel:
»Achsooo, jetzt verstehe ich!«

Für mich klang das logisch. Nachdem wir uns dann für den kommenden Tag verabredet hatten, verabschiedeten wir uns auch schon von Falih. Er hatte es vom Karstadt aus nicht weit bis zu sich nach Hause. Er wohnte praktisch dort um die Ecke. Auf dem restlichen Heimweg raste irgendwann eine riesige Mercedes-Limousine an uns vorbei. Der Fahrer des Autos ließ die Scheibe der Fahrertür herunter und starrte uns provokant an. Als Calogero ihn sah, dachte er kurz, er würde träumen.

»Verdammt, das ist der Penner, dem ich mein Geld geschenkt habe! Hey, gib mir meine Kohle zurück, du verkacktes Arschloch!«

Dieser miese Betrüger hupte zwei Mal und lachte uns aus. Dann fuhr er mit quietschenden Reifen einfach davon.

»Hoffentlich baut er einen Unfall und kommt in den Rollstuhl! Figlio di puttana! Mortacci tua!«

Den Ausflug zum Karstadt hatte Calogero sich anders vorgestellt. Es war einfach nicht sein Tag. Noch bevor es dunkel wurde, lieferte er mich, wie versprochen, zu Hause ab.

Tags drauf konnte Falih sich nicht wie geplant mit uns treffen, da er von einer fiesen Grippe heimgesucht wurde. Eine ganze Woche konnte er nicht in die Schule gehen, was für Calogero automatisch bedeutete, dass er Goran alleine ertragen musste. In seinem Bett dachte Falih an Calogero und hoffte, dass der Rowdy ihn in Ruhe lassen würde.

Eine Woche später, als Falih wieder wohlauf war und zur Schule ging, passierte etwas sehr Merkwürdiges. Wie üblich quatschte er auf dem Pausenhof mit Calogero. Plötzlich tauchte Goran auf und gesellte sich zu ihnen. Falih erwartete wieder üble Beleidigungen und Beschimpfungen, doch nichts dergleichen kam von ihm. Der Raufbold blieb stumm und hörte Calogero aufmerksam zu, während dieser von *Darkwing Duck* philosophierte. Irgendwie war Goran wie ausgewechselt. Er stand einfach nur da, ohne was zu sagen oder zu machen. Unversehens fauchte mein bester Kumpel ihn an:

»Hast du sie dabei?«

Goran:
»Ja, hier.«

Goran drückte Calogero eine Tetra-Pak-Milchtüte mit Vanillegeschmack in die rechte Hand.

»Was soll ich damit? Die kannst du dir in dein Pimmelloch stecken!«

Goran:
»Die wolltest du doch haben, oder?«

»Schoko wollte ich, du Penner. SCHOKO! Jetzt schieb ab und hol mir die richtige Milch! Aber dalli! Die Pause ist bald rum!«

Goran:
»Ja, ja. Ist ja gut.«

»Was sagst du? Ich habe dich nicht gehört.«

Goran:
»Tut mir leid, ich hole dir schnell eine Schokomilch.«

»Warum stehst du dann noch so dumm hier rum? Na, lauf schon los, du Stück Scheiße!«

Dann klatschte er das Tetra Pak so fest in Gorans Gesicht, dass es zerplatzte und Goran von Kopf bis Fuß mit Milch bespritzte. Doch statt auszurasten oder Calogero eine reinzuhauen, entfernte sich Goran stillschweigend. Falih war schockiert. Was war passiert? Da hatte er doch nur eine Woche gefehlt und auf einmal stand seine Welt kopfüber. Kurzzeitig hatte er das Gefühl, sich in einer Parallelwelt zu befinden oder zu träumen. Die Aufklärung kam prompt:

»Ja, ja, dieser Hurensohn. Ich wollte Schoko und nicht Vanille. Wie kann man bloß so blöd sein und das verwechseln? So ein mieser, dreckiger Bagnaletto! Pezzo di merda! Piú scemo non potevi nascere! Der lernt es einfach nie! Aber klauen kann er, konnte er schon immer. Ich hatte mich schon immer gefragt, wie ein Junge in unserem Alter sich immer neue Klamotten oder Schuhe leisten kann. Hast du dich das nie gefragt? Die Nike-Schuhe, die er jetzt gerade trägt, kosten fast 250 Mark!«

Falih:
»Hmm ... habe nie so wirklich darauf geachtet. Die haben ihm bestimmt seine Eltern gekauft, oder?«

»Am Arsch! Niemals! Der André hat es mir doch erzählt. Gorans Eltern gehen nicht arbeiten. Die bekommen ihr Geld vom Amt!«

Falih:
»Ich verstehe das nicht.«

»Guck mal. Neulich, als wir im Karstadt waren, da wo ich mich vor ihm versteckt hatte, weißt du noch?«

Falih:
»Ja, na klar weiß ich das noch.«

»Nun ja, als er die Rolltreppe hochfuhr, sind mir seine Schuhe aufgefallen. Es waren nigelnagelneue Schuhe, und die Woche davor hatte er wieder andere Schuhe angehabt, die brandneu waren. Ich trage jetzt meine vergammelten Adidas-Schuhe schon seit fast drei Jahren, verdammt!«

Falih:
»Und das heißt was?«

»An dem Abend konnte ich einfach nicht schlafen, ich lag so im Bett und dachte ein wenig nach. Ich musste einfach herausfinden, woher er die Schuhe hatte. Ich überlegte und überlegte und überlegte und ...«

Falih:
»Und?«

»Irgendwie kam ich auf die Idee, ihn am nächsten Tag nach der Schule zu verfolgen. Das habe ich dann auch gemacht, aber natürlich so, dass er mich nicht bemerkt hat. Und jetzt rate mal, wo er hingegangen ist.«

Falih:
»Ich weiß nicht, Tengelmann?«

»Karstadt, Mann! Karstadt! Und da wurde mir alles klar. Als er dann in die Schuhabteilung ging, wusste ich ganz genau, was er vorhatte. Ich wusste, er wollte wieder Schuhe klauen.«

Falih:
»Dein Ernst? Was ist dann passiert?«

»Ich bin schnell zu einem Mitarbeiter und habe dem gesagt, dass sie ein Auge auf den großen Jungen haben sollen, der in der Schuhabteilung sein Unwesen treibt.«

Falih:
»Oh! Und dann?«

»Ja, dann habe ich von Weitem beobachtet, wie der Ladendetektiv sich Goran geschnappt hat. Danach bin ich raus und habe am Ausgang gewartet. Nach ungefähr einer Stunde kam er endlich raus. Er hat mich gar nicht gesehen. Hab mich dann von hinten an ihn herangeschlichen und ihm auf die Schulter getippt.«

Falih:
»Boa, wie spannend! Und?«

»Ich habe ihm, so fest ich konnte, in die Fresse gehauen, dass er nicht mehr wusste, was los war. Der ist wie bei Rocky 3 einfach umgefallen. Als er wieder leicht zu sich kam, habe ich zu ihm gesagt, wenn du mich noch einmal beleidigst oder ärgerst, erzähle ich jedem, dass du ein dreckiger Dieb bist, du Hurensohn. Der Detektiv, der dich erwischt hat, ist mein Cousin und wir haben alles auf Video. Ich schwöre dir, auf meine Mutter, ich zeige es jedem auf der Schule. Ich habe ihm auch gesagt, dass er sich vor der ganzen Klasse bei mir entschuldigen muss. Das hat er dann auch gemacht.«

Falih:
»Boaaaa! Warum musste ich mich bloß erkälten? Das ist ja so cool! Woher hast du überhaupt gewusst, dass er nach der Schule zum Karstadt gehen würde? Das war doch ein Zufall, nicht wahr?«

»Hundertprozentig sicher war ich mir nicht, aber ich habe es irgendwie gefühlt. Eine innere Stimme hat es mir geflüstert. Gestern habe ich ihn in der Umkleidekabine mit dem Handtuch ausgepeitscht. Das hat solchen Spaß gemacht!«

Im gleichen Augenblick kam auch Goran rechtzeitig mit einer neuen Milchtüte. Diesmal mit Schokogeschmack.

»Ahhh, Rache schmeckt nach Schokomilch!«

KAPITEL

17

MAI 94

DM 3,50

SCHEUẞLICH
BESTE FREUNDE

IN

DIE KLASSENFAHRT UND DER PERVERSE POLAROID-PIMMEL

... und Falih ist auch wieder mit dabei!

BEI DIESEN STORYS BLEIBT KEIN AUGE TROCKEN!

KAPITEL 17

Die Klassenfahrt und der perverse Polaroid-Pimmel

(Mai 1994)

Im Mai 1994 startete Calogeros Klasse zum Ende des 6. Schuljahrs eine Abschlussfahrt nach Kassel. Völlig euphorisch fieberte er diesem Ereignis entgegen. Auf der einen Seite freute ich mich für ihn, dass er seinen Spaß haben würde, er hatte ja in den letzten Jahren sehr viel durchgemacht, doch auf der anderen Seite machte es mich traurig. Er war so gut wie jeden Tag bei uns zu Hause und jetzt sollte er für eine ganze Woche weg sein. Eine ganze Woche ohne den besten Kumpel war für ein Kind wie mich das Grauen. Diese Woche fühlte sich wie ein ganzes Jahr an.

Schließlich ging sie doch vorüber und er klingelte, wie gewohnt, mittags an unserer Tür. Wie immer lief ich zum Küchenfenster, um nachzuschauen, wer bimmelte, und da stand er unten vor unserem Fenster mit einer neuen Jacke. Eine weinrote Alpha-Industries-Bomberjacke mit orangefarbenem Innenfutter. Auf seinem Kopf trug er eine schwarze Basecap mit rund gebogenem Schild. Er wirkte irgendwie verändert.

»Yo! Manu! Alles klar? Checkste die Lage? Kommste runner? Ich muss dir unbedingt ein paar cremige Geschichten erzählen! Du lachst dich kaputt!«

Während er sprach, machte er so komische Bewegungen mit seinen Armen und Händen. Ich war so gespannt, was er alles zu erzählen hatte. In Sekundenschnelle war ich draußen. Eigentlich begrüßten wir uns immer mit einem klassischen High five, doch diesmal begrüßte er mich mit einer anderen Art von Handshake. Ich sollte meine Hand zu einer Faust ballen und gegen seine Faust boxen. Dann zog er seine Hand zurück, öffnete sie dabei wieder und brüllte ein lautes „*BOOM*“ durch den Hof. Ich fand es zuerst komisch, doch dann freundete ich mich damit an und fand es richtig cool.

»Ey, yo, die Klassenfahrt war so dufte, Mann! So etwas Spitzenmäßiges habe ich noch nie erlebt! Lass uns aber erst zum Weiher gehen, bevor ich dir alles erzähle. Falih wartet da schon auf uns. Er war mit seiner Klasse auch auf einem Ausflug. Ich bin gespannt,

was er zu erzählen hat. Ich wette, unsere Klasse hatte mehr Spaß als seine! Also, yo, lass uns keine Zeit verschwenden. Wir machen jetzt einen Abdampfer. Let's go!«

Ohne dass ich darauf antworten konnte, packte er mich und rannte los. Mir blieb nichts anderes übrig, als hinterher zu sprinten. Binnen weniger Minuten kamen wir dann am Spielplatz an. Ich konnte schon von weitem Falih auf einer der vielen Holzbänke sitzen sehen. Er hatte die neueste Man!ac-Ausgabe und einen Comic von *Spirou und Fantasio* bei sich. Wie konnte es auch anders sein, Calogero musste Falih natürlich auch mit dem neuen Handshake begrüßen. Auch der schaute verdutzt, als Calogero am Abschluss der neuen Begrüßung ein lautes „*BOOM*" über den Spielplatz brüllte.

»Hey, yo, lasst uns ein wenig um den Spielplatz schlendern, während wir uns gegenseitig von den Klassenfahrten erzählen. Wer fängt an? Du oder ich, Falih? Willst du zuerst oder soll ich doch? Nee, komm fang du an.«

Falih:
»Also gut. Wir waren in Büdingen in so einer Jugendherberge und haben ...«

»Ich fang doch an zu erzählen! Die Fahrt nach Kassel war schon die reinste Action, besser gesagt, es war die reinste Hölle! Ich Trottel habe mir nämlich vor der Fahrt schon drei Bifi Ranger reingehauen, und Manu, du weißt, was das heißt! Calogero muss so gewaltig scheißen, dass er damit jede Toilette zum Mars bomben könnte! Leider sind diese verdammten Bifi Rangers auch so bombastisch gut, dass ich einfach nie widerstehen kann. Natürlich musste mein Magen erst dann anfangen zu brummen, als wir schon im Bus saßen und in diesem Ding gab es keine Toilette. Ich sage euch, ich habe so hart gekämpft, um es einzuhalten. Mein ganzer Körper hat gezittert und so richtig fies geschwitzt! Irgendwann konnte ich es nicht mehr einhalten und hab heimlich versucht, einen kleinen Furz rauszupressen, um ein wenig die Bauchschmerzen loszuwerden aber es ging nach hinten los. Ich habe voll in die Hose geschurzt!«

Manuel:
»Was heißt geschurzt?«

»Yo, ich habe gefurzt und dabei kam ein kleines Stückchen Scheiße mit raus. Auf einmal hat es überall im Bus nach Kacke gerochen! Alle haben sich dann umgeschaut, woher der Gestank kommt.«

Manuel:
»Iiiieeeehhh, wie eklig!«

Falih:
»Bäähh! Warum musst du auch immer diese Bifis essen? Bei deinem Glück haben die dich doch bestimmt erwischt, oder?«

»Komischerweise nicht! Ich hatte noch nie so viel Glück wie auf dieser Klassenfahrt. Also, ich habe immer noch wie ein Schwein geschwitzt, während die anderen den Schuldigen gesucht haben. Der Gestank wurde immer schlimmer. Der dreckige André hat hinter mir gesessen. Falih, du kennst ihn ja. Der Penner hat es irgendwie gemerkt und hat mich dann vor allen anderen beschuldigt, in die Hose geschissen zu haben. Zum Glück wurde der Gestank dann so schlimm, dass selbst der Busfahrer sich nicht mehr richtig konzentrieren konnte und sofort auf den nächsten Rastplatz gefahren ist. Da haben wir dann eine kleine Pause eingelegt und ich habe so getan, als würde ich mir einen Snack von der Tankstelle holen, aber in Wahrheit habe ich heimlich die Toilette gesucht und ordentlich geschissen. Die Spülung war kaputt, aber egal, Hauptsache, meinem Magen ging es wieder besser. Die Unterhose war völlig hinüber. Hab sie in den Mülleimer geworfen. Dann habe ich so richtig viel Toilettenpapier genommen und ein kleines Stück Scheiße aus der Toilette gefischt.«

Falih:
»Waaaaas? Hähhhhh? Ein Stückchen Scheiße aus der Toilette gefischt? Was sollte das? Du bist vielleicht ekelhaft!«

Manuel:
»Iiieeeehhh!«

»Hahaha. Jetzt hört doch mal weiter zu! Ohne dass mich jemand gesehen hat, habe ich mich zurück in den Bus geschlichen und das Kackstück in Andrés Rucksack geschmuggelt. Zum Glück hat der Fahrer die Tür zum Bus offengelassen.«

Mir kamen die Tränen vor Lachen. Calogero konnte schon ein echt fieser Drecksack sein, wenn er wollte.

Falih:
»Hahaha, wie bei dem Windfisch damals. Und keiner hat dich dabei erwischt?«

»Nein! Ich bin danach ganz schnell wieder raus und keiner hat es mitbekommen. Als wir wieder in den Bus gestiegen sind, hat sich jeder die Nase zugehalten. Die Katharina hätte sogar fast gekotzt, muhahahaha! Alles stank nach Scheiße, doch wir mussten schnell weiter und konnten nicht länger Pause machen. Patrick hat im Bus neben André gesessen und gleich gecheckt, dass der Gestank aus seinem Rucksack kam. Er hat ihn sich einfach geschnappt und den Reißverschluss komplett aufgerissen. Auf einmal fällt das Kackstück mit dem Klopapier in Andrés Schoß. Ich hab mich fast bepisst vor Lachen! Seit dieser Aktion nennen ihn alle nur noch Stück Scheiße, hahaha!«

Falih und ich pissten uns ebenfalls fast in die Hose vor Lachen. Wie gern wäre ich in diesem Moment dabei gewesen.

Während wir um den Spielplatz flanierten, erzählte Calogero uns voller Begeisterung von seinen weiteren Abenteuern auf der Klassenfahrt:

»Unsere verdammten Lehrer haben nur langweilige Ausflüge in Museen und alte Häuser gemacht. Ich wäre fast abgekratzt! Aber nach den Ausflügen hieß es, Waynes World, Party Time, excellent! Wir haben die coolsten Partys gefeiert!«

Falih:
»Und die Lehrer haben euch das erlaubt?«

»Die Deppen haben das gar nicht gemerkt, weil wir alle in dem Zimmer von Goran und Carsten waren. Das Zimmer von Frau Rattler und Herr Dumbel waren zwei Stockwerke unter uns. Der Milos, so 'n Kumpel aus meiner Klasse, hatte so eine Flasche mit Alkohol dabei. Das heißt Wodka und sieht aus wie Wasser. Ich habe noch nie richtig Alkohol in meinem Leben getrunken. Einmal durfte ich einen Schluck von dem Getränk meines Onkels nehmen. Das war so widerlich! Fernet Branca hieß das, glaube ich. Dann hab ich mal Wein probieren dürfen und manchmal auch richtig starkes Tiramisu. Da ist ja auch Alkohol drinne, naja, egal. Also der Milos hat die Wodkaflasche rausgeholt und zu mir gesagt, komm, Calogero, du bist doch ein starker Junge, nimm mal einen kräftigen Schluck! Und natürlich habe ich das dann auch gemacht. Alle haben mich angefeuert. Boa, war das ekelhaft! Aber ich hab es ausgetrunken. Auf ex! Ein paar Minuten später habe ich gemerkt, wie mir ein bisschen schwindelig wurde und ich die ganze Zeit voll lachen musste. Dann haben alle getrunken und wir hatten so einen Spaß! Die Jungs aus meiner Klasse sind so lustig! Der Ümit hatte voll die Hammer-Musikkassetten dabei. Da gibt es so ein bombiges deutsches Hip-Hop-Lied vom Rödelheim Hartreim Projekt. Ich höre jetzt nur noch Hip-Hop-Musik. Die ist sowas von cool!«

Als wir am kleinen Teich des Spielplatzes entlang liefen und Calogero ohne Pause vor sich hinrappte, entdeckte Falih ein Polaroidfoto, das auf dem Boden lag. Er hob es auf und drehte es herum. Erst schaute er ganz entsetzt, doch dann fing er zu kichern an.

Falih:
»Ach du Scheiße, ich glaube es ja nicht! So etwas habe ich ja noch nie gesehen! Schaut euch diesen Trottel mal an! Hahahaha!«

»Toll, ehrlich! Ein nackter Typ mit seinem steifen Pimmel in der Hand, super. Sowas hast du noch nie gesehen? Das ist überhaupt nicht lustig! Schmeiß das Scheißding weg und hör dir lieber die restlichen Geschichten von meiner Klassenfahrt an. Da hast du wirklich was zum Lachen. Euer Ausflug war bestimmt oberlangweilig, sonst würde dich so ein Kackfoto nicht aus den Socken hauen! Du willst über nen Pimmel lachen? Ich geb dir ne lustige Pimmelgeschichte! Wisst ihr, was der Marcello mit dem Patrick nachts gemacht hat? Marcello, ich, Patrick und Ümit waren zusammen in einem Zimmer. Als der Patrick irgendwann in der Nacht eingeschlafen ist, hat Marcello den Pimmel rausgeholt und seinen Sack auf Patricks Augen gelegt, hahahahaha! Wisst ihr, wie man das nennt? Man nennt es die afghanische Sonnenbrille, muhahahaha!«

Falih:
»Iiehh! Spinnt der? Warum macht der so etwas? Naja, da finde ich das Foto schon irgendwie witziger als deine Geschichte.«

Ehe Calogero weiter erzählte, riss er Falih das Bild aus der Hand und schnibbelte es in den Teich.

»So, weg damit! Und jetzt aufgepasst! Jetzt kommt noch eine lustige Pimmelgeschichte. Nur für dich Falih! Also, nachdem wir fast die ganze Wodkaflasche leer getrunken hatten, lag der Patrick auf dem Boden und ist voll eingepennt. Wir haben uns dann sofort einen dicken Edding 500er geholt und ihm einen fetten Schwanz auf die Stirn gemalt. Hahaha! Der hat ihn noch am nächsten Tag beim Frühstück im Gesicht gehabt. Es hat Stunden gedauert, bis er die Farbe wieder weg hatte, hahahahaha.«

Falih:
»Naja, das war aber schon sehr fies von euch. Ich an Patricks Stelle hätte das nicht lustig gefunden.«

»Du hättest dir gewünscht, an seiner Stelle gewesen zu sein, dann hättest du ne richtig geile Zeit gehabt. Nicht so wie in Buhlingen!«

Falih:
»Es heißt Büdingen und es war nicht langweilig! Du hast mich ja nicht ausreden lassen.«

Manuel:
»Hey, Leute! Schaut mal, da liegt noch so ein Foto auf dem Boden!«

Falih sprang sofort auf und schnappte sich das Polaroid.

Falih:
»Oh, mein Gott! Das ist ja noch schräger als das andere! Hahahahaha!«

Vor lauter Lachen konnte sich Falih nicht mehr auf den Beinen halten und fiel zu Boden. Obwohl es Calogero nervte, war er neugierig, was diesmal auf dem Bild zu sehen war. Ich war auch ganz gespannt. So wie Falih diesmal lachte, musste es wohl auch Calogero zum Lachen bringen können.

»Komm, zeig her, das Scheißbild!«

Mit genervter Miene nahm er Falih das Polaroid ab. Mein bester Freund und ich schauten nun selbst. Man sah einen stehenden Penis in Großaufnahme, doch das war noch nicht alles. Auf die Pimmelspitze war ein Smiley gemalt.

»Ja, sehr komisch. Oh, Mann! Sag mal, was ist los mit dir? Was ist denn bitte schön daran so witzig? Manuel, findest du das zum Lachen?«

Manuel:
»Äääh hh ... ein bisschen vielleicht?«

»Naja, was soll ich sagen? Du kennst ja nicht mal die Goonies!«

Falih:
»Was? Manuel kennt die Goonies nicht?«

»Nein, unglaublich, oder?«

Falih:
»Das kannst du aber laut sagen! Hey, Calogero, zeig mir noch mal das Bild. Das ist so witzig!«

Wütend zeriss Calogero die Fotografie. Nachfolgend schmiss er die vielen kleinen Bildfetzen in einen der zahlreichen Büsche, die sich entlang unseres Weges befanden.

Falih:
»Oh Mann, Calogero, komm schon! Gib es zu, du fandest es auch lustig!«

»Lustig? Solche ekelhaften Pimmelbilder? Warum gehst du nicht nach Hause und malst dir einen Luigi auf den Sack? Oder noch besser, geh nach Hause und schau Lady Oscar und Georgie, muhahahahaha! Wollt ihr beiden jetzt noch die restlichen Geschichten von meiner Klassenfahrt hören, oder was?«

Manuel:
»Ja, ich will sie hören!«

»Ok, dann vergiss diesen Pimmel, Manu, und hör gut zu. Wir haben so viel Scheiße gemacht! Schade, dass du nicht dabei warst. Es hätte dir gefallen, aber du bist ja leider noch zu klein. Naja ... yo, Manu, einmal, als der Patrick nicht im Zimmer war, hat er auf dem Tisch eine Flasche mit Apfelsaft vergessen. Die Flasche war schon zur Hälfte leer getrunken. Der Ümit hat dann die Flasche genommen und rein gepisst! Hahaha! Dann, ein paar Minuten später, kommt der Patrick zurück und nimmt die Flasche. Während der Esel irgendetwas von den Mädchen gelabert hat, hat er fast die ganze Flasche ausgetrunken. Hahahahaha! Wir haben uns sooo totgelacht! Und er trinkt weiter und merkt immer noch nicht, was los war. Erst als der Ümit irgendwann zu ihm sagt, na, Pisse schmeckt gut, ne, hat er die Lage gecheckt. Der hat sich eine ganze Zahnpastatube in sein Maul ausgedrückt, hahaha! Diese Klassenfahrt war einfach nur spitze! Ich wünschte, es hätte noch ein paar Wochen länger gedauert. Ey, yo! Und soll ich euch noch was verraten? Wir haben abends mit den Mädchen Flaschendrehen gespielt und ich durfte der Schönsten von allen an die Möpse grapschen! Boa, die waren so schön groß und weich!«

Falih:
»Der Bianca?«

»Nein, der Sabine!«

Falih:
»So hübsch ist die aber nicht. Um ehrlich zu sein, ist die sogar grottenhässlich!«

»Aber immer noch hübscher als alle Mädchen in deiner Klasse und der Typ auf dem Pimmelbild zusammen! Bist doch nur neidisch! Und jetzt Klappe zu, Flanders, und lass mich weitererzählen.«

Manuel:
»Sag mal, Calogero, wo hast du eigentlich deine neue Jacke her? Die sieht echt cool aus!«

»Hey, danke! Das ist eine originale Alpha-Industries-Bomberjacke. Die ist nicht billig! Wie ich schon gesagt habe, so ein Glück wie auf dieser Klassenfahrt hatte ich noch nie in meinem ganzen Leben. Wir sind in eines von diesen scheißlangweiligen Museen gegangen. Wie immer musste ich dringend kacken und ging direkt erst mal auf die Toilette. In meiner Kabine hing dann auf einmal diese Jacke. Jemand muss sie da vergessen haben. Und wie der Zufall es wollte, ist sie noch perfekt in meiner Größe! Cool, oder? In der Innentasche waren sogar noch 30 Mark drin. Ich schwöre, das war der beste Ausflug aller Zeiten!«

Falih:
»Warum hast du die Jacke nicht im Fundbüro abgegeben?«

»Was? Spinnst du? Eine originale Alpha-Industries-Bomberjacke in meiner Größe und Lieblingsfarbe! In meinem ganzen Leben ist mir noch nie sowas Tolles passiert und außerdem hat derjenige, dem sie gehörte, selbst Schuld. Ich würde meine Alphajacke nie aus den Augen lassen! Pech gehabt. Und du hättest es auch so gemacht!«

Falih:
»Nein, ich hätte sie abgegeben.«

»Das glaube ich nicht! Du Geier wärst der Erste gewesen, der zugeschnappt hätte! Nie im Leben hättest du die Jacke zurückgegeben, du Babbler!«

Falih:
»Doch, ich hätte sie zurückgegeben!«

»Heweps, niemals!«

Falih:
»Doch, auf jeden Fa...«

»Okay, okay, ich glaube dir, aber nur weil du mit so einer Jacke wie ein Sch...«

Manuel:
»HEY, schaut mal! Da sind noch mehr von diesen Fotos!«

Während die beiden sich stritten, schaute ich verträumt durch die Gegend und sah mehrere Polaroids zwischen den Büschen hängen.

»Scheiß auf diese Fotos! Interessiert mich nicht, was da drauf ist!«

Falih und mich interessierte es aber sehr wohl und so rannten wir beide zu den Büschen.

Falih:
»Pass auf, Manuel! Das sind Brennnesseln!«

Er schob mich zur Seite und zog vorsichtig eines der Bilder aus den Blättern des dicht bewachsenen Busches heraus. Sofort warf er einen Blick darauf und lachte sich, wie zu erwarten, schlapp. Ich wollte auch mal schauen, doch er ließ mich nicht.

»Das ist so kindisch, Falih!«

Falih:
»Holt euch doch euer Eigenes! Da sind noch viel mehr davon, hahahahaha!«

»Lieber küss ich einen nackten Hundearsch! Ich scheiße Tonnen auf diese Kackfotos. Von mir aus kannst du sie alle haben. Mach dir doch davon zu Hause ein Panini-Pimmel-Album!«

Im Gegensatz zu meinem besten Kumpel konnte ich mich der Neugierde nicht entziehen. Wie Falih fischte ich langsam und vorsichtig eines der Bilder aus dem

Brennnesselbusch. In Falihs Gesicht konnte man pure Neugierde sehen. Seine Augen leuchteten.

Falih:
»Zeig mal!«

Manuel:
»Nur, wenn du mir deins zeigst!«

Falih:
»Ja, ja, ist gut! Manuel, du fängst an. Was ist auf deinem Bild drauf? Zeig schon!«

Auf dem Polaroid, das ich aus dem Busch gezogen hatte, war wieder dieser unbekannte nackte Mann zu sehen, wie er in Modelpose auf einer Couch lag.

»Schon wieder dieser nackte Spasti! Ekelhaft!«

Falih:
»Das Bild ist gar nicht lustig.«

Obwohl die Bilder Calogero anwiderten, war er dann doch neugierig, was auf Falihs Polaroid zu sehen war.

»Also, Falih, was ist auf deinem Bild?«

Falih:
»Man sieht wieder diesen Typ, wie er ... seinen Pimmel in eine Kaffeetasse steckt! Hahaha.«

»Was? Warum sollte das jemand machen? Das glaube ich jetzt nicht! Zeig her!«

Falih hatte nicht gelogen. Auf seinem Bild konnte man deutlich eine Kaffeetasse sehen, in die ein Pimmel hineingetunkt wurde. Es war schon sehr absurd.

»Naja, auch nicht gerade witzig!«

Falih:
»Dann schnapp dir doch auch mal eins. Mal sehen, ob es witziger als unsere ist.«

»Ich sag dir was. Ich ziehe jetzt auch eins, dann lachen wir uns alle mal eine Runde kaputt und dann will ich nie wieder was von diesen Scheißbildern und diesem Pimmelkopf hören. Capice?«

Falih:
»Geht klar! Komm, mach schon!«

Mit genervter Miene griff Calogero nach dem nächstbesten Bild, welches in einem der Büsche hing, schaute darauf und riss auf einmal seine Augen ganz weit auf. Er sah richtig geschockt aus.

»Waaaaaas zum ...?«

Falih:
»Was ist los? Hat es dir etwa die Sprache verschlagen? Hahaha!«

»Das ist überhaupt nicht zum Lachen, du Vollidiot! Seht mal her!«

Calogero hatte vollkommen Recht. Das Bild war ganz und gar nicht zum Lachen. Es war sogar sehr unheimlich. Man sah nämlich Calogero, Falih und mich, wie wir eines der Polaroids begutachteten. Der Schnappschuss musste erst kurz zuvor gemacht worden sein. Noch bevor einer von uns ein Wort sagen konnte, schoss plötzlich ein Arm aus dem Gestrüpp und packte Calogero fest am Genick. Falih und ich schrien laut auf und sprangen zur Seite. Aus dem Busch hüpfte ein nackter Mann. Es war der Mann von den Polaroids! Mit seiner linken Hand spielte er sich zwischen den Beinen herum und mit der anderen hielt er unseren besten Kumpel fest. Wie versteinert standen wir da und konnten ihm nicht helfen. Das war aber zum Glück nicht nötig. Calogero konnte sich blitzartig losreißen und verpasste dem nackten Typen einen saftigen Kick in die Hoden. Man konnte richtig hören, wie seine Eier platzten. Das hatte gesessen! Der Typ ist nicht mehr aufgestanden. Während er so auf dem Boden lag und sich die Sackfetzen festhielt, weinte er wie ein kleines Baby. Falih und ich standen immer noch ein wenig unter Schock und bewegten uns keinen Millimeter vom Fleck.

»Was ist los mit euch? Schnell weg von hier!«

Als ob es um unser Leben ging, rannten wir zurück in unsere Nachbarschaft.

Falih:
»Was zum Teufel war das?«

»Na? Findest du den Typen jetzt immer noch witzig? Scheiße, Mann, ich hätte draufgehen können! Und ihr Penner schaut nur zu!«

Falih:
»Tut mir leid! Ich war so geschockt und wusste nicht, was ich tun sollte!«

Manuel:
»Entschuldigung, Calogero.«

»Scheiß drauf, ich habe ihm ja zum Glück den Arsch aufgerissen. Habt ihr das gesehen? Das war ein originaler American Pushkick. Nicht mal Van Damme hätte den besser hinbekommen! Seine Eier sind in tausend Fetzen geflogen. Ab heute könnt ihr mich Demolition Man nennen! Habt ihr schon vom neuen Karate Kid 4 gehört? Der wird so scheiße! Die hätten lieber mich für die Hauptrolle nehmen sollen und nicht dieses dumme Mädchen mit ihren billigen Kicks. Genau so macht man das! Bäm!«

Dabei stellte er den vernichtenden Kick noch einmal nach und zauberte uns mit diesem Schauspiel wieder ein Lächeln ins Gesicht. Wir waren uns dem Ernst der Lage nicht wirklich bewusst gewesen. Wer weiß, was passiert wäre, wenn mein bester Kumpel den Perversen nicht außer Gefecht getreten hätte.

»Diese verdammten Eier werden niemanden mehr überraschen, hahaha!«

KAPITEL

18

JULI 94

DM 3,50

SCHEUßLICH BESTE FREUNDE

IN

EIN UNGLAUBLICHES SPIEL

WM 94

DA GIORGIO

EIN NERVENZERFETZENDER UND MIT HOCHSPANNUNG GELADENER ELFMETER-KRIMI!!!

KAPITEL 18

Ein unglaubliches Spiel

(Juli 1994)

Im Gegensatz zu meinem besten Freund konnte ich mir sonntags in der Frühe die besten Cartoons auf Pro 7 oder RTL in die Haare schmieren. Meine Mutter schleppte meinen Bruder und mich in die Kirche. Mein Vater blieb immer derweil zu Hause und kochte das Mittagessen vor. Über unsere Kirchenbesuche machte sich mein Kumpel dann später, wenn wir uns trafen, immer lustig. Was das Thema Kirche anging, hatten er und seine Eltern eine ganz klare Meinung:

»Es gibt keinen Gott, das ist alles Unsinn!«

An einem Sonntagmittag im Juli 1994 musste er mir natürlich wieder einmal unter die Nase reiben, wie toll die letzte Folge von *Parker Lewis* gewesen war und wen die *Thundercats* diesmal alles zur Strecke gebracht hatten. An diesem Tag war er besonders gut gelaunt. Es war sein Geburtstag. Zudem gab es noch eine weitere feine Besonderheit. Italien sollte an diesem Abend das WM-Endspiel gegen Brasilien bestreiten.

Calogeros Eltern hatten bis dato nie seinen Geburtstag gefeiert, doch an diesem außergewöhnlichen Tag machten sie eine Ausnahme. Schließlich hatte Italien bis dahin seit zwölf Jahren keinen WM-Titel geholt. Ein paar Straßen von unserer Nachbarschaft entfernt gab es eine kleine traditionelle Pizzeria namens Da Giorgio, in der Calogeros Mutter einen Tisch reservierte. Ich hatte die besondere Ehre, an dem freudigen Ereignis teilnehmen zu dürfen.

Die Pizzeria war sehr gemütlich und rustikal eingerichtet. Hinter dem großen Tresen am Eingang konnte man den riesigen Steinofen sehen. In der Luft lag ein ganz köstlicher Duft. Auf der rechten Seite des Tresens stand ein riesiger Fernsehapparat. Es lief die Vorberichterstattung des WM-Finales. Das Lokal war an diesem Tag gut besucht und zum Glück hatte Calogeros Mutter einen Tisch reserviert, von dem aus wir beste Sicht auf den Fernseher hatten. Mein Kumpel war allerbester Laune, wie selten zuvor. Im Gegensatz zu seiner Mutter. Sie zog wie immer eine grimmige Miene. Vielleicht lag es auch daran, dass Calogeros Vater lieber mit seinen Kumpels in einer anderen Kneipe das Spiel anschaute. Wie man

Calogero aber ansehen konnte, war es ihm völlig egal, wo sein Vater war. Nachdem wir die Bestellung aufgegeben hatten, fing er wieder an, mich ein wenig zu ärgern.

»Die letzte Folge von den Animaniacs war doch echt spitzenmäßig, oder? Die allerbeste Folge bis jetzt. Hey, halt mal, du warst ja in der Kirche, hahaha! War auch bestimmt spitze dort! Habt ihr gesungen und getanzt? Hahaha!«

Ich versuchte, mich zu verteidigen, doch Calogero ließ mich nicht zu Wort kommen.

»Das ist völlige Zeitverschwendung! Das musst du deinen Eltern unbedingt sagen, Manuel. Alles, was die da einem erzählen, ist gelogen! Die verarschen schon seit Jahrhunderten die ganze Menschheit, glaub mir!«

Manuel:
»Nein, das stimmt nicht! Woher willst du das wissen?«

»Weil meine Mutter es gesagt hat und sie hat fast immer Recht!«

Ich konnte seine Antwort nicht akzeptieren und fing an zu diskutieren, sodass ein kleiner Streit ausbrach. Calogeros Mutter fragte meinen Kumpel schließlich auf Sizilianisch, was unser Problem sei. Er erklärte ihr die Ursache unserer Auseinandersetzung. Seitdem ich Calogeros Mutter kannte, hatte ich sie nicht ein einziges Mal lächeln gesehen. Bis zu diesem Moment. Es war unfassbar! Sie lachte mich aus, besser gesagt, sie beide lachten mich aus. Calogeros Mutter zeigte dabei sogar mit dem Zeigefinger auf mich.

Calogeros Mutter:
»Die Kirsche isse scheise! Due nixe glaube, wasse die sage! Merda!«

Langsam fühlte ich mich ein wenig unwohl und schwieg. Mein bester Freund bemerkte das und wechselte schnell das Thema.

»Was denkst du, wer heute gewinnen wird? Italien oder Brasilien?«

Manuel:
»Ääh ... Italien?«

»Ja! Genau so sieht es aus. Daran kannst du glauben! Dass wir heute Abend wieder Weltmeister werden! Ich habe es leider damals nicht richtig miterlebt, aber heute ist es soweit, ich kann es fühlen! Heute werden wir uns den vierten Stern holen. Ihr werdet schon sehen!«

Der Kellner kam an den Tisch und servierte uns drei köstliche Pizzen. Die Stimmung wurde wieder besser. Nach dem Essen überreichte Calogeros Mutter ihm sein Geschenk. Es war ein hölzerner Lamy-Füller mit rotem Deckel. Begeisterung und Freude sahen anders aus. Genervt umarmte er seine Mutter und bedankte sich. Er hatte gerade andere Dinge im Kopf. In wenigen Minuten sollte das Spiel endlich beginnen. Als die italienische Nationalhymne gespielt wurde, sprangen alle Leute inklusive Calogero und seiner Mutter auf, legten eine Hand auf die Brust und sangen kräftig mit. Ich war der Einzige, der ruhig sitzen blieb. Dafür erntete ich von einigen der restlichen Gäste verachtende Blicke. Doch spätestens als der Schiri das Spiel anpfiff, waren alle Blicke von mir abgewandt.

Es war ein eher langweiliges und von Taktik geprägtes Spiel. Keiner der beiden Keeper wurde richtig geprüft, da keines der beiden Teams einen Fehler machen wollte und sie sich zurückhielten. Zum Halbzeitpfiff stand es immer noch 0:0.

»In der zweiten Halbzeit werden wir sie auseinandernehmen! Verdammt, ich könnte jetzt ein Eis vertragen, magst du auch eins?«

Der Spielstand war mir relativ egal, das Eis hingegen nicht. Kurz bevor dann die zweite Hälfte begann, verputzte jeder von uns einen großen und sehr leckeren Eisbecher. Ich konnte beobachten, wie Calogero nach dem Anpfiff immer nervöser wurde. Er hechelte wie ein Köter, der bei 40 Grad Hitze für mehrere Stunden im Auto eingesperrt war. Mit aufmunternden Worten, wie ich sie an dem Tag in der Kirche gehört hatte, versuchte ich ihn zu beruhigen.

Manuel:
»Wenn du ganz fest daran glaubst, Calogero, dann wird es schon gut gehen. Der Glaube versetzt Berge.«

»BULLSHIT! Wenn sie es schaffen, dann nur, weil sie die Besten sind! Schau mal, siehst du den da hinten mit dem Zopf? Das ist mein absoluter Lieblingsspieler. Roberto Baggio! Schau ihn dir gut an, er ist der beste Fußballer der Welt. Er wird auf jeden Fall noch ein Tor schießen, ich weiß es!«

Die Partie war weiterhin ziemlich ausgeglichen, aber ohne besondere Highlights. Auch keine von Roberto Baggio. Auf einmal, 15 Minuten vor Schluss, wurde es für Italien brenzlich. Mauro Silva ballerte ein dickes Pfund auf den Kasten Italiens. Im gesamten Restaurant wurde es totenstill. Pagliuca, der Keeper Italiens, erwischte zwar den Ball, doch dieser prallte dabei so ab, dass er fast ins Tor ging. Der Pfosten verhinderte Schlimmeres. Glück gehabt! Calogero kollabierte fast neben mir. Nach dem Schlusspfiff der zweiten Halbzeit schaute er mich schockiert an. Es war bei einem 0:0 geblieben. Es kam zur Verlängerung.

Manuel:
»Glaubst du, Roberto schießt noch ein Tor?«

Ruckartig drehte er seinen Kopf zu mir, streckte seine beiden Fäuste in die Luft und brüllte mich wie ein wilder Gorilla an:

»Ich glaube an gar nichts! Ich weiß es!«

Die Verlängerung der Partie war ähnlich langweilig. Bis auf einen gehaltenen Distanzschuss von Calogeros heiß geliebtem Roberto Baggio passierte so gut wie gar nichts. Es kam, wie es kommen musste, zum Elfmeterschießen. Alle Gäste im Restaurant versammelten sich ganz nah vor dem Fernseher. Jedem Einzelnen war die Anspannung deutlich anzusehen.

Als allererstes schoss Franco Baresi auf das Tor von Taffarel. Drüber! Calogero schrie verängstigt. Dann setzte Brasiliens Márcio Santos einen strammen Schuss Richtung Eck des italienischen Torhüters. Pagliuca fischte den Ball mit einer Glanzparade aus der Luft. Für meinen besten Kumpel gab es wieder Hoffnung. Erst recht, als Albertini kurz danach die Italiener mit einem perfekt platzierten Schuss erstmals in Führung brachte.

»JAAAAAA! FORRRZZZZZZAAAA IIIIIITAAAALLLLLIIIIIAAAA! Wir werden euch in Stücke reißen!«

Die Führung hielt sich nicht lange. Romário glich kurzerhand danach zum 1:1 aus. Mein Kumpel war kurz davor zu weinen. Evani brachte Italien mit einem sicheren Schuss ins Eck wieder auf Kurs. 2:1. Die Menschen im Restaurant jubelten und umarmten sich. Die Freude blieb nicht lange. Branco glich knallhart zum 2:2 aus. Im Anschluss entschied sich Daniele Massaro unglücklicherweise für das untere rechte Eck. Taffarel verhinderte gekonnt Italiens Führungstreffer. Wo gerade noch Jubel stattgefunden hatte, herrschte nun wieder Totenstille. Dann das 3:2 für Brasilien durch Dunga. Als nächstes sollte Roberto Baggio schießen. Oh, Roberto! Wenn er vorbeischießen sollte, würde Italien verlieren. Es lag nun alles auf den Schultern des, laut Calogero, besten Fußballers der Welt. Die meisten der Leute um uns herum schienen alles andere als optimistisch zu sein. Ihre Gesichtsausdrücke und Heulattacken sprachen für sich. Mein bester Freund hingegen schien sehr überzeugt.

»Keine Sorge, Leute. Wir werden Weltmeister! Roberto wird das schon schaffen! Er hat noch nie einen Elfmeter verschossen!«

Manuel:
»Glaubst du wirklich, er schafft das?«

Calogeros Mutter hatte wieder ihr griesgrämiges Gesicht aufgesetzt.

»Glaubst du? Glaubst du? Du gehst mir auf die Nerven mit deinem Glauben! Ich habe dir doch schon hundert Mal gesagt, ich brauche an NICHTS zu glauben! Ich brauche jetzt nur ein Tor von Roberto Baggio und sonst nix! Hör zu, wenn Roberto den verkackt, dann gehe ich mit dir in die Kirche. Aber er packt das und basta!«

Manuel:
»Wirklich? Du gehst mit mir in die Kirche? Schwöre es mir!«

»Okay, ich schwöre es, aber es wird eh nicht passieren!«

Manuel:
»Schwöre es bei Gott!«

»Oh, Mann! Okay, ich schwöre es bei einem Gott, den es nicht gibt! Zufrieden?«

Dann war es endlich soweit. Baggio lief mit dem Ball zum Elfmeterpunkt. Behutsam legte er sich den Ball auf den Rasen. Italiener auf der ganzen Welt hielten für einen kurzen Moment den Atem an. Baggio nahm ordentlich Anlauf und rannte entschlossen zum Ball. Tja, der Rest ist Geschichte. Roberto Baggio schaffte es von der einen auf die andere Sekunde, vom Hero zum Hurensohn zu werden. Für

Calogero brach eine ganze Welt zusammen. Ausgerechnet sein Held machte ihm seinen ersten und einzig richtigen Geburtstag zunichte. Der WM-Titel war außerdem auch futsch.

Trotz des Schwurs betrat Calogero nie eine Kirche mit mir.

»Wenn es Gott geben würde, dann hätte Baggio getroffen!«

KAPITEL

19

AUGUST 94

DM 3,50

SCHEUẞLICH BESTE FREUNDE

IN

DIE SUPERKRAFT

SEINE MEGAKRACHER LASSEN SUPERMANS KRÄFTE WIE EINEN LAUWARMEN FURZ AUSSEHEN !

KAPITEL 19

Die Superkraft

(August 1994)

Im August 1994 traf es Calogero richtig hart in die Magengrube. Seine Klassenlehrerin Frau Rattler, die ihn ganz besonders auf dem Kieker hatte, befand seine Leistungen für nicht ausreichend genug, um ihn in den Realschulzweig der Schule zu versetzen. So wurde er zunächst in den Hauptschulzweig gesteckt. Den Eltern meines Kumpels gefiel dies selbstverständlich nicht sonderlich gut und als ob er damit nicht schon genug gestraft war, nahmen sie ihm deswegen seinen Super Nintendo und den Game Boy samt allen Spielen weg. Wenn sich seine Leistungen innerhalb des laufenden Halbjahrs erheblich verbessern sollten, so hätte er noch die Chance, nachträglich in den Realschulzweig befördert zu werden. Sofern er das schaffen würde, so würden seine Eltern ihm wieder die Konsolen und Spiele zurückgeben. Ihm blieb also nichts anderes übrig, als sich den Arsch aufzureißen und eine gute Note nach der anderen abzuliefern.

Zwischendurch stattete er mir selbstverständlich regelmäßig einen Besuch ab. Als er erfuhr, dass mein Bruder und ich von unserem Opa einen kleinen Fernseher geschenkt bekommen hatten, besuchte er uns noch häufiger als sonst. Anstatt in der Bücherei zu lernen, was er seinen Eltern gegenüber vorgab, kam er an fast jedem Tag der Woche zu uns nach Hause und aß mit uns zu Mittag. Dann wurde fleißig in die Tasten des SNES-Joypads gehauen und eine Packung Storck Riesen nach der anderen vernichtet. Mein kleiner Bruder durfte meistens dabei nur zuschauen. Wir konnten es vor lauter Freude kaum glauben. Nie wieder mussten wir unsere Eltern anbetteln, wenn wir uns eine Zeichentrickserie anschauen wollten oder vorhatten, mit dem SNES zu spielen. Der Fernseher war zwar sehr klein, aber uns reichte er völlig aus. Wir waren richtig glücklich.

Ein paar Tage, nachdem wir den Fernseher bekommen hatten, besuchten mein Vater und ich Annas Videothek. Unbedingt wollte ich mir ein Spiel ausleihen und entschied mich letztlich für *The Death and Return of Superman*, ein sidescrolling Beat-'em-up-Spiel, das echt Laune machte. Kalvin und mir gefiel es auf Anhieb. Meinem besten Kumpel hingegen gefiel es ganz und gar nicht, und das, obwohl er sidescrolling Beat 'em ups liebte. Als er das Game dann mittags bei mir vor der Glotze testete, kackte er die ganze Zeit richtig ab. Das Spiel war anscheinend zu schwer für ihn. Anstatt sich anzustrengen, machte er das Spiel die ganze Zeit schlecht. Eines störte ihn an diesem Spiel ganz besonders. Die Hauptfigur.

Wir liebten Superhelden. Spiderman, Hulk, Ironman, die X-Men und ohnehin waren wir ganz große Batman-Fans. Der erste Batman-Hollywood-Film von Tim Burton sowie die 1993 in Deutschland erschienenen Zeichentrickfolgen *Batman Animated* wurden für uns zu einer eigenen Religion. Nur einen Superhelden mochte Calogero ganz und gar nicht. Superman. Er hasste ihn.

»Superman ist eine verdammte Schwuchtel!«

Im Alter von acht Jahren hatte ich zwar schon ein wenig Sexualkundeunterricht gehabt, wusste aber noch nicht, was denn eine „Schwuchtel" sein sollte.

Manuel:
»Was ist denn eine Schwuchtel, Calogero?«

»Das sind Männer, die komische bunte Klamotten tragen, andere Männer küssen und sich von denen den Pimmel in den Hintern stecken lassen.«

Manuel:
»Wirklich? Warum machen die sowas?«

»Keine Ahnung, weil es dreckige Homos sind!«

Manuel:
»Was sind Homos?«

»Das Gleiche wie Schwuchteln. Das ist nur ein anderer Name dafür. Man nennt sie auch Schwule oder Homosexuelle. Alle normalen Männer sind heterosexuell, das heißt, sie stehen auf Frauen. Die Homos aber stehen auf Kerle. Das klingt komisch, ist aber leider so!«

Was Homosexualität anging, hatte mein Kumpel damals eine altertümliche Einstellung gehabt, die er mehr oder weniger von seinem Vater und von seinem Onkel beigebracht bekommen hatte. Ich selbst war ja noch ein kleines Kind und hatte überhaupt keine Vorstellung von alledem. Mein kleiner Bruder, der neben uns saß und aufmerksam lauschte, verstand zum Glück nichts von dem, was wir redeten. Doch eines wollte mir nicht so richtig einleuchten, so hakte ich noch einmal nach:

»Warum ist dann Superman eine Schwuchtel? Er mag doch Lois Lane. Wie kann er dann ein Homo sein? Ich habe noch nie gesehen, dass er einen Mann geküsst hat.«

»Nur weil du es nicht gesehen hast, heißt es nicht, dass er es nicht getan hat! Schau dir doch nur allein sein Kostüm an. Schwuler geht es gar nicht! Und das mit Lois Lane ist nur eine Ablenkung für uns, damit wir weiter seine Serie schauen. Glaubst du wirklich, dass Jungs einen schwulen Superhelden zum Vorbild haben wollen? Schau dir nur mal Batman im Vergleich dazu an. Das ist ein richtiger Mann! Der braucht keine billigen Superkräfte und trägt auch nicht so ein komisches rot-blaues Pyjamakostüm. Was denkst du, für was das S auf Supermans Brust wirklich steht? Nicht für super, sondern für Schwuchtel! Und das Spiel hier ist wie Superman selbst, richtig scheiße, basta! Bring es wieder zurück. Batman Returns ist tausendmal besser! Und von dieser neuen Serie, die Abenteuer von Lois und Clark, brauch ich gar nicht erst anfangen zu erzählen. Die ist richtig langweilig!«

Es klang schon völlig absurd und so richtig überzeugen konnte er mich damit nicht. Was Supermans Kostüm anbelangte, hatte er absolut Recht. Mir gefiel es auch nie so wirklich. Ebenfalls bei seinen Aussagen über *Batman Returns* stimmte ich ihm zu. Es war in der Tat um Längen besser als dieses Superman-Spiel. Von der Pro-7-Serie *Die Abenteuer von Lois & Clark* verpasste Calogero, trotz seiner miserablen Bewertung, keine einzige Folge.

»Außerdem sind seine Superkräfte voll schlecht. Da ist meine Superkraft ja viel besser als seine!«

Manuel:
»Du hast doch gar keine!«

»Und ob ich eine habe!«

Manuel:
»Jaja ... und was ist das bitte für eine Superkraft?«

»Jaja heißt leck mich am Arsch. Du glaubst mir nicht, oder?«

Manuel:
»Nein!«

»Dann verrate ich es dir auch nicht!«

Er verschränkte die Arme und schaute beleidigt zur Seite. Erst nachdem ich ihn minutenlang angebettelt hatte, gab er nach und begann, uns von seiner angeblichen Superkraft zu erzählen:

»Na gut, aber ihr beide müsst mir versprechen, dass ihr keiner Menschenseele etwas davon erzählt, nicht mal euren Eltern! Sonst werde ich von den Akte-X-Agenten gejagt.«

Manuel:
»Ja, wir versprechen es, nicht wahr Kalvin?«

Kalvin:
»Jaaaa!«

»Also, meine Superkraft sieht so aus. Ich kann, wann immer ich will, furzen.«

Ich lachte laut auf. Er war bekannt dafür, sehr oft die krassesten Fürze rauszuhauen, das war mir nicht neu. Der Sound, der dabei entstand, war unbeschreiblich laut. Auch die Dauer dieses Klangs war irgendwie auf eine perverse Art und Weise bemerkenswert. Wenn er einen Kräftigen abließ, während wir auf der Couch saßen, konnte man ein deutliches Beben auf der Sitzfläche spüren. Der Geruch suchte auch seinesgleichen. Ich meine, meine Fürze rochen auch nicht gerade nach Rosenblüten, aber diese Duftmarke war schon ein ganz besonderes Eau de Toilette! Es roch nach einer Mischung aus verwestem Tier, verrottetem Ei und Abwasserschimmel.

Manuel:
»Hahaha, was soll das denn für eine Superkraft sein? Ich kann auch furzen. Sogar Kalvin kann das!«

»Ja, das stimmt, aber ihr könnt nicht auf Kommando furzen! Und außerdem sind meine Fürze keine gewöhnlichen Fürze. Sie haben besondere Kräfte! Eure Fürze stinken einfach nur.«

Manuel:
»Was denn für Kräfte?«

»Also, ich kann zum Beispiel Fürze rausdrücken, die einen bewusstlos machen. Dann kann ich auch Fürze rauspressen, die einen ganz stark machen, soll ich es dir beweisen? Komm, ich furze dich mal an, dann wirst du richtig stark und kannst jeden auf deiner Schule verkloppen.«

Das Angebot, ganz, ganz stark zu werden, klang wirklich verlockend, doch ich wollte mich bestimmt nicht von ihm anfurzen lassen. Sicherlich wollte er mich wieder einmal auf den Arm nehmen, wie er es so oft schon getan hatte. Ich kannte seine Tricks und Fürze nur zu gut. Sie stanken beide wie die Pest. Trotz des Unglaubens war ich irgendwie neugierig.

Manuel:
»Nein, ich will nicht! Probier es doch bei Kalvin aus.«

Calogero packte sich meinen Bruder und fragte ihn mit ganz ernster Miene:

»Hey, Kalvin, willst du ganz, ganz stark sein? Dann hast du die Kraft von tausend Bären und kannst deinen Bruder und mich verkloppen.«

Natürlich wollte mein vierjähriger Bruder die Kraft von tausend Bären haben, dann müsste er sich nichts mehr von uns sagen lassen. Er willigte ein. Sogleich bekam Kalvin vom Furzmeister genauere Instruktionen.

»Also, Kalvin, du setzt dich jetzt hierhin und machst deine Augen zu. Ich furze dir dann ins Gesicht. Habe keine Angst, das tut nicht weh. Wenn der Furz dann kommt, musst du ganz tief einatmen. Ich verspreche dir, es wird auch nicht stinken. Das war‘s, und dann bist du ganz, ganz stark. Wie der Hulk!«

Wie Calogero erklärt hatte, setzte sich mein Bruder auf seinen kleinen blauen Plastikstuhl und schloss fest seine Augen. Mein Kumpel atmete mehrmals ganz tief ein und aus. Dann rieb er mit beiden Händen seinen Bauch im Uhrzeigersinn.

»So, Kalvin, jetzt darfst du dich nicht bewegen. Und denk daran, wenn der Furz kommt, musst du ganz tief einatmen!«

Calogero stellte sich vor meinen Bruder, drehte sich herum, und hielt ihm seinen Hintern vors Gesicht. Dabei presste er krampfhaft seine Augen zusammen.

»Aufgepasst ... gleich kommt er!«

Frrrrraaaaaapppp

Calogero furzte wild drauflos. Mein Bruder versuchte, den Furz wie angewiesen einzuatmen, doch es gelang ihm nicht. Er musste dabei kräftig husten und ihm wurde extrem schwindelig. Fast fiel er dabei zu Boden. Ich machte mir vor Lachen beinahe in die Hose.

Manuel:
»Hahaha, das hat ja super geklappt!«

»Das liegt daran, dass er nicht genau das gemacht hat, was ich gesagt habe. Er muss den Furz richtig einatmen, sonst klappt es nicht! Wollen wir es noch mal probieren, Kalvin?«

Kalvin:
»Nein, ich will nicht! Mir ist schlecht!«

»Da hast du selber Schuld! Wenn du auf mich gehört hättest, könntest du jetzt deinen Bruder in den Schwitzkasten nehmen. Wollen wir es wirklich nicht noch einmal versuchen? Willst du nicht wie der Hulk sein?«

Kalvin:
»Na gut.«

Ich konnte nicht mehr aufhören zu lachen. Mein Bruder wollte sich tatsächlich noch einmal anfurzen lassen. Wie beim ersten Versuch saß er still auf seinem Stuhl und schloss ganz fest seine Äuglein. Wieder streckte Calogero seine Arschbacken vor Kalvins Gesicht und rieb sich dabei die Wampe.

»Achtung, gleich kommt er ... jeeeeetzzzzttt!«

Frrrrraaaaaaaaappp

Und wieder schaffte es mein Bruder nicht, den angeblich Kräfte weckenden Furz einzuatmen. Diesmal hätte er sich sogar fast übergeben. Sein Gesicht war ganz bleich.

Manuel:
»Haha, siehst du? Deine Fürze haben keine Kräfte!«

»Ja, das liegt daran, dass dein Bruder einfach zu doof ist, das zu machen, was ich ihm sage!«

Manuel:
»Das stimmt doch gar nicht. Deine Fürze können gar nichts! Die stinken nur und sind laut. Wie schaffst du es eigentlich, auf Kommando zu furzen?«

»Pech, dann glaube es halt nicht! Hmm ... also, du musst deine Arschbacken ganz fest zusammenpressen. Dadurch drückst du Luft in dein Arschloch. Das musst du dann mehrmals machen, bis du merkst, dass du gleich furzen musst. Dann reibst du deinen Bauch und presst die Luft wieder raus. Am Anfang ist es echt schwierig. Es dauert sehr lange, bis du die Technik richtig drauf hast. Ich habe mehrere Jahre hart dafür trainieren müssen. Auch Batman konnte am Anfang nicht sofort kämpfen und sich von Gebäude zu Gebäude schwingen. Er musste es sich auch hart antrainieren. Schau gut zu, ich zeige es dir noch einmal.«

Er holte tief Luft, rieb sich den Bauch und presste einen Kanonenschlag aus seinen Pobacken. Kalvin und ich brachen in Gelächter aus. Nach zwei weiteren Smok-Böllern bekam Calogero plötzlich heftige Bauchschmerzen.

»Toll, jetzt habe ich es übertrieben. Mir tut jetzt der Bauch weh. Ich muss ganz dringend auf die Toilette. Wenn ich in fünf Minuten nicht wieder zurück sein sollte, dann wartet einfach ein bisschen länger.«

Im Anschluss rannte er geschwind in unser Badezimmer und verschloss die Tür.

Währenddessen unterhielt sich meine Mutter mit unserer neuen Nachbarin, Moni Klingsch, in der Küche. Moni Klingsch war einige Wochen zuvor mit ihrer Tochter in die seit Jahren leer stehende Wohnung der Kokinellis gezogen. Moni und meine Mutter hatten sich kurzerhand miteinander angefreundet. Seitdem war sie oft zu uns zu Besuch gekommen.

Als meine Mutter sah, dass Calogero auf unsere Toilette hechtete, kam sie sofort zu Kalvin und mir ins Zimmer.

Manuels Mutter:
»Sag mal, wir mögen ja deinen Freund, aber muss er jedes Mal bei uns stundenlang auf Toilette gehen? Hat er denn bei sich zu Hause keine Eigene?«

Manuel:
»Doch, aber wie soll er denn so schnell nach Hause rennen? Er macht sich dabei doch in die Hose!«

Manuels Mutter:
»Das stimmt, aber er könnte wenigstens mal richtig die Schüssel sauber machen. Jedes Mal, wenn er bei uns auf dem Klo war, ist die Schüssel dreckig und es stinkt ganz fürchterlich!«

Nach Calogeros Seminaren auf unserem Klo war es absolut notwendig, das Badezimmerfenster eine ganze Stunde lang offen stehen zu lassen, ehe man sich dort wieder hineinbegeben konnte. Der ganze Raum war dann immer von so einer leicht grünlichen Wolke vernebelt gewesen.

Manuels Mutter:
»Warum kippt er danach nie das Fenster? Kannst du ihm das bitte mal erklären? Sonst mach ich das! Sag ihm bitte auch, dass er sich beeilen soll. Das letzte Mal hat er fast eine ganze Stunde lang das Bad besetzt. Dein Vater hätte sich fast in die Hose gemacht!«

Manuel:
»Ja, ja! Ich sage es ihm, wenn er zurückkommt.«

Einige Minuten später kam er dann endlich wieder in unser Zimmer. Gerade dann, als ich ihm erklären wollte, wie er in Zukunft unsere Toilette benutzen sollte, hörten wir von draußen einen lauten Knall. Kurz darauf schrie meine Mutter laut um Hilfe. Neugierig rannten wir raus auf den Flur, um nachzusehen, was passiert war. Der Knall kam aus dem Badezimmer. Auf dem Fußboden neben der Toilettenschüssel lag Moni bewusstlos auf dem Boden. Im Bad stank es fürchterlich. Kein Zweifel, es war Calogeros markante Duftnote. Er hatte nach dem Kacken, wie üblich, das Fenster wieder nicht gekippt. Meine Mutter war völlig in Panik und wusste nicht, was sie tun sollte. Da mein Vater noch unterwegs war, konnte er ihr nicht helfen. Außer uns Kindern war niemand in der Nähe. Sie rannte in den Flur, griff mit zitternden Händen zum Telefonhörer und rief den Notarzt an. In mir machte sich Angst breit. Während meine Mutter dem Notdienst die Lage schilderte, beugte sich mein Kumpel im Badezimmer über unsere Nachbarin und untersuchte sie vorsichtig. Kalvin und ich standen regungslos daneben.

»Sie atmet und das Herz schlägt auch noch. Ich kann sie retten!«

Manuel:
»W…w…wie denn?«

»Mit meiner Superkraft! Tritt zurück!«

Er atmete ganz tief ein und beugte sich mit seinem Hintern über den Kopf unserer neuen Nachbarin. Dann rieb er energisch seinen Bauch und ließ einen besonders starken Flatus in Monis Nasenlöcher donnern. Sofort kam sie zu sich und begann heftig zu husten. Kalvin jubelte vor Freude. Ich konnte es nicht glauben. Selbst der Furzmaster persönlich schaute ein wenig erstaunt, als die Klingsch zu den Lebenden zurückkehrte. Seine Fürze konnten tatsächlich Kräfte wecken, oder zumindest bewusstlose Personen. Schnell sprang ich auf, um meine Mutter zu holen, da packte mein Kumpel mich am Arm.

»Erzähl deiner Mutter nichts von meiner Kraft, du hast es versprochen! Denk an die Akte-X-Agenten! Sag ihr, dass eure Nachbarin einfach von alleine wieder aufgewacht ist. Kalvin darf auch nichts verraten.«

Ich rief meine Mutter zu uns und erzählte ihr haargenau die Version meines besten Freundes. Kalvin hielt dicht. Als sie die vor sich hin hustende und noch etwas benebelte Moni erblickte, sah man ihr die Erleichterung deutlich an. Wir halfen der neuen Nachbarin auf und legten sie im Wohnzimmer auf die Couch. Sie hatte völlig vergessen, wo sie war. Auch an das, was im Badezimmer passiert war, konnte sie sich nicht mehr erinnern. Das war auch völlig egal, Hauptsache, ihr ging es gut.

Kalvin, Calogero und ich gingen danach zurück ins Kinderzimmer. Mit einem breiten Grinsen strahlte mein Kumpel mich selbstgefällig an.

»Na, was sagt ihr jetzt? Habe ich eine Superkraft oder habe ich eine Superkraft?«

Manuel:
»Okay, du hast Recht. Ohne deine Hilfe wäre sie bestimmt gestorben!«

Kalvin:
»Boa, Calogero, du bist der beste Superheld!«

»Ganz genau! Und jetzt sagt mir, hätte es Superman geschafft, sie mit seinem doofen Eisatem oder Röntgenblick zu retten?«

Kalvin:
»Nein! Niemals!«

»Na also! Und, wie schaut's jetzt aus? Seid ihr euch immer noch sicher, dass ihr keine Bärenkräfte haben wollt?«

KAPITEL

20

NOVEMBER 94

DM 3,50

SCHEUẞLICH BESTE FREUNDE IN

RADIO KMC

EIN UNSCHLAGBARES TRIO

Mit Badesalz!

DER HEISSESTE SCHEISS DER STADT

KAPITEL 20

Radio KMC

(November 1994)

Ein paar Monate nach Calogeros Abschiebung in den Hauptschulzweig hatten sich seine Leistungen zwar ein wenig verbessert, doch in den Augen seiner Lehrer waren sie immer noch zu gering, um den Sprung in die Realschule zu schaffen. Ihm blieben nur noch wenige Monate Zeit, diese Idioten vom Gegenteil zu überzeugen. Es wurde ernst. Zu dem Ganzen bekam er neue Klassenkameraden, da es so gut wie alle aus seiner alten Klasse in den Realschulzweig schafften. Das passierte ausgerechnet dann, als er sich endlich nach zwei harten Jahren einen positiven Ruf erarbeitet hatte und sehr beliebt war. Seine alten Mitschüler waren sehr traurig und vermissten seine unangebrachten Kommentare während des Unterrichts. Immerhin traf er sie ab und an in den großen Pausen und tauschte sich mit ihnen aus.

Calogero begriff allmählich, dass er viel mehr lernen musste, um dieser kleinen Hölle zu entkommen und so trafen wir uns, im Gegensatz zu sonst, nicht mehr so häufig. Schließlich standen seine ganzen Videogames auf dem Spiel. Sie wurden immer noch alle von seinen Eltern unter Verschluss gehalten. Da er wegen des Lernens auch nicht mehr so oft bei uns zocken konnte, war er völlig auf Entzug. Doch dieser Entzug spornte ihn überraschenderweise enorm an und brachte ihm nach kürzester Zeit pralle Früchte ein. Auf all seine geschriebenen Klassenarbeiten bekam er Bestnoten. Die Hauptschule wurde für ihn zum Kinderspiel.

Im November 1994 machte seine Klassenlehrerin auch erste Andeutungen, dass er auf dem richtigen Weg sei. Wenn er das restliche Halbjahr so weiterarbeiten würde, stünde seiner Aufnahme in den Realschulzweig nichts mehr im Wege. Seine Videospiele waren wieder zum Greifen nah.

Nach dieser positiven Entwicklung trafen wir uns auch endlich wieder regelmäßig. Gerade zum richtigen Zeitpunkt, denn am 17. November 1994 erschien der neue Disney-Film *Der König der Löwen*. Schon im Vorfeld wurde mächtig die Werbetrommel für den Film geschlagen, sodass mein Vater keine andere Wahl hatte, als mit Kalvin, Calogero und mir am Erscheinungstag ins Kino zu pilgern. Wie zu erwarten, haute uns der Film aus den Socken. Das Titellied von Elton John und die restliche Musik des Films brannten sich in unser Hirn. Gleich ein paar Tage nach dem Kinobesuch kaufte mir meine Oma Eliska eine Hörspielkassette mit der Musik des Films. Die Kassette lief bei uns daheim den ganzen Tag rauf und runter und wurde schnell zu einer meiner Lieblingskassetten. Mein Bruder und ich liebten generell Hörspielkassetten. Von Benjamin Blümchen bis hin zu den Turtles, den Ghostbusters und den drei Fragezeichen hatten wir eine beachtliche Sammlung. Die vielen lustigen und lebhaft vorgelesenen Geschichten halfen dabei, unsere damals schon sehr ausgeprägte Fantasie noch weiter zu vergrößern. Calogero konnte, im Gegensatz zu meinem Bruder und mir, nichts mehr mit Hörspielgeschichten für Kinder anfangen. Er wollte lieber seine Hip-Hop-Musik hören. Wenn er nachmittags zu Besuch kam, brachte er immer neue Mixtapes mit, die wir zum Leidwesen meiner Eltern auf meinem kleinen Ghettoblaster richtig laut aufdrehten. Statt Benjamin Blümchens „*Törööö*" dröhnte nun NWAs *Fuck the Police* aus unserem Kinderzimmer. Zum Glück verstanden meine Eltern so gut wie kein Wort Englisch.

Es muss dann Ende November 94 gewesen sein, als ich mit meinen Eltern wieder einmal ihre Freunde Klaus und Rosi Ritzel besuchte und dabei auf etwas ganz Besonderes stieß. Eigentlich hasste ich es, wenn meine Eltern meinen Bruder und mich zu ihren Freunden mitschleppten, doch bei Rosi und Klaus wurde uns nie langweilig. Meistens war ihr Sohn Patrick außer Haus und das bedeutete für mich, dass ich es mir während unseres Besuchs in seinem Zimmer gemütlich machen durfte.

Patricks Zimmer war für neugierige Kinder wie mich das reinste Paradies. In jeder Ecke gab es interessante Dinge zu bestaunen. Unter dem großen Röhrenfernseher in seinem Zimmer stand eine Atari-2600-Spielekonsole mit einer Box voller Spiele. Der Atari konnte es mitnichten mit Nintendo oder Sega aufnehmen, doch Spaß machten die Spiele allemal. *Donkey Kong* und *Pitfall* hatten es mir besonders angetan. Neben dem Atari besaß Patrick einen Commodore. Den jedoch durfte ich nicht anfassen. Das machte mir auch nichts weiter aus, da der Commodore 128 mich gar nicht interessierte. Über Patricks Bett hing neben mehreren Rottweiler- und Bikinimodel-Postern ein eindrucksvolles Luftdruckgewehr. Auch das durfte ich nicht mehr anfassen. Bei einem unserer früheren Besuche hatte ich damit meinem kleinen Bruder eine Metallkugel in den Allerwertesten geschossen. Der Schuss war so stark gewesen, dass sich die kleine Metallkugel durch seine Hose gebohrt hatte und leicht in seiner rechten Arschbacke hängengeblieben war. Kalvin hatte wie am Spieß das ganze Haus zusammengeschrien. Zur Belohnung hatten mich darauf die bis dahin saftigsten Ohrfeigen meines Lebens erwartet. Mit Kalvin war aber alles in Ordnung gewesen. Es war nur eine kleine Schramme zurückgeblieben.

An dem Tag unseres Besuchs im November 94 entdeckte ich neben Patricks Schreibtisch eine große Pappkiste, die bis zum oberen Rand hin mit Hörspielkassetten vollgepackt war. Laut Rosi hatte Patrick an ihnen kein Interesse mehr und da sie von meiner Mutter wusste, dass mein Bruder und ich total darauf abfuhren, schenkte sie uns die Kiste.

Bei uns zu Hause angekommen ging ich eine Kassette nach der anderen durch. In der Kiste befanden sich ungefähr 300 Stück. Dabei stach mir eine Kassette ganz besonders ins Auge. Auf ihr stand „*Badesalz*“ geschrieben. Sofort steckte ich das Teil in den Kassettenrekorder und lauschte gespannt, was nun kommen würde. Direkt zu Beginn brüllte eine männliche Stimme kraftvoll durch die Lautsprecher:

»Verdammt noch mal! Liegt die faule Sau immer noch im Bett! Mensch, beweg deinen müden Arsch und raus aus der Kiste!«

Dann wurde die Stimme ganz ruhig und sanft:

»Guten Morgen, es ist 5:30 Uhr, Sie wollten geweckt werden?«

Ganz verschlafen antwortete daraufhin eine andere, etwas hellere männliche Stimme aus einem Telefon:

»Danke schön, wie lange gibt's denn Frühstück?«

»Bis 10 Uhr, der Herr.«

»Danke.«

»Bitte!«

Es brachte mich zum Lachen und Nachdenken. Badesalz? Wer zum Geier waren diese beiden Kerle?

Bei dieser besonderen Art von Badesalz handelte es sich um das Comedyduo Henni Nachtsheim und Gerd Knebel. Bevor sie das Duo im Jahre 1984 gegründet hatten, waren beide jeweils als erfolgreiche Musiker unterwegs gewesen. Gerd war der Kopf der Band Flatsch, Henni zweiter Sänger der Rodgau Monotones. Es kursierten mehrere Gerüchte, wie die beiden sich denn genau kennengelernt und schließlich Badesalz gegründet hatten. Viele dieser Klatschgeschichten setzten sie dabei selbst in die Welt. So sollten sie sich kurz nach dem Krieg im russischen Staatsballett kennengelernt haben, in dem sie beide tanzten. Ein anderes Gerücht besagte, dass die beiden sich bei einer Brauereipferde-Auktion kennengelernt hatten, als beide den gleichen Gaul ersteigern wollten. Eine weitere, von ihnen in die Welt getragene Sage beschrieb, dass sie sich das erste Mal im Odenwald bei einer Sondereinheit begegnet seien, die den illegalen Anbau von Handkässtauden bekämpfte. Auf Dauer soll es den beiden dann zu aufregend gewesen sein, deshalb hatten sie das Comedyduo gegründet.

Die wohl aber wahrscheinlichste Geschichte über ihr Kennenlernen soll sich, laut der Badesalz-Fanpage *badesalzfans.de*, in etwa folgendermaßen abgespielt haben: Mitte der Achtziger hatten die beiden Bands Flatsch und Rodgau Monotones ein gemeinsames Konzert gegeben. Auf der Party nach dem Konzert war heftig gefeiert worden. Im Rahmen dieser Feierlichkeiten saßen die beiden Schergen zufällig nebeneinander, scherzten gemeinsam herum und merkten dabei relativ schnell, dass sie auf einer Wellenlänge lagen. Gerd hatte Henni dann gefragt, ob er denn nicht Lust hätte, mit ihm ein gemeinsames Projekt zu starten. Er erzählte ihm im Anschluss von seinem Hausmeister, der gewaltig nervte. Schnell strickten die beiden daraus eine lustige Geschichte. Dies war auch nicht spurlos an den anderen Gästen der Party vorübergegangen. Henni und Gerd bemerkten, wie sich immer mehr Leute zu ihnen setzten, ihnen amüsiert zuhörten und sich vor Lachen fast in die Hose pissten. Von da an trafen sie sich regelmäßig miteinander und schrieben die ersten Stücke in Gerds Proberaum.

Eines Tages machte Gerd den beiden einen Auftritt im Frankfurter Sinkkasten klar, einem ehemaligen Frankfurter Musiklokal. Dort stellten sie dann ihr erstes gemeinsames Bühnenprogramm *Das Super Dong Dong* vor. Zunächst wollten sie ihrem Duo den Namen „Affezerkus" geben, hatten jedoch dann die Befürchtung, dass der Name eine Steilvorlage für Kritiker werden könnte. Die alles entscheidende Idee kam dann erst kurz vor der Premiere des Bühnenprogramms. Da der Veranstalter einen Namen der beiden für Werbeplakate benötigte, rief er sie an. In diesem Moment hielten Henni und Gerd gerade Badesalztabletten in ihren Händen, welche zur Handlung ihres Bühnenstücks gehörten. Somit nannten die beiden sich zunächst *„Das Badesalztheater"*, änderten später jedoch den Namen in *„Badesalz"* um. Bereits nach dem dritten Auftrittstag war ihr Programm in aller Munde. Die Leute kloppten sich um die Plätze, so voll war es! Sieben Jahre lang spielten sie ihr Bühnenprogramm, ehe sie zahlreiche Alben mit Sketchen und Liedern aufnahmen, mehrere Bücher veröffentlichten und sogar einige Comedy-Shows fürs Fernsehen und einen Kinofilm produzierten. Dabei arbeiteten sie viele Jahre ohne Manager und schrieben all ihre Stücke von eigener Hand.

Der typische Badesalz'sche Humor zeichnete sich größtenteils durch seinen genialen schnörkellosen Dialogwitz aus, bei dem meist alltägliche Situationen ordentlich auf die Schippe genommen wurden.

Bei der gefundenen Kassette aus Rosis Kiste handelte es sich um das 1993 erschienene Badesalz-Album *Diwodaso*. Der vollständige Witz der Sketche und Lieder erschloss sich mir damals als gerade mal Achtjähriger noch nicht so ganz, doch die Vortragsweise und Kraftausdrücke zogen mich schnell in ihren Bann.

Meine neue Entdeckung konnte ich natürlich meinem Kumpel nicht vorenthalten. Und so kam es, wie es kommen musste, Calogero und ich wurden zu absoluten Badesalz-Junkies. Innerhalb kürzester Zeit kannten wir alle Sketche der Kassette auswendig. Inspiriert von ihrer Redensart ließen wir einige ihrer Sprüche in unseren Sprachgebrauch mit einfließen.

Irgendwann Anfang Dezember 94 gründeten Calogero, Kalvin und ich durch einen dummen Zufall unsere eigene Comedy-Gruppe, Radio KMC. In der Vergangenheit konnte ich meinen kleinen Bruder immer ganz gut fernhalten, wenn mein bester Freund zu Besuch kam, doch inzwischen war er vier Jahre alt und meine Eltern bestanden darauf, dass wir Kalvin mehr in unser Spiel mit einbezogen. So saßen wir, wie meist, in unserem Kinderzimmer und lauschten zu dritt Badesalz. Es lief der Sketch *Nichts hält mehr* vom 1992 erschienenen Album *Och Jo*. Calogero lachte sich so sehr einen ab, dass er sofort zurückspulen musste, um sich den Witz noch einmal von vorne anzuhören. Als er aber hastig die Play-Taste betätigte, bemerkte er nicht, dass er dabei auch gleichzeitig die Record-Taste mit herunterdrückte. Statt Badesalz war einfach gar nichts zu hören. Das Band lief jedoch weiter.

»Hey! Was soll der Scheiß? Wieso hört man nix? Ist das Teil jetzt kaputt, oder was?«

Er spulte erneut zurück und drückte die Play-Taste. Anstelle der Badesalz-Stimmen hörten wir nun Calogeros Stimme:

»Hey! Was soll der Scheiß? Wieso hört man nix? Ist das Teil jetzt kaputt, oder was?«

Völlig verwundert schauten wir uns gegenseitig an.

»Verdammt! Wie habe ich das gemacht?«

Nach wenigen Minuten Rumprobieren checkten wir dann, dass in meinem kleinen Ghettoblaster ein Mikrofon eingebaut war und jedes gesprochene Wort auf Band aufgezeichnet wurde, wenn man vorher die Play- und die Record-Taste gleichzeitig herunterdrückte. Zudem musste eine bespielbare Kassette im Deck sein. Es funktionierte auch mit originalen Kassetten, allerdings musste man zwei bestimmte Löcher auf der Kassette mit Klebeband abkleben, doch das fanden wir erst zu einem späteren Zeitpunkt heraus. Aus der großen Kiste, die wir von Rosi geschenkt bekommen hatten, suchten wir uns eine bespielbare Kassette raus und legten gleich los. Jeder von uns quasselte irgendeinen Mist in das Mikro. Es war grauenhaft und überhaupt nicht lustig. Auf einmal hatte Calogero eine grandiose Idee:

»Lasst uns eine eigene Radiosendung aufnehmen! Die ganzen Radiosender von heute sind doch eh der letzte Dreck. Von guter Musik haben die auch keine Ahnung. Wir nennen unsere Show Radio KMC. K für Kalvin, M für Manuel und C für Calogero. Wir erzählen Witze, verarschen Filme, ich teste Videospiele und ihr beide könnt über die Chipmunks reden, wenn ihr wollt. Zwischendurch spielen wir die geilsten Lieder. Na, was sagt ihr? Eine eigene Show, nur für uns!«

Das klang fantastisch! Von nun an hatten wir ein neues Hobby, mit dem wir uns sehr intensiv beschäftigten und an dem wir richtig viel Freude hatten. Vor allem Calogero. Er blühte förmlich auf. Auf der gesamten Laufzeit der Kassette von 60 Minuten war er allein mindestens 55 Minuten lang zu hören. Das war aber okay, schließlich hatte er die besten Witze parat. Auch an eine passende Hülle wurde gedacht. Er bastelte für unsere erste Kassette ein richtig cooles Cover zusammen. Aus verschiedenen Zeitschriften schnitt er ratzfatz mehrere Buchstaben aus und klebte sie zu *Radio KMC Vol. 1* zurecht. Daneben pappte er ein Bild von Simba.

Die Kassette begann mit dem Titellied aus *König der Löwen*. Wir spielten meine Disney-Kassette von der großen Stereoanlage im Wohnzimmer ab und nahmen die Musik mit dem kleinen Kassettenrekorder auf. Dann begann die große Show. Das meiste dabei war improvisiert. Wir imitierten Stimmen, laberten sinnlosen Müll und parodierten alle möglichen Shows und Zeichentrickserien, die wir kannten. Der Einfluss Badesalz' war dabei ganz klar herauszuhören. Mein Bruder durfte nur vorgekaute Sätze wiederholen. Dabei machte er seine Arbeit erstaunlich gut, wobei viele meiner und auch Calogeros Aufnahmen vor lauter Lachern oft wiederholt werden mussten. Ab und an drückte Calogero einen fetten Megafurz ins Mikrofon. Seine plötzlichen Furz-Attacken wurden zu einer Art Running Gag. Generell zu diesem Thema ließ sich mein Kumpel viele nette Geschichten einfallen.

»Guten Tag, meine lieben Damen und Herren! Hier ist wieder euer Showmaster Calogero von Radio KMC. Neben mir ist mein Assistent Manuel. Wir präsentieren euch die Nachrichten.«

Manuel:
»Tadaaaaaa!«

»Top News! Heute Morgen musste Calogero auf dem Weg zur Schule dringend kacken, weil er vorher mal wieder einige Bifi Ranger gefressen hatte. Weit und breit war keine Toilette oder ein Busch zu sehen. Als niemand in der Nähe war, presste er dann eine Tonne Scheiße auf den Parkplatz eines Einkaufszentrums aus. Das Gebiet musste sofort geräumt werden. Seien Sie vorsichtig, wenn sie dort in der Nähe wohnen! Verlassen Sie auf keinen Fall die Wohnung und lassen Sie alle Fenster geschlossen! Die Atomscheiße ist lebensgefährlich!«

Manuel:
»Top News, heute hat Calogero einem Hasen in die Ohren gefurzt. Passen Sie auf, dass er das nicht mit ihnen macht!«

»Top News, nachdem der Hase einen Herzinfarkt bekam, hat Calogero ihn mit einem Wiederbelebungsfurz in die Nase zurück ins Leben geholt. Heute Abend wird Calogero vom Präsidenten das goldene Ehrenabzeichen für diese heldenhafte Tat überreicht.«

Zwischen unserem sinnlosen Gequassel nahm mein Kumpel einige seiner Lieblingslieder von der anderen Anlage aus auf. Sogar das Titellied von *Prinz von Bel Air* kam mit auf die Kassette. Natürlich musste er auch Videospieltipps geben und das nicht zu knapp. Bis ins kleinste Detail erklärte er, wie man am besten *Wario Land* auf dem Game Boy komplett durchspielte. Unser „Programm“, wenn man dies so nennen konnte, richtete sich an ein imaginäres Publikum. Klar wussten wir, dass außer uns das aufgenommene Gelaber niemand zu hören bekommen würde, doch das interessierte uns auch nicht. Wir waren unsere eigenen Zuhörer und Fans. Immer wieder hörten wir uns die Kassette an und lachten uns krank.

Durch Calogeros Ungeschick jedoch blieben wir nicht lange die einzigen Zuhörer unseres Werks.

Ümit, Calogeros ehemaliger Klassenkamerad, mit dem er regelmäßig die neuesten Hip-Hop-Mixtapes tauschte, traf sich ein paar Tage nach der Aufnahme unserer ersten Kassette mit Calogero auf dem Schulhof und beide tauschten, wie so oft, Kassetten miteinander aus. Was mein Kumpel jedoch völlig vergessen hatte, war, dass er unser aufgenommenes Band nicht in die richtige Hülle, sondern vorübergehend in eine der Hip-Hop-Tapes gesteckt hatte. Ein paar Tage nach dem Tausch fiel es ihm aber dann wieder ein, als er von Ümit in der großen Pause darauf angesprochen wurde:

Ümit:
»Yo, Calogero, endlich erwisch ich dich! Deine Radiokassette ist allererste Sahne! Hast du noch mehr von denen?«

»Was für ne Radiokassette?«

Ümit:
»Ja, diese Radio-KMC-Kassette. Die, auf der zwei Pimpfe und du voll die verrückten Sachen erzählen. Dario und ich haben uns gestern richtig mies kaputt gelacht! Ey, sag schon, hast du noch mehr davon?«

Am liebsten wäre Calogero vor lauter Scham im Erdboden versunken. Sein Gesicht färbte sich in Sekundenschnelle völlig rot. Er dachte, dass Ümit ihn verarschen wollte.

»Also ... Dario hat die Kassette auch gehört?«

Ümit:
»Yo, der auch. Aber nicht nur der.«

»Ääh ... wer denn noch?«

Ümit:
»Yo, ich bin nachmittags nach der Schule mit deiner Kassette ins Jugendzentrum gegangen und habe mich dort mit den anderen getroffen. Ich weiß ja, dass du mir immer richtig geile Mixtapes mitbringst, da wollte ich den älteren Jungs mal deinen neuesten Mix vorspielen.

Die haben im JUZ so eine riesige Stereoanlage. Ich mach die Kassette rein, dreh voll auf und denke, jetzt kommt gleich voll der geile Beat und dann kommt auf einmal das Lied von König der Löwen. Wir alle glotzen uns komisch an und denken, was ist das jetzt für 'n Scheiß, aber dann hören wir auf einmal deine Stimme.«

Der Magen meines besten Freundes begann mal wieder zu rebellieren. Er war kurz davor, sich einzuscheißen. Die Angst, sich vor lauter Scham nicht mehr in der Schule blicken lassen zu können, wurde immer größer.

Ümit:
»Alter, du hast keine Ahnung, was du angerichtet hast! Das ganze verdammte JUZ ist abgekackt vor Lachen! Und an diesem Tag war da Full House. Sogar die Älteren haben sich einen abgelacht. Bei diesem Terror on Sesamstraße bin ich fast abgekratzt. Die zwei Pimpfe sind auch ganz lustig, aber du hast es einfach drauf, Mann! Du musst unbedingt zu RTL Samstag Nacht! Wie kommst du immer auf solche Sachen? Hey, durch deine Videospieltipps hat der Dennis jetzt auch endlich das beste Schloss am Ende von Wario Land bekommen. Ohne Flachs, Calogero. Alle sind verrückt danach! Wir haben das Tape jetzt schon drei Mal durchgehört. Wir brauchen neues Zeug!«

Ümit sagte wirklich die Wahrheit. Erwartet hatte Calogero eher das Gegenteil. Leider konnte er Ümit nichts Neues bieten, doch er garantierte, ihn schnellstmöglich mit neuen Radio-KMC-Folgen zu versorgen.

Noch am gleichen Tag rannte mein bester Freund uns die Bude ein und überbrachte Kalvin und mir die freudige Botschaft. Mein Bruder verstand nicht die Bohne, doch ich platzte fast vor Freude. Es musste schleunigst eine neue Kassette aufgenommen werden, soviel war sicher.

In Rekordzeit nahmen wir dann *Radio KMC Vol. 2* auf einer der vielen Kassetten aus Rosis Kiste auf. Die zweite Kassette war länger als der Vorgänger und hatte eine stolze Laufzeit von 90 Minuten. Calogero forderte von uns vollen Einsatz und Konzentration, schließlich musste der Nachfolger noch besser werden. Er selbst gab alles und wuchs dabei über sich selbst hinaus. Seine Witze wurden heftiger, seine Fürze lauter, und die Songauswahl noch vielfältiger. Diesmal nahm mein Kumpel auch italienischen Hip-Hop der Gruppe Articolo 31 mit ins Programm. Für die Kassettenhülle bastelte er wieder ein hammermäßiges Cover zurecht, für das er das Logo von *Ghostbusters 2* verwendete.

Ümit und seine Jungs drehten völlig durch, als Calogero ihnen die zweite Episode überreichte. Unsere Fortsetzung war ein voller Erfolg. Die Jungs erstickten fast vor Lachen und der Hype um Radio KMC nahm von da an ungeahnte Ausmaße an. Ümit fragte meinen Kumpel, ob er Kopien von unseren beiden Kassetten machen durfte. Die Leute im JUZ wären schon richtige Fans von uns und wollten endlich ihre eigenen Radio-KMC-Kassetten haben. Ümit erklärte ihm, dass es dort auch eine Stereoanlage mit zwei Kassettendecks gab. Er konnte also problemlos unsere Kassetten überspielen. Es gab nur ein Problem: Im JUZ waren kaum bespielbare Kassetten vorhanden und eine neue kostete zwischen vier und acht Mark. Laut Ümit waren es aber fast 50 Leute, die unsere Kassetten haben wollten. Da erinnerte sich Calogero an die Kiste, die ich von Rosi geschenkt bekommen hatte. Ungefähr die Hälfte der Kiste war mit bespielbaren Kassetten gefüllt, die andere Hälfte mit Originalkassetten. Ümit offenbarte Calogero einen Gaunertrick, mit dem er auch originale Tapes überspielen konnte. Alles, was man dafür tun musste, war, die beiden Löcher des oberen Kassettengehäuses mit ein wenig Klebeband abzukleben und schon ließen sie sich auch problemlos überspielen. Großartig, dachte sich mein bester Kumpel und überredete mich, knapp 200 Kassetten aus der Kiste an ihn abzudrücken. Es geschah ja für einen guten Zweck. Meinen Eltern aber durfte ich mal wieder kein Sterbenswörtchen davon erzählen.

Über Calogeros ehemaligen Klassenkameraden und die anderen Jungs aus dem JUZ verbreiteten sich die Kopien unserer beiden Kassetten dann innerhalb kürzester Zeit wie ein Lauffeuer in alle Himmelsrichtungen. So kam es dann zustande, dass von *Radio KMC Vol. 1* und 2 hundert Kopien im Umlauf waren. Kaum auszudenken, was passiert wäre, wenn es damals schon Internet und YouTube gegeben hätte. Wir hatten nichts dergleichen. Calogero wurde so gesehen mit zwei Kassetten und reichlich Mundpropaganda über Nacht zum Star seiner Schule.

Auf dem Schulhof wurde er nun wie ein König gefeiert. Gerade einmal zwei Jahre zuvor gehörte er noch zu den absoluten Losern. In den Pausen musste er sich nichts mehr zum Essen kaufen. Die Kinder auf dem Schulhof standen Schlange, um ihm etwas von ihren Sandwiches und Süßigkeiten abzugeben. Anstatt wie sonst in der Pause mit Falih über Games und Filme zu quatschen, gab er jetzt Autogrammstunden und Videospieltipps. Falih war von dem ganzen Rummel um unseren Kumpel nicht so wirklich angetan, freute sich aber trotzdem für ihn. Calogero bot ihm einige Gastrollen an, doch Falih lehnte ab. Rumalbern und Furzen war nicht so sein Ding, er war eher der stille Typ. Auch ich wurde auf meiner Schule von ein paar Jungs erkannt und auf unsere beiden Werke angesprochen. Natürlich gab es auch Neider, aber die meisten feierten uns.

Der Radio-KMC-Virus hatte nicht nur unsere Schulen, sondern bald auch unsere gesamte Nachbarschaft infiziert. Vom Metzger bekamen wir kostenlose

Frikadellenbrötchen, Rudi spendierte uns Süßigkeiten. Die jüngeren Kinder verehrten uns, die älteren respektierten uns und die Mädels lagen uns zu Füßen. Einer der Kiosksäufer ließ sich sogar Calogeros Konterfei auf die Brust tätowieren. All der Ruhm und Erfolg hatte auch seinen Preis. Mein bester Kumpel bekam in den Schulpausen keine Ruhe mehr. Manchmal verfolgten ihn sogar ein paar Groupies nach dem Unterricht auf dem Nachhauseweg bis vor seine Haustür und nervten ihn mit sinnlosen Fragen:

»Wann kommt Radio KMC Vol. 3? Sind Kalvin und Manuel deine kleinen Brüder? Seit wann kennt ihr euch? Wie habt ihr euch kennengelernt? Wo sind die jetzt gerade? Hast du eine Freundin? Warum musst du immer soviel furzen? Was isst du am liebsten? Können wir uns mal treffen? Wo arbeiten deine Eltern? Bekomme ich deine Telefonnummer? Magst du Schinken? Kann ich eine Kassette geschenkt haben? Kannst du mir 10 Mark leihen? Warum bist du so lustig?«

»SCHNAUZE! Das geht euch einen Scheißdreck an!«

Irgendwann kurze Zeit später wurde Calogero nach der Schule von einem Reporter unserer lokalen Zeitung angesprochen. Es war einfach unglaublich. So unglaublich, dass mein Kumpel tatsächlich um ein Interview gebeten wurde. An Ort und Stelle beantwortete er einige Fragen rund um unser Projekt. Dabei outete er uns als große Badesalz-Fans und pries in den höchsten Tönen unser kommendes Meisterwerk *Radio KMC Vol. 3* an. Vielleicht wurde mein Kumpel in diesem Moment ein wenig vom Größenwahn getrieben.

»Das wird das Allerbeste sein, was ein Mensch je zu Gehör bekommen hat und zu Gehör bekommen wird! Vergessen Sie alles bisher Dagewesene! Sie werden lachen, wie Sie noch nie in ihrem Leben zuvor gelacht haben! Halten Sie Ihr Klopapier griffbereit und machen Sie sich auf etwas Episches gefasst!«

Der Reporter machte große Augen. Das war mal eine Ansage! Er erzählte Calogero dann hinterher, dass er die Jungs von Badesalz persönlich kennen würde und wenn *Radio KMC Vol. 3* dann fertig sein sollte, könnte er eine Kopie davon an die beiden übergeben. Es war wie in einem Traum, doch mein bester Freund hatte mächtig die Fresse aufgerissen. Wenn unsere neueste Kassette wirklich an unsere beiden Idole weitergereicht werden sollte, mussten wir uns dafür schon etwas Einzigartiges einfallen lassen. Unsere ganzen Fans wurden inzwischen auch immer heißer. Das Interview und Calogeros Aussagen bezüglich unserer nächsten Kassette machten sie völlig wahnsinnig. Da jetzt ein gewisser Druck vorhanden war, gingen die Ideen und Aufnahmen nicht mehr so leicht von der Hand. Diesmal grübelte Calogero länger als sonst. Schließlich dachte er sich ein lustiges Programm aus, das denen zuvor ähnelte, nur mit feinen Unterschieden und einem, aus seiner Sicht, furiosen Finale. Er hatte da auch schon etwas ganz Besonderes im Sinn, etwas noch nie vorher Dagewesenes, etwas Einzigartiges. Ich war gespannt. Er machte bis kurz vor Schluss ein Riesengeheimnis daraus.

Nachdem wir schon 70 der gesamten 90 Minuten fertig aufgenommen hatten, begann das Gran Final. Calogero kramte aus seinem Rucksack drei große Packungen Bifi Ranger heraus. Er wusste, für die Übergabe unserer Kassette an Badesalz musste er bis ans Äußerste gehen. Er hatte die Idee, einen 15 Minuten langen Furz-Mix aufzunehmen. Nach jedem aufgenommenen Furz pausierte er das Tape und wartete, bis ein neuer im Anflug war. Das wiederholte er so lange, bis er die Fünfzehn-Minuten-Marke erreicht hatte. Es dauerte Stunden. Seine Unterhose wurde dabei arg in Mitleidenschaft gezogen, doch das nahm er in Kauf. Mein Zimmer wurde zu einer Gaskammer. Ein kleiner Funke und wir wären alle draufgegangen. Mir brannten die Augen und Kalvin lag in einer Art Trancezustand auf dem Boden.

»Jetzt stellt euch nicht so an! Was glaubt ihr, wie es mir geht? Ich hab schreckliche Krämpfe in den Arschbacken und fühle mich so, als würden gleich meine Gedärme rausplatzen. Ich sehe es jetzt schon kommen, ihr könnt später meine Leiche vom Boden kratzen. Durchhalten, Calogero ... jetzt kommt der Letzte ... aaaaarrrrghhh!«

Nach diesem Prachtstück von einem Flatus spulten wir zurück und hörten uns erstmals den Mix in voller Länge an. Es war krank, einfach nur krank. Calogeros aneinandergereihte Fürze bildeten die verrücktesten Melodien. Es schien niemals aufzuhören. Eine endlose Symphonie der Fürze. Mein kleiner Bruder pisste sich vor Lachen die Hose voll. Es war, keine Frage, Calogeros Meisterstück. Mit diesem Geniestreich in der Tasche war er sich seiner Sache sehr sicher, dass wir bald gemeinsam mit Badesalz eine Kassette aufnehmen würden. Wir beendeten die letzten fünf Minuten des Bands mit Calogeros Abschiedsgrüßen und *The real Thing* von 2 Unlimited.

Gleich ein paar Stunden später ließ mein Kumpel von Ümit eine Kopie der Kassette anfertigen. Diese packte er anschließend in ein Päckchen und verschickte es an die Adresse, die ihm der Reporter damals nach dem Interview gegeben hatte.

Dann erstellte Ümit weitere Kopien für unsere Fans. Mit solch einem grandiosen Finale konnte niemand unzufrieden sein, das dachte zumindest Calogero.

Es kam jedoch ganz anders. Das Gran-Furz-Final entwickelte sich zum Furz-Gate-Skandal. Selbst unsere hart gesottensten Zuhörer waren angewidert. Es war einfach zu viel. Selbstverständlich gab der Reporter die Kassette nicht an Badesalz weiter. Calogero hatte sich gewaltig verfurzt und das kostete uns schließlich unseren Traum. Bis auf Kalvin waren wir unendlich traurig. Zudem wandte sich auch der größte Teil unserer Bewunderer von uns ab. Keine kostenlosen Frikadellenbrötchen mehr und die Süßigkeiten am Kiosk gab es auch nicht mehr umsonst. Keiner scherte sich mehr einen Dreck um uns, erst recht keine Mädchen. Bis auf die wirklichen Hardcore-Fans, wie Ümit und die Leute vom JUZ, wollte keiner mehr etwas von Radio KMC wissen. Calogero beschloss daraufhin, es zu beenden. Kalvin und ich waren dagegen. Es hatte uns immer Megaspaß gemacht und darum ging es doch. Um den Spaß. Uns beiden waren die anderen Leute egal.

Wir konnten letzten Endes Calogero doch noch dazu überreden, Radio KMC am Leben zu halten, jedoch nur unter einer Bedingung: Keiner außer uns dreien durfte jemals die neuen Kassetten zu hören bekommen. Schweren Herzens musste mein bester Freund Ümit dann erklären, dass *Radio KMC Vol. 3* auch unsere letzte Kassette war, und so verloren wir kurzerhand auch unsere restlichen Fans.

Der ganz normale Alltag kehrte zurück und wir wurden wieder zu ganz normalen Kindern. Trotz der herben Enttäuschung blieben wir selbstverständlich treue Badesalz-Fans und wer weiß, vielleicht würde sich ja in Zukunft doch noch eine Chance bieten, die beiden einmal persönlich kennenzulernen.

Zum Abschluss des Jahres 1994 gab es dann doch noch ein Happy End. Calogero wurde verdient in die Realschule aufgenommen.

»Null Problemo!«

KAPITEL 21

APRIL 95

DM 3,50

SCHEUßLICH BESTE FREUNDE

IN

SCHWULE PFERDE

MIT DEM NEUEN BIOLOGIELEHRER HERR LOTZ!

KAPITEL 21

Schwule Pferde

(April 1995)

Im April 1995 bekam Calogero einen neuen Biologielehrer, Herrn Lotz. Dieser hatte unter seinen Schülern einen ganz besonderen Ruf. Man munkelte, dass er ein lauwarmer Bruder vom anderen Ufer sei. Herr Lotz liebte es, die aufmüpfigsten Schüler aus den von ihm unterrichteten Klassen herauszupicken und vor allen anderen bloßzustellen. Zu diesen Schülern zählte natürlich auch mein bester Freund. Doch bevor es zu der ersten Begegnung zwischen Lotz und Calogero kam, klärte Falih ihn in der Pause vor dem Unterricht über den neuen Lehrer auf. Lotz war zufällig sein Klassenlehrer im fünften und sechsten Schuljahr gewesen. Eines dabei interessierte Calogero am meisten:

»Hey, Falih. Stimmt es, was sie alle über diesen Lotz sagen? Mir ist da was zu Ohren gekommen.«

Falih:
»Was denn? Man erzählt viel über ihn.«

»Na, dass er ein Pimmelliebhaber ist!«

Falih:
»Das weiß ich nicht, aber ich habe gehört, dass er homosexuell ist.«

»Ja, von was rede ich denn? Woher weißt du das denn so genau?«

Falih:
»Sooo genau weiß ich es nicht, aber er benimmt sich oft sehr komisch. Besonders wenn er gereizt ist. Du darfst keine Witze über ihn machen oder seinen Unterricht stören, sonst macht er dich vor allen fertig! Er hat mich auch schon oft vor der ganzen Klasse blamiert, weil ich vergessen habe, mir die Haare zu kämmen. Soweit ich weiß, ist er nicht verheiratet und Kinder hat er auch keine, aber ein Pferd hat er. Von dem wird er euch bestimmt auch noch vollquatschen.«

»Bei mir kann Homo Lotz das gleich vergessen. Ich lass mir nix sagen. Erst recht nicht von einer Schwuchtel! Wenn mein Vater das wüsste, dann würde er herkommen und ihn mit seinem Gürtel verprügeln! Und sein dreckiges Pferd gleich mit! Aus dem würde er saftige Salsiccia machen!«

Was das Thema Homosexualität anging, hatte mein bester Kumpel, wie schon erwähnt, eine sehr abwertende Meinung, die er sich größtenteils von seinem Vater und von seinem Onkel Vinnie abgeschaut hatte. Für diese war es unvorstellbar, dass sich zwei Männer lieben konnten. In ihren Augen waren Homosexuelle keine Menschen, sondern nur ekelerregende Kreaturen, die keinen Respekt verdient hatten.

Calogeros Meinung zu schwulen Männern änderte sich dann jedoch mehrere Jahre später schlagartig, als er herausfand, dass sein allerliebster Arbeitskollege schwul war. Zum Thema Homosexualität äußerte er sich dann in etwa so:

»Mir doch scheißegal, was die im Bett so treiben. Ich kann es zwar nicht verstehen, aber Hauptsache, die sind nett und lassen mich damit in Ruhe! Mein Arbeitskollege ist zwar schwul, Manuel, aber er ist einer der besten Menschen, die ich kenne!«

Doch bis er schließlich Anfang der 2000er Jahre dank seines Kollegen zu dieser Erkenntnis kam, vertrat Calogero die Meinung seines Vaters und einiger anderer Leute der damaligen Zeit.

Kurz bevor der erste Unterricht bei Lotz begann, setzte sich Calogero schleunigst in die hinterste Sitzreihe, um jeden unnötigen Kontakt mit seinem neuen Lehrer zu vermeiden. Kaum hatte sich mein Kumpel auf seine fünf Buchstaben gesetzt, fragte er seinen vorderen Tischnachbarn Carsten, ob er den Lotz schon kennen würde.

Carsten:
»Der soll doch mal mit dem Sportlehrer von der Reibnizschule zusammen gewesen sein. Das habe ich gehört.«

»Was, echt jetzt? Das gibt's doch gar nicht!«

In diesem Moment betrat der neue Biologielehrer den Klassenraum. Für sein Alter von Ende 40 sah er noch recht jung aus. Zu seinem akkuraten Kurzhaarschnitt trug er einen fetten Schnauzbart. Seine Lippen glänzten derart, dass man dachte, er hätte tonnenweise Lipgloss aufgetragen. Im Gegensatz zu den meisten Lehrern an der Schule achtete Lotz penibelst auf ein gepflegtes Erscheinungsbild. Zu einem feinen rosa Seidenhemd trug er eine dunkle Jeans und hellbraune Lederstiefel. Das Parfum, das er trug, duftete nach Zimt-Vanille. Lotz legte seine lederne Aktentasche auf das Lehrerpult und rief:

»Hey, du da in der letzten Reihe! Wie heißt du?«

Erst wollte er so tun, als ob er ihn nicht hören würde, doch als er merkte, dass die Situation aussichtslos war, antwortete er schüchtern:

»Ich? Ich ... ich heiße Calogero.«

Lotz:
»Calogero, würdest du dich bitte hier in die erste Reihe setzen? Sonst kann ich dein hübsches Gesicht nicht so gut sehen.«

Die Klasse fing an zu lachen und mein Freund errötete. Das fing ja schon mal gut für ihn an. Mit erkennbar wütendem Gesicht packte er seinen Schulranzen und stapfte nach vorne, wo der freie Tisch, genau vor Lotz‘ Lehrerpult, auf ihn wartete.

Lotz:
»Also, so gefällt mir das schon viel besser, mein lieber ... Calogero? Richtig? Hier kannst du viel aufmerksamer meinem tollen Unterricht folgen.«

»Ja, ja!«,

schnaufte mein bester Kumpel und schaute genervt auf den Boden.

Lotz:
»Ich sehe schon, du bist ein ganz sturer Bock. Genau wie mein Pferd Jacques. Wir werden uns aber sicherlich noch miteinander anfreunden, nicht wahr?«

Wieder fingen die Schüler an zu lachen, doch verstummten sie auch wieder ganz schnell, als Lotz sie ermahnte, ruhig zu sein. Während des Unterrichts tat Calogero so, als würde er aufmerksam zuhören, doch in seinem Kopf spielte sich ein ganz anderer Film ab. Er stellte sich vor, wie er Lotz die Unterhose über den Kopf zog und ihm anschließend mit einem Riesenvorschlaghammer auf die Birne schlug. Bei diesem Gedanken musste er plötzlich laut niesen:

»HAAAAAAAATSCHHHHHHIIIIIEEEEEEEEE!«

Lotz:
»Hatschi, mein Schatzi!«

Die Schüler fingen an, laut zu grölen und zu johlen. Calogero war geschockt und wusste nicht, wie er sich nun verhalten sollte. Als er sich nach hinten drehte, sah er viele schadenfrohe Gesichter und Zeigefinger, die auf ihn gerichtet waren.

»Haltet die Fresse, ihr Affen!«

Lotz:
»Ruhe! Jetzt ist es aber genug! Schlagt bitte die Seite 33 auf.«

Nach einer guten halben Stunde ertönte endlich der Pausengong und Calogero konnte wieder aufatmen. Schnell packte er seine Hefte und Ordner in den Ranzen und rannte wie Michael Johnson aus dem Klassenzimmer. Nach dieser Qual musste er sich erst einmal einen Snickers-Riegel und eine Schokomilch vom Schulkiosk besorgen. Während er gerade die Nervennahrung bezahlen wollte, rief jemand von hinten:

»Hatschi, mein Schatzi! Hahaha!«

Es war Falih. Calogeros erste Doppelstunde mit Lotz war erst seit wenigen Minuten zu Ende und schon wusste Falih Bescheid. Seine Spione in Calogeros Klasse hatten ihn schon ausreichend über alles informiert.

»Ach, halt's Maul! Der Lotz kann mich mal an meinem verkackten Arschloch lecken. Morgen muss ich diesen Trottel leider wieder zwei Stunden ertragen. Ich freu mich schon richtig drauf. Bäh!«

Falih:
»Wie ist es so, ganz vorne zu sitzen? Hahaha! Die, die bei uns damals ganz vorne sitzen mussten, hat er am meisten geknechtet. Viel Spaß!«

»Ach, leck mich doch und lass mich in Ruhe mein Snickers fressen!«

Falih:
»Schon gut, ist doch nur Spaß! Hast du schon das Neueste gehört? In Japan gibt es jetzt eine neue Spielekonsole von Sony. Die Playstation. Die soll viel besser sein als der Super Nintendo und der Mega Drive zusammen! Die Spiele sind auch keine Module mehr, die sind jetzt auf CDs. Bei Games World haben sie gesagt, dass die Playstation im September in Deutschland erscheinen wird.«

»Niemals werde ich dieses Kackding holen! Niemand kann Nintendo das Wasser reichen. Ich scheiß auf Sony! Übrigens, nächste Woche kommt endlich der Streetfighter-Film ins Kino. Da wollte ich unbedingt reingehen. Kommst du mit?«

Falih:
»Habe gehört, dass der voll scheiße sein soll aber ... na klar! Bin dabei! Angeblich soll Van Damme sogar einen richtigen Flashkick machen!«

In der nächsten Biostunde redete Lotz über Ordnung. Er legte großen Wert darauf, dass seine Schüler einen ordentlichen Hefter pflegten, in dem alle Aufzeichnungen seines Unterrichts eingeheftet werden sollten. Er wollte nun überprüfen, ob die Schüler in der ersten Doppelstunde aufgepasst und mitgeschrieben hatten. Auf Calogeros Tisch sah er einen grünen Schnellhefter liegen. Als er diesen in die Hand nahm, begann Calogero wie Espenlaub am ganzen Leib zu zittern. Mein Kumpel hatte zwar ein wenig mitgeschrieben, doch befanden sich auch kleine fiese Zeichnungen von Lotz in dem Hefter, die er während des Unterrichts heimlich kritzelte. Auf seiner Stirn sammelten sich Schweißperlen. Lotz blätterte und blätterte. Gleichzeitig sprach er zu der Klasse:

Lotz:
»Also, Calogerolilola, ich muss sagen, das hier ist wirklich ein sehr schöner und ordentlicher Hefter. Schaut euch den mal an. Genau so stelle ich mir das vor. Du hast wirklich eine schöne Schrift, das muss ich schon sagen. Sie ist wirklich sehr ... was ist denn das? Also ... Calogero, würdest du uns bitte erklären, was das hier sein soll?«

Auf einem der Notizzettel sah man eine eher missglückte Zeichnung von den Turtles, die einen Mann umkreisten. Über dem Kopf des Mannes stand ganz deutlich der Name „*Lotz*“ geschrieben. Unter dem Schriftzug war ein unübersehbar großer Pfeil, der auf den Mann zeigte. Dies war allerdings noch nicht alles, was zu sehen war.

Lotz:
»Das hier soll ja offensichtlich ich sein. Was machen diese grünen Kreaturen um mich herum und ganz speziell diese eine hier?«

»Das sind keine Kreaturen, das sind die Teenage Mutant Ninja Turtles! Sagen Sie bloß nicht, Sie haben noch nie etwas von denen gehört.«

Lotz:
»Äh, nein. Und was macht dieser eine da mit mir?«

»Das ist Leonardo, der Anführer. Er hat immer zwei große Ninjaschwerter bei sich.«

Lotz:
»Ja, das sehe ich, und was macht er hier mit denen?«

Die Lage war nun sehr unangenehm. Wie sollte Calogero das jetzt am besten erklären? Er war kurz davor sich richtig zu blamieren. Schließlich antwortete er kurz und bündig:

»Also ... er hackt Ihnen ... den Penis ab.«

Als Calogero den Satz zu Ende gebracht hatte, errötete sein komplettes Gesicht und die Klasse brach in lautes Gelächter aus.

Lotz:
»Sehr interessant! Ich weiß zwar nicht, wie du darauf kommst, so etwas zu malen, aber an einer blühenden Fantasie scheint es dir nicht zu mangeln. Ich glaube, wir zwei müssen uns nach dem Unterricht noch einmal unter vier Augen über dieses Kunstwerk unterhalten.«

Ein lautes „*Uuuuuuuhhhhhh*" ging durch den Klassenraum. Es verschlug Calogero völlig die Sprache, jedoch hatte er großes Glück, dass Lotz danach den Ordner wieder auf den Tisch zurücklegte und die anderen, noch fieseren Zeichnungen nicht mehr sah. Währenddessen wollte das Lachen der Mitschüler einfach nicht mehr aufhören. Erst als Lotz mit Nachsitzen drohte, wurde es mucksmäuschenstill im Raum. In den letzten Minuten des Unterrichts gab Calogero sich allergrößte Mühe, nicht aufzufallen.

Das Geräusch der Pausenglocke klang wie ein Chor singender Engel für ihn. Er wusste, dass sein neuer Lehrer nach dem Unterricht noch einen Turtle mit ihm zu rupfen hatte, so packte er ganz schnell seine Sachen und rannte unbemerkt aus dem Klassenzimmer. Auf dem Pausenhof angekommen, sah er eine Gruppe Mädchen aus seiner Klasse, die mit dem Finger auf ihn zeigten und dabei dreckig kicherten. Schnellen Schrittes begab sich mein bester Freund zu den Getränkeautomaten, wo Falih sich gerade eine Fanta herauszog.

Falih:
»Na, du Picasso! Hahahahaha! Was hast du wieder angestellt? Die Carolin hat es schon fast allen Mädchen aus der 7. Klasse erzählt.«

»So eine Scheiße! Der Penner hat meinen Ordner kontrolliert und dabei eine Zeichnung von mir entdeckt, wo er von Leonardo den Schwanz abgehackt bekommt. Stell dir mal vor, Falih, der schwule Sack kennt nicht mal die Turtles! Das gibt es doch gar nicht! Aber Mila Superstar kennt er bestimmt, da wette ich mein linkes Ei drauf! Wegen der verkackten Zeichnung wollte der nach dem Unterricht noch mit mir sprechen. Bin aber sofort nach dem Gong rausgerannt. Hoffentlich hat er es bis nächste Woche wieder vergessen.«

Falih:
»Das glaube ich nicht. Der Lotz vergisst nie etwas! Und auch wenn er es vergisst, werden die Mädels ihn daran erinnern. Die erzählen alle, dass du dich richtig schlimm blamiert hast.«

»Ach, scheiß drauf! Ich lass mir bis dahin irgendwas einfallen. Wenn er mich wieder blamiert, werde ich mich rächen! So etwas lasse ich mir bestimmt nicht gefallen!«

Falih:
»Na gut, aber sage nicht, ich hätte dich nicht gewarnt. Hey, ich habe jetzt endlich True Lies und Speed auf Video bekommen. Wenn du magst, leihe ich sie dir mal aus.«

»Boa, ja Mann! Bring die morgen mal mit. Ich wünschte, Arnold Schwarzenegger würde mal zu Besuch in unsere Schule kommen und den dämlichen Lotz mit einer Bazooka zum Mond ballern!«

Eine Woche voller Gelächter und dummer Sprüche von seinen Mitschülern später saß Calogero wieder im Biologieunterricht. Sobald Lotz ihn sah, wurde er natürlich gleich auf sein plötzliches Verschwinden angesprochen.

Lotz:
»Hey, Calogero! Ich dachte, wir wollten uns letzte Woche nach dem Unterricht noch einmal wegen deiner Zeichnung unterhalten? Warum bist du einfach abgehauen?«

»Äh, also ich habe voll die Bauchschmerzen gehabt, weil ich vor Ihrem Unterricht ein schlechtes Eierbrötchen vom Kiosk gegessen habe. Ich musste dann ganz, ganz dringend kacken gehen. Sie wollen doch nicht, dass sich ein Schüler in die Hose macht, oder?«

Lotz:
»Hmm ... natürlich nicht! Und das ist die Wahrheit? Soll ich dir das wirklich abkaufen?«

»Herr Lotz, das ist wirklich die Wahrheit! Ich hatte schreckliche Bauchschmerzen! Ich schwör's Ihnen!«

Lotz:
»Na gut, dann will ich dir mal glauben. Belassen wir es dabei. In Zukunft will ich solche Vorfälle aber nicht mehr erleben, ist das klar? Und solche scheußlichen Zeichnungen erst recht nicht!«

»In Ordnung, Herr Lotz. Versprochen!«

Calogero atmete auf. Er hatte es tatsächlich geschafft, sich aus dieser Bredouille herauszureden. Aufmerksam lauschte mein Kumpel während der ersten Biostunde den Worten des neuen Lehrers und machte sich brav dazu seine Notizen. Als Lotz dann gegen Ende der Unterrichtsstunde vom Stoff abwich und stolz von seinem Pferd erzählte, sah Calogero plötzlich darin eine Chance, vor der Klasse seine Ehre wiederherzustellen, und meldete sich.

Lotz:
»Ja, Calogero?«

»Herr Lotz, ich habe da mal eine Frage. Sie kennen sich ja sehr gut mit Pferden aus, oder?«

Lotz:
»So ist es richtig. Was möchtest du wissen?«

»Gibt es schwule Pferde?«

Man sah, dass Lotz auf diese Frage nicht gefasst war. Seine Augen waren weit aufgerissen. Calogeros Plan ging auf. Alle lachten, nur diesmal mit ihm und nicht über ihn. Ein breites provokantes Grinsen zierte sein Gesicht. Lotz war etwas verdattert und versuchte, sich geschickt aus der Affäre zu ziehen.

Lotz:
»Al...also ... ich weiß es nicht, aber es kann durchaus sein, dass es auch homosexuelle Pferde gibt, Calogero.«

»Ist Ihr Pferd denn schwul?«

Nach einem lauten „*Oooooohhh*" wurde es plötzlich ganz still und alle Augen waren nun auf Lotz gerichtet. Gespannt warteten die Schüler auf seine Antwort.

Lotz:
»Calogero, steh sofort auf. Wir beide müssen uns mal draußen unter vier Augen unterhalten! Klasse, entschuldigt uns, wir sind gleich wieder da. Macht keinen Unsinn! Wenn ich mitbekomme, dass einer von euch Ärger macht, bleibt er heute zwei Stunden länger!«

Draußen vor der Tür schaute Lotz meinem besten Kumpel mit einem strengen Blick tief in die Augen. Calogero hatte bei seinem Biolehrer einen besonderen Nerv getroffen. Lotz hatte alle Mühe, sich zurückzuhalten.

Lotz:
»Was sollte das, Calogero? Willst du mir damit etwas Bestimmtes sagen? Langsam habe ich die Schnauze voll von dir!«

»Ich ... ähh ... nein! Ich wollte nichts Bestimmtes damit sagen, wirklich!«

Lotz:
»Versuche nicht, mich an der Nase herumzuführen! Das war jetzt die zweite und letzte Verwarnung. Wenn ich wieder irgendeinen dummen Spruch von dir höre oder eine ko-

mische Andeutung bemerke, dann unterhalten wir zwei uns mal gemeinsam mit deiner Klassenlehrerin und dem Rektor.«

Der sonst so nette und gut gelaunte Biolehrer verlor allmählich die Fassung und drohte meinem besten Kumpel, ihm die Hölle heiß zu machen:

»Deine Eltern können sich dann auch gerne dazu gesellen. Mal sehen, was die dazu zu sagen haben!«

»Aber ich …«

Lotz:
»Dann werden wir mal ausführlich darüber reden, ob du für eine Versetzung in die achte Klasse überhaupt reif genug bist. So, und jetzt will ich keinen Mucks mehr von dir hören! Sei froh, dass ich nach dem Unterricht einen wichtigen Termin habe und dich nicht nachsitzen lasse!«

Als beide wieder das Klassenzimmer betraten, hörte man aus allen Ecken des Raumes Getuschel. Die Schüler fragten sich, was sich Calogero wohl von Lotz hatte anhören müssen.

Nachdem der Unterricht endlich zu Ende war, kamen einige Klassenkameraden zu ihm und fragten ihn über das Vieraugengespräch vor der Tür aus. Für jeden von ihnen hatte Calogero die gleiche Antwort parat:

»Gar nichts! Verpiss dich!«

Danach ärgerten sie ihn und behaupteten, dass er wohl draußen mit Lotz rumgemacht hätte. Dem Einzigen, dem Calogero in der Schule von dem Gespräch erzählte, war natürlich Falih. Voller Hass schilderte er ihm auf dem Schulhof, wie sein Plan, Lotz zu blamieren, total nach hinten losgegangen war:

»Der soll mich einfach in Ruhe lassen! Der hat doch mit der ganzen Scheiße angefangen. Hätte der mich nicht einfach hinten sitzen lassen können? Droht mir mit meiner Klassenlehrerin und dem Rektor, nur weil ich eine harmlose Zeichnung gemacht habe und gefragt habe, ob sein Pferd schwul ist. Ich habe ihn doch gar nicht beleidigt. Was kann ich dafür, dass er sich angesprochen fühlt? Daran merkt man doch, dass es stimmt, was alle sagen. Dieser verdammte Homo Lotz!«

Falih:
»Nicht so laut, Calogero! Wenn das einer von den Lehrern hört. Du weißt doch, dass die hier manchmal in der Pause herumlaufen. Du willst doch nicht noch mehr Ärger bekommen!«

»Da scheiß ich drauf! Ist mir egal! Es weiß doch sowieso jeder, dass Lotz eine verdammte Schwuchtel ist! Von einem Schwulen, der nicht mal die Turtles kennt, lass ich mir gar nichts sagen!«

Falih:
»Ja, aber wer weiß? Vielleicht ist er es ja doch nicht. Und selbst wenn? Dann ist er es halt, ist doch nicht schlimm.«

»Niemals! So etwas denkt man sich doch nicht einfach aus! Über Herrn Specht erzählt man ja auch nicht solche Geschichten. Der Lotz soll sogar mal mit dem Sportlehrer von der Reibnizschule zusammen gewesen sein. Der ist auf jeden Fall ein schwuler Sack! Schon allein, wie der geglotzt hat, als ich ihn das mit dem Pferd gefragt habe. Der kann froh sein, dass mein Vater noch nichts von ihm gehört hat. Minchia! Meine Eltern wollte er auch einladen. Der würde sich wundern, wie die reagieren! Wenn mein Vater hört, was mit ihm nicht stimmt, dann kriegt er direkt im Rektorzimmer den nackten Arsch versohlt!«

Die Glocke klingelte und die Pause war zu Ende. Calogero verabschiedete sich von Falih und kehrte zu seinem Klassenraum zurück. Der Deutschunterricht bei seiner Klassenlehrerin Frau Rattler sollte nun beginnen. Sie stand aber nicht alleine vor der Klasse, als er den Raum betrat. Neben ihr stand Herr Lotz. Was war da los, fragte sich Calogero. Nachdem alle Schüler Platz genommen hatten, hielt Frau Rattler eine kleine Ansprache:

»Kinder, ich bin über das, was sich soeben abgespielt hat, zutiefst erschüttert. Herr Lotz hat euch etwas zu sagen. Ich möchte, dass ihr genau zuhört und es euch zu Herzen nehmt. Herr Lotz, Sie haben das Wort.«

Lotz:
»Gerade in der Pause, liebe Kinder, saß ich mit den anderen Lehrern im Lehrerzimmer und schälte mir gemütlich eine Banane, da hörten wir von unten auf dem Hof einen Schüler scheußliche Dinge über mich sagen. Dieser Schüler hatte wohl vergessen, dass er genau

unter dem gekippten Fenster unseres Lehrerzimmers stand. Calogero, komm bitte nach vorne!«

Mit einem Ruck rutschte meinem besten Freund das Herz in die Hose. Ganz langsam erhob er sich von seinem Stuhl und lief mit gesenktem Kopf in Richtung Lehrerpult.

Lotz:
»Würdest du bitte der Klasse erzählen, was du gesagt hast?«

»Ich ... ich ... ich ... es tut mir leid! Das war nicht so gemeint!«

Lotz:
»Na los! Erzähl schon, was du da unten herumgeschrien hast.«

»Ich ... ich ... nein ... ich kann es nicht!«

Calogeros Blick war immer noch auf den Boden gerichtet. Er traute sich nicht, seinen Kopf zu heben. Am liebsten hätte er sich in Luft aufgelöst. So viel Scham hatte er selten gefühlt. Daraufhin predigte Lotz:

»Nun gut. Also, liebe Kinder, es ist nicht witzig, irgendwelche Gerüchte in die Welt zu setzen. Es gehört sich außerdem auch nicht, dumme Witze über Menschen zu machen, die eine andere Sexualität haben. Dies macht sie deshalb noch lange nicht zu schlechteren Menschen. Wenn wir noch einmal so etwas erleben, wird das harte Strafen nach sich ziehen! Wir werden dann auch ernsthaft über einen Schulverweis nachdenken. Lasst es euch eine Lehre sein, vor allem Calogero! Frau Rattler, möchten Sie dem noch etwas hinzufügen?«

Frau Rattler:
»Nein, Herr Lotz. Ich denke, Sie haben alles Wichtige angesprochen. Calogero, möchtest du noch etwas sagen?«

»Es tut mir wirklich sehr leid! Ich weiß, das war absolut nicht in Ordnung von mir! Herr Lotz, ich wollte Sie wirklich nicht verärgern. Ich entschuldige mich und verspreche, dass ich nie wieder Schwule beleidigen werde. Ehrenwort! Darf ich Sie noch etwas fragen, Herr Lotz?«

Lotz:
»Hmm ... nur zu, was möchtest du wissen?«

»Aber über schwule Pferde darf ich doch noch Witze machen, oder?«

KAPITEL

22

MAI 95

DM 3,50

SCHEUẞLICH BESTE FREUNDE

IN

LÄSTIGE LIEBSCHAFT

Rette sich, wer kann!!!

KAPITEL 22

Lästige Liebschaft

(Mai 1995)

Am ersten Wochenende im Mai 1995 gingen meine Eltern abends für ein paar Stunden zu benachbarten Freunden. Unser Glück dabei war, dass sie es erlaubten, dass wir zu Hause bleiben durften und Calogero für uns Mr. Babysitter spielte. Mittlerweile kannten sie ihn ja auch schon sehr gut und schenkten ihm ihr Vertrauen. Bevor meine Eltern die Wohnung verließen, hatte ich sie darum gebeten, mir etwas Geld dazulassen, da ich für Kalvin, Calogero und mich eine Familienpizza bestellen wollte. Sie waren gnädig gewesen und hatten uns ein paar gute Mark spendiert. Sobald die Bude dann elternfrei war, machten wir es uns vor dem Wohnzimmerfernseher gemütlich und klatschten eine aus Annas Videothek ausgeliehene VHS in den Videorekorder. Dabei handelte es sich um den Film *Die Maske* mit Jim Carrey. Auf diesen Film waren wir besonders heiß gewesen.

Bereits Ende November 1994 hatten wir versucht, uns den Film im Kino anzusehen. Im Vorfeld freuten wir uns mega auf Jim Carreys Gesichtsentgleisungen, doch die Frau an der Kasse hatte uns gehörig einen Strich durch die Rechnung gemacht. Da der Film eine Altersfreigabe von zwölf Jahren erhalten hatte und ich zu diesem Zeitpunkt gerade mal neun Jahre alt war, wollte sie mir ums Verrecken keine Karte verkaufen, egal wie sehr mein bester Freund auf sie einredete. Völlig enttäuscht hatten wir uns dann stattdessen eine Karte für *Junior* mit dem schwangeren Arnold Schwarzenegger gekauft.

Die schlechten Erinnerungen an diesen misslungenen Kinotag waren dank Annas Kassette nun endgültig verschwunden. Bevor wir uns dann den Film anschauten, wollten wir natürlich noch schnell die Pizza bestellen. Unsere Mägen waren fürchterlich am Knurren. Wie die Irren rannten wir in den Flur zu unserem Telefon und suchten in den Gelben Seiten nach der Nummer von Calogeros Lieblingspizzeria Da Giorgio. Auf einmal fragte er mich:

»Manuel, willst du ein wenig Italienisch lernen? Ich bring dir was bei, dann kannst du die Pizza ganz alleine auf Italienisch bestellen. Na? Wie klingt das? Es ist auch gar nicht schwer!«

Das hörte sich interessant an und so willigte ich selbstverständlich ein. Er brachte mir diesen einen Satz bei, den ich bis heute nicht vergessen habe und der mir immer dann in den Sinn kommt, wenn ich eine Pizza bestellen will. Er erklärte mir, dass dieser Satz übersetzt „Ich möchte eine leckere Pizza bestellen" bedeute. Die Wahrheit sah jedoch etwas anders aus.

Manuel:
»Io voglio una pizza, grande figlio di puttana.«

Der italienische Kellner am anderen Ende der Leitung rastete völlig aus und schimpfte fürchterlich mit mir. Calogero hingegen lachte sich dumm und dämlich. Sofort legte ich den Hörer auf. Natürlich wollte ich wissen, was ich wirklich auf Italienisch gesagt hatte. Mit Tränen in den Augen verriet er Kalvin und mir:

»Das heißt ... ich möchte eine Pizza, du Riesenhurensohn, hahahahaha!«,

und er kugelte sich vor Lachen auf dem Boden. Schließlich musste ich dann auch ein wenig lachen, weil es mich an die Simpsons-Folgen erinnerte, in denen Moe, der Barkeeper, ständig von Bart über das Telefon verarscht wurde. In diesem Moment kam Calogero die Idee, jemand völlig Fremden anzurufen und an der Nase herumzuführen. Was dann mit einem kleinen Telefonstreich anfing, endete in einer Sucht. Wir wurden zu Telefonterror-Junkies und ganz schnell waren die Pizza und der Jim-Carrey-Film vergessen. Stundenlang wählten wir wahllos irgendwelche Nummern oder suchten uns welche zufällig aus dem Telefonbuch heraus. Mein bester Kumpel tischte den Leuten am anderen Ende des Hörers richtig kreative Lügengeschichten auf. Vom kleinen Jungen, der sich in Polen verlaufen hatte, bis hin zu einer demenzkranken Oma oder einem Russen mit Herzinfarkt spielte er seinen Hörern alle möglichen Rollen vor. Und sie kauften es ihm meistens auch ab. Fast jedes Gespräch endete dann damit, dass er einen mächtigen Furz in den Telefonhörer presste.

Eines dieser vielen Telefonterrorgespräche zeichneten wir sogar für unsere damals aktuelle Kassette *Radio KMC Vol. 5* auf, indem wir meinen Kassettenrekorder neben das Telefon stellten und das Gespräch auf den Lautsprecher schalteten.

Fremder Mann:
»Hallo?«

»Einen schönen guten Tag wünsche ich! Mein Name ist Ingo Boll von Radio KMC, Sie sind gerade live in unserer Sendung und spielen hoffentlich gleich mit uns um den gigantischen Megapreis.«

Fremder Mann:
»Radio? Gewinn? Ich habe bei keinem Radiogewinnspiel mitgemacht! Von welchem Radiosender sind Sie?«

»Radio KMC!«

Fremder Mann:
»Kenn ich nicht! Wen wollen Sie denn sprechen?«

»Wie ist ihr Name?«

Fremder Mann:
»Klaus.«

»Ja, genau! Den Klaus! Also Klaus, Sie haben keine Lust darauf, unseren großen Preis zu gewinnen?«

Fremder Mann:
»Woher haben Sie meine Nummer? Ich habe es Ihnen doch schon gesagt. Ich habe bei keinem Gewinnspiel mitgemacht! Sie müssen sich verwählt haben. Ich lege jetzt auf, wünsche Ihnen noch einen schönen Tag.«

»Warten Sie! Sie interessieren sich wirklich nicht für unseren superexorbitanten Megapreis? Wirklich nicht, Klaus?«

Fremder Mann:
»Das glaube ich Ihnen nicht, das ist bestimmt wieder so eine Verarsche! Ich habe schon öfters von solchen Betrügereien gehört.«

»Nein! Wir von Radio KMC sind doch keine Betrüger! Glauben Sie mir, nicht viele Leute haben so ein großes Glück wie Sie, Klaus! Das ist Ihre einmalige Gelegenheit! Die Chance Ihres Lebens! Einmal und nie wieder! Jetzt oder nie! Überlegen Sie es sich gut. Noch ist Ihre Chance am Leben, Klaus!«

Fremder Mann:
»Hmm, ich weiß nicht. Ich glaube Ihnen nicht!«

»Nun ja, Klaus, es gibt so viele Menschen da draußen, die ihr Leben geben würden, um jetzt an Ihrer Stelle zu sein! Menschen, die sofort ihre ganze Familie verhökern würden, um bei uns um den unglaublichsten Preis ihres Lebens spielen zu können. Unsere Zuhörer werden sich bestimmt, jetzt gerade in diesem Moment, gewaltig in ihre Finger beißen!«

Fremder Mann:
»Irgendwie machen Sie mich doch schon neugierig! Was ist denn der Gewinn?«

»Nun ja, Klaus, was denn genau dieser unfassbar kostbare Preis für Titanen ist, werden Sie erst erfahren, wenn Sie gewonnen haben. Alles, was Sie dafür tun müssen, ist, drei Fragen korrekt zu beantworten. Ich frage jetzt ein allerletztes Mal. Sind Sie dabei, Klaus?«

Fremder Mann:
»Also, ich würde jetzt schon gerne wissen, was es zu gewinnen gibt. Okay, ich bin dabei!«

»Exzellent, Klaus! Also dann beginnen wir doch gleich mit der ersten Frage. Die ist einfach! Wie heißt der Bruder von Super Mario?«

Fremder Mann:
»Ähhh ... Mist! Ich weiß es! Mein Sohn hat doch dieses verdammte Spiel. Ich glaube, der heißt Lutschi ... nein, Moment ... Luigi. Der heißt Luigi!«

»Oh mein Gott, Klaus! Das ist richtig! Und dafür können Sie Ihrem Sohn unendlich dankbar sein. Sehr gut, weiter geht es mit Frage Nummer zwei. Welche Farbe hat Leonardos Augenbinde? Hier ein kleiner Tipp. Es ist Leonardo von den Ninja Turtles.«

Fremder Mann:
»Boah, ach du Scheiße, was sind denn das für Fragen? Wer ist Leonardo von den Törtils? Ähh ... da muss ich raten. Äääähhh ... ähhhhh ... also ... ich glaube ... ähhh ... ähhh ... Mist! Ich weiß es nicht!«

»Beeilen Sie sich, Klaus! Die Zeit läuft ab!«

Fremder Mann:
»Ähh ... blau vielleicht?«

»Verdammt, Klaus! Das ist richtig! Sie wurden wohl vom Engel des Glücks geküsst, Klausi-Klaus! Das war spitze! Unsere Hörer werden begeistert sein. Und jetzt kommen wir zu der allerletzten und alles entscheidenden Frage. Sind Sie bereit, Klaus?«

Fremder Mann:
»Ja, bin bereit!«

»Gut, also Klaus, hören Sie jetzt genau zu. Woher stammt dieses Geräusch? Achtung, gut zuhören!«

Frrrrrrrraaaaaaaaaaaaaaapppppppppppppppppp

Fremder Mann:
»Häh? War das ein Furz?«

»Klaus! Das ist unglaublich! Es ist RICHTIG! Sie sind der Gewinner! Der Champion! Der Sieger! Der Bezwinger! Hören Sie das, meine lieben Zuhörer? Endlich hat es jemand geschafft, den unglaublichsten aller unglaublichen Preise zu gewinnen und dieser Jemand ist Klaus!«

Fremder Mann:
»Verraten Sie mir jetzt endlich, was ich gewonnen habe?«

»Freuen Sie sich nicht, Klaus? Sie haben gerade einen Megapreis abgeräumt und ich habe keinen Freudenschrei gehört. Also, jetzt freuen Sie sich doch erstmal mit uns darüber. Das ist bisher noch keinem zuvor gelungen! Viele unserer Zuhörer da draußen werden jetzt in diesem Moment sehr neidisch auf Sie sein.«

Fremder Mann:
»Jaaaaaaaa ... ho, ho, hu, hu, ich freue mich. So, was ist jetzt der Gewinn?«

»Also gut, Klaus, ich verrate Ihnen jetzt endlich, was Sie gewonnen haben. Aber davor rate ich Ihnen, sich hinzusetzen und gut festzuhalten. Haben Sie gerade einen bequemen Sessel in der Nähe, Klaus?«

Fremder Mann:
»Ja, ich sitze gerade auf einem.«

»Sehr schön, sehr schön. Gut festhalten und Ohren spitzen, hier ist Ihr Gewinn. Es iiii-iiiiiiiist …«

Fremder Mann:
»Jaa?«

»Ein Jahresvorrat an vierlagigem und ultraweichem Klopapier für Ihr dreckiges Arschloch, Klausi-Klaus!«

Frrrrrrrraaaaaaaaaaaapppppppp

Es gab an diesem Abend nichts, was uns mehr zum Lachen brachte, als diese sinnlosen Spaßanrufe. Dieses Vergnügen war allerdings nicht lange von Dauer. Als die Telefonrechnung am Ende des Monats kam, verging uns das Lachen. Backpfeifen und Taschengeldsperre waren von meinen Eltern all inclusive gebucht worden. Zum Glück durfte Calogero weiterhin ab und zu an den Wochenenden bei uns babysitten. Ab da versteckten jedoch meine Eltern immer dann, bevor sie weggingen, das Telefon im Schlafzimmerschrank und verschlossen den Raum. Game over. Wir waren auf Turkey und suchten nach dem nächsten vergleichbaren Kick. Mit einer Riesenladung Bullshit im Hirn mussten wir unbedingt jemanden verarschen und uns daran ergötzen. Aber wie? Kalvin ärgern machte keinen Spaß mehr. Bei fremden Häusern klingeln und wegrennen war auch schon längst out. Was nun? Calogero schaute aus unserem Wohnzimmerfenster und beobachtete die älteren Jungs, die sich gegenüber auf einer der Parkbänke breitgemacht hatten. Sie umgab eine dicke Rauchschwade und neben ihnen stand ein Ghettoblaster, aus dem vollaufgedreht der Song *I Got Five On It* von Luniz dröhnte. Während er ihr Verhalten genauestens beobachtete, kam Calogero auch schon die nächste gestörte Idee. Er kippte das Fenster, versteckte sich hinter einer der vielen Blumenvasen unserer Fensterbank und brüllte mit ganzer Kraft aus dem offenen Spalt eine Menge kranker Schimpfwörter heraus. Aus sicherer Entfernung beobachteten wir dann die Reaktion unserer Opfer. Es war eine Expedition ins Tierreich à la Calogero, wie wir es schon einmal bei ihm zu Hause mit der Sprechanlage abgezogen hatten, nur etwas extremer. Die Jungs sprangen im hohen Bogen von der Bank, schauten sich um und suchten nach dem Schuldigen, entdeckten uns aber nicht.

Sobald sie sich allesamt wieder auf die Bank setzten, ging es wieder los. Calogero brüllte hysterisch affenartige Laute aus dem offenen Fensterspalt. Wieder hüpften die Idioten wild von der Bank und rannten in alle Himmelsrichtungen, um den Schreihals zu finden, derweil mein bester Kumpel, Kalvin und ich auf dem Wohnzimmerboden lagen und damit kämpften, uns vor lauter Lachen nicht in die Hose zu machen. Fast eine ganze Stunde lang gingen wir den Jungs im Park mächtig auf den Sack. Dabei wechselte sich Calogero alle paar Minuten mit mir ab. Ich hatte auch große Lust bekommen, unentdeckt dummes Zeugs aus dem Fenster zu plärren und zu sehen, wie diese Idioten sich aufregten und uns nicht im Geringsten auf die Schliche kamen. Ab und an liefen zudem verschiedene Passanten auf der gegenüberliegenden Straßenseite vorbei. Rentner mit Gehhilfe waren für uns der Jackpot. Viele von ihnen erschraken sich besonders heftig, wenn einer von uns plötzlich wie ein Irrer herumschrie. Rückblickend betrachtet war es schon eine echt geistesgestörte Freizeitbeschäftigung. Wie dem auch sei, damals als Kinder hatten wir große Freude daran.

Als Calogero wieder an der Reihe war, lief ein kleines dickes Mädchen auf der anderen Straßenseite am Fenster vorbei. Erst kurz bevor er aus dem Spalt raus schrie, bemerkte ich, wer das Mädchen war. Während Calogero einen fürchterlichen Urschrei losließ, konnte ich erkennen, wie das Mädel genau in unsere Richtung starrte. Sie schaute direkt auf unser Fenster. Ich sprang auf meinen Kumpel und riss ihn mit all meiner Kraft zu Boden.

Manuel:
»Bleib unten! Sie darf uns auf keinen Fall sehen, sonst sind wir geliefert!«

»Was ist denn los? Wer ist das?«

Es war Molli, die Enkelin unserer dicken Hausmeisterin, Frau Breit. Meist kam sie in den Ferien vorbei, um ihre Oma zu besuchen und übernachtete dann für ein paar Tage bei ihr. Molli war ungefähr zwei Jahre älter und fast doppelt so dick wie mein bester Freund. Wie ihre Oma machte sie ihrem Nachnamen alle Ehre und hatte haargenau wie sie ein dickes rundes Knautschgesicht. Für ihr Aussehen konnte Molli nichts, doch für ihren Charakter, ihre Art und ihr Benehmen konnte sie sehr wohl etwas. Sie war ein sehr nerviges und extrem aufdringliches Mädchen, das sich in Sekundenschnelle in wen auch immer unsterblich verlieben konnte. Wer ihr dabei zum Opfer fiel, hatte nichts zu lachen. Ich hatte einmal selbst mit angesehen, wie Pepino sich in Mollis Wurstfingern verfing. Kaum hatte sie ihn das erste Mal im Hof gesehen, verliebte sie sich abgöttisch, rannte auf ihn zu und krallte sich ganz fest an seinen Körper. Er konnte sich gerade noch so aus ihrem starken Klammergriff lösen und ergriff sofort die Flucht. Danach saß sie den halben Tag vor seiner Wohnungstür herum und heulte wie ein ausgesetzter Köter. Mich selbst hatte sie immer in Ruhe gelassen, da ich ihr wohl viel zu klein und dünn war. Mein bester Kumpel hatte bislang immer das Glück, nie dagewesen zu sein, wenn sie zu Besuch war, doch nun war es leider soweit. Im Schnelldurchlauf klärte ich ihn über Molli auf.

Manuel:
»So, jetzt weißt du Bescheid. Bete, dass sie uns nicht gesehen hat!«

»Ach, scheiß drauf, wie schlimm kann die denn schon sein? Die sieht wie Miss Piggy aus, muhahahahaha!«

Manuel:
»Wenn du sie erst einmal an der Backe hast, vergeht dir das Lachen!«

»Heweps! Niemals! Wenn sie nervt, bekommt sie 'nen Power-Ranger-Kick!«

Manuel:
»Doch! Ich schwöre es dir. Frag doch den Pepino!«

»Ich kacke auf Pepino!«

Ganz genau in dem Moment, nachdem Calogero den Satz zu Ende gesprochen hatte, klingelte es auch schon bei uns an der Tür. Ich bekam gewaltiges Herzklopfen und hoffte, dass es nicht das nervige und überdimensionale Mädchen von nebenan war, denn dummerweise kannte sie unseren Nachnamen. Vorsichtig schaute ich aus dem Küchenfenster. Verdammt, sie war es wirklich! Calogero riet mir, die Tür einfach nicht aufzumachen und das Klingeln zu ignorieren. Keine Chance. Sie hörte einfach nicht auf zu bimmeln. Nach ein paar Minuten Dauerschellen war es meinem Kumpel dann zu viel. Er riss das Küchenfenster auf und schrie sie ganz aggressiv an:

»Sag mal, hast du sie nicht alle? Hör auf zu klingeln, wir wollen unsere Ruhe! Hau sofort ab, Free Willy!«

Während Calogero sie so anschrie, riss sie ganz weit ihre Augen auf. Es sah aber nicht so aus, als würde sie sich von seinem Geschrei einschüchtern lassen. Ganz im Gegenteil. Es sah eher so aus, als würde es ihr gefallen. Ihre Pupillen formten sich zu kleinen Herzen.

Molli:
»Wer bist du denn, Schnucki? Dich habe ich hier noch nie gesehen.«

»Das geht dich einen Scheiß an und dein Schnucki bin ich auch nicht, Yokozuna!«

Molli:
»Ich heiße Molli!«

»Mir doch egal, Fatso. Von mir aus kannst du auch Willie Tanner heißen und jetzt hör auf zu klingeln und lass uns in Ruhe!«

Molli:
»Nein! Ich höre erst dann auf, wenn ihr rauskommt und mit mir spielt. Mir ist soo langweilig!«

»Das ist uns doch scheißegal! Wenn dir langweilig ist, dann geh nach Hause und glotz Sailor Moon. Die Eltern von meinem Freund sind schon richtig sauer! Wenn du nicht sofort aufhörst, kommt sein Vater raus und versohlt dir deinen Arsch grün und lila! Abmarsch, Fettarsch!«

Leider hatte Molli schon bemerkt, dass meine Eltern eben nicht zu Hause waren. Sie war ihnen eine Stunde zuvor auf der Straße begegnet, als sie zu meinen Großeltern hinübergelaufen waren. Molli drohte, uns zu verpetzen, wenn wir nicht zu ihr rauskommen und mit ihr spielen würden. Calogero zeigte ihr beide Mittelfinger, schloss das Fenster und ging mit Kalvin und mir zurück in unser Kinderzimmer. Im Hintergrund klingelte es weiter pausenlos an unserer Wohnungstür.

»Keine Panik. Die wird schon gleich aufhören.«

Unglücklicherweise hörte es nicht auf. Locker zehn Minuten lang stand sie dann draußen vor der Tür und drückte fleißig bis zum Anschlag unsere Klingel durch. Vor lauter Kopfschmerzen platzte uns fast der Schädel. Der penetrante Ton der

Klingel ätzte sich durch mein Trommelfell. Dann wurde es ganz still. Auf einmal hörten wir Molli hysterisch herumschreien:

»Wenn ihr nicht rauskommt, gehe ich zu den Jungs im Park und verpetze euch!«

Mit runzelnder Stirn und hochgezogenen Augenbrauen schaute Calogero zu mir hinüber.

»Die kann froh sein, dass sie kein Junge ist, sonst hätte ich ihr jetzt mindestens einen Zahn rausgeschlagen! Komm, lass uns kurz raus gehen. Wenn die uns verpetzt, sind wir geliefert! Spiros Vater ist auch bei den Jungs im Park. Der macht Hackfleisch aus uns!«

Mit einem flauen Gefühl im Magen packte ich meinen kleinen Bruder und wir beide begleiteten Calogero in den Hof. Kaum hatten wir die Tür vom Treppenhaus nach draußen geöffnet, sprang uns auch schon Molli vor die Füße.

»Ach du Scheiße! Die sieht ja aus wie der Blob!«

Molli:
»Und du siehst aus wie mein Traumprinz! Bitte verrate mir deinen Namen, Schnucki.«

Calogero wurde ein wenig rot um die Wangen.

»Ähh ... gut, ich verrate ihn dir, aber nur, wenn du dann gehst und uns in Ruhe lässt!«

Molli:
»Nein, mein Schöner! Ich gehe erst dann, wenn ich mit euch etwas gespielt habe. Deinen Namen muss ich nicht wissen, ich nenne dich ab jetzt einfach Romeo.«

»Oh, mein Gott, das gibt's doch nicht! Ich bin doch kein scheiß Doktor Stefan Frank! Was willst du spielen? Verstecken? Lass uns Verstecken spielen. Wir drei verstecken uns und du musst uns suchen. Klingt doch super, oder?«

Darauf hatte Molli keine Lust. Sie bestand darauf, mit uns Flaschendrehen zu spielen. Zufälligerweise hatte sie eine leere Plastikflasche dabei. Keiner von uns, und ganz besonders Calogero, hatte Lust, dieses dämliche Spiel zu spielen, doch es war wohl die einzige Möglichkeit, diese Nervensäge wieder loszuwerden. Mein Kumpel versprach ihr, eine Runde zu spielen, danach sollte sie sich aber im Gegenzug schleunigst verziehen. In einem Kreis setzten wir uns dann auf den Hofboden vor den Sandkasten und Molli legte die Flasche waagerecht in unsere Mitte. Bevor sie die Flasche drehte, sprach sie:

»Wen die Flasche trifft, muss mich küssen!«

»Niemals! Ich bin zu alt für diesen Scheiß!«

Molli:
»Na gut, dann gehe ich jetzt in den Park zu den Jungs!«

»Also schön, aber denk dran, das ist die erste und letzte Runde, danach verziehst du dich! Und ich will keine Ausreden hören, klaro?«

Molli:
»Vielleicht. Erst will ich meinen Kuss haben!«

Entschlossen schaute Calogero zu Kalvin und mir hinüber.

»Egal, wen es trifft, Jungs, wir müssen da jetzt wohl durch!«

Mit einem kräftigen Ruck drehte Molli die Plastikflasche im Uhrzeigersinn. Während die Flasche rotierte, begannen Calogero und ich mächtig zu schwitzen. Nur Kalvin blieb gelassen. Er hatte auch keinen blassen Schimmer, was das Spiel zu bedeuten hatte. Die Flasche wurde immer langsamer und schließlich blieb sie stehen. Der Flaschenhals zeigte dabei deutlich auf meinen besten Freund. Molli strahlte vor Glück. Genau das hatte sie sich erhofft.

Molli:
»Oh, mein geliebter Romeo! Das Schicksal hat es so vorherbestimmt! Komm her und küss mich! Küss mich, wie du noch nie ein anderes Mädchen zuvor geküsst hast, mein Traumprinz!«

Molli formte ihre wulstigen Lippen zu einem Kussmund und näherte sich bedrohlich meinem besten Kumpel, dessen Gesicht immer röter wurde. Ihm war das Ganze mehr als unangenehm.

»Ähh ... also ... ich ... ich kann das nicht!«

Molli:
»Warum nicht, mein Geliebter? Zu einem wunderbaren Kuss kannst du doch nicht nein sagen! Sag mir, warum willst du nicht, Romeo?«

»Ähh... weil ...«

Calogero schnappte mich am Arm und zog mich zwischen sich und Molli. Ich war perplex.

»Ja ..., weil mein bester Freund hier ganz doll in dich verknallt ist und dich unbedingt küssen will. Ciao!«

Dann rannte er, ohne ein weiteres Wort zu sprechen, mit Lichtgeschwindigkeit der Enterprise aus unserem Hof. Ich war echt sauer. Damit hatte ich nicht gerechnet. Mein bester Freund ließ mich einfach so mit diesem Kussmonster alleine stehen und rettete seine eigene Haut. Immerhin war Kalvin noch an meiner Seite. Bevor ich auch nur ein Wort sagen konnte, packte Molli mich am Kragen und streckte mir ihre vollgesabberten Lippen entgegen.

Molli:
»Dann wirst DU mich jetzt halt küssen, hihihi.«

Da Calogero jetzt weg war, musste ich wohl herhalten. Ein lauwarmer Hauch von Leberwurst wehte mir dabei in die Nasenlöcher. Plötzlich, bevor sie mich mit ihren Lippen berührte, kam mir eine erlösende Idee in den Sinn. Eine, die meinen besten Kumpel sicher verärgert hätte, doch er hatte mich verraten und im Stich gelassen. Mit Händen und Füßen erklärte ich Molli in allerletzter Sekunde, dass mein Kumpel nur deshalb abgehauen sei, weil er noch nie ein Mädchen geküsst hatte und sich schämen würde. In Wahrheit sei er auch ganz schrecklich in Molli verliebt. So dumm und liebestrunken sie war, kaufte sie mir die Geschichte voll ab. Ihr mit Rügenwalder verpesteter Mund nahm wieder Abstand und ich konnte durchatmen.

Molli:
»Wirklich? Warum ist er dann einfach abgehauen?«

Manuel:
»Ähhh... ja ... habe ich doch gesagt. Er traut sich nicht. Ich soll dir aber einen Liebesbrief von ihm geben.«

Molli:
»Ein Liebesbrief? Gib ihn mir! SOFORT!«

Diese Molli hinterfragte wirklich nichts. Sie hatte Calogero nur ein paar Minuten lang gesehen, wie konnte mein Kumpel dann einen Brief an sie geschrieben haben? Nun ja, mir war es egal, Hauptsache, mein Plan ging auf und sie würde uns in Ruhe lassen. Zusätzlich konnte ich mich an meinem besten Freund für seine „Loyalität" rächen. Zwei Fliegen mit einer Klappe.

Manuel:
»Jaa ... der Brief ist in meinem Zimmer. Mein Bruder und ich gehen ihn schnell holen!«

Wie ein treuer Köter wartete Molli vor unserem Haus, während wir beide schnell hineingingen. In unserem Zimmer angekommen schnappte ich mir sofort den erstbesten Filzstift und ein brauchbares Stück Papier. Mit einer extrem krakeligen Schrift verfasste ich dann im Namen von Calogero einen sehr romantischen Liebesbrief. Kalvin malte zum Schluss mehrere verkrüppelte Herzen um den Text herum und et voilà, der Brief wurde zu einem kleinen Meisterwerk.

Liebe Molli
Mein Name ist Calogero und ich bin sooo sehr in dich verliebt. Ich will dich heiraten und immer mit dir zusamen sein. Bitte komm mich besuchen. Mein Freund zeigt dir wo ich wohne. Ich habe eine Überaschung für dich!

In Liebe
dein Romeo Calogero

Molli bekam Schnappatmung, als sie den Brief zu Ende gelesen hatte. Sie glaubte jedes einzelne Wort. Alleine an der Kinderschrift und anhand der Rechtschreibfehler hätte sie eigentlich merken müssen, dass er nicht von ihrem Romeo stammte, doch wie gesagt, sie war keine Leuchte und blind vor Liebe. Dann zeigten wir ihr im Anschluss noch, wo Calogero wohnte und wo genau sie klingeln musste. Kalvin und ich taten es meinem besten Freund gleich und verschwanden schleunigst von der Bildfläche. Wieder zu Hause angekommen, setzten wir uns vor die Glotze und schauten ein wenig *Vampy* auf RTL 2.

Ungefähr eine halbe Stunde später klingelte es an unserer Tür. Aus Angst vor Molli schauten Kalvin und ich ganz vorsichtig vom Küchenfenster aus auf den Hof. Da stand sie, doch sie war nicht alleine. In Ihren Armen hielt sie ganz fest meinen besten Freund. Irgendwie sah er dabei sehr mitleiderregend aus. Eigentlich wollte ich wegen seiner Flucht das Fenster gar nicht erst öffnen, doch als ich ihn so sah, bekam ich ein richtig schlechtes Gewissen wegen des falschen Liebesbriefs. Kaum war das Fenster offen, schrie er uns auch schon ganz hysterisch an:

»WAAAAS HABT IHR MIR ANGETAN? IHR MIESEN VERRÄTER!«

Ich schaute ihn ungläubig an und tat so, als ob ich von alledem nichts wüsste.

Manuel:
»Was ist denn passiert?«

»Was passiert ist? Ihr beiden Penner wisst ganz genau, was passiert ist! Ihr verdammten Verräter habt in meinem Namen einen Liebesbrief für diesen Jabba hier geschrieben! Woher wusste sie sonst, wo ich wohne? Minchia, ihr seid wie Police Academy 7. Richtig scheiße!«

Molli:
»Oh, mein geliebter Romeo! Ich heiße Molli, das weißt du doch, mein Schnucki. Wie kannst du meinen wunderschönen Namen bloß vergessen?«

»Als ich vorhin abgehauen bin, war ich noch kurz bei Rudi, mir eine Capri-Sonne kaufen, dann bin ich nach Hause und auf einmal sitzt dieses schwabbelige Wesen vor meiner Tür im Treppenhaus. Die wollte mich gar nicht mehr in meine Wohnung lassen! Warum habt ihr diesem Elefantenküken verraten, wo ich wohne? Jetzt bekomme ich die nie wieder los! Wenn ich Lust auf eine fette nervige Freundin gehabt hätte, dann hätte ich A Boy and his Blob gezockt!«

Molli:
»Oh Romeo, ich werde immer bei dir bleiben. Egal wo du auch hingehst, ich werde dir folgen. Egal was passiert, nur du und ich, für immer und ewig!«

»Ja, ja, ich und du, Müllers Kuh. Schaut nur, was ihr angerichtet habt! Ich habe sie angefurzt, angerülpst und beleidigt, aber es bringt alles nichts. Sie verliebt sich immer mehr in mich!«

Molli:
»Oh, Geliebter! Deine Fürze riechen nach Zuckerwatte. Ich liiiiebe Zuckerwatte, mmmm.«

Selten hatte ich solch eine Verzweiflung bei meinem Kumpel gesehen. Eigentlich wollte ich ihm nur eins auswischen, doch ich hatte keine Ahnung, welch Monster ich dabei erschaffen hatte. Nachdem Calogero mich dann mehrere Male angebettelt hatte, ihm zu helfen, ging ich schließlich mit Kalvin wieder nach draußen. Vorher packte ich all unsere letzten Süßigkeiten in eine kleine Plastiktüte. Irgendwie musste es uns doch gelingen, diese Kuh vom Eis zu holen. Mit den Süßigkeiten wollte ich meinen besten Freund freikaufen, doch so einfach ließ sich Molli nicht überreden. Sie bestand darauf, endlich ihren Kuss von Calogero zu bekommen, aber da spielte er unter keinen Umständen mit. Dann tauchte plötzlich mit Pepino ein kleiner Silberstreifen am Horizont auf. Er und sein Vater kamen gerade vom Fußballtraining zurück. Erst begrüßte er uns, doch dann, als er Molli sah, suchte er schnell das Weite und sprintete in einem Affentempo ins Treppenhaus. Calogero bemerkte, wie Molli Pepino dabei genauestens beobachtete.

»Äh, Molli, ich habe gehört, dass du mal in Pepino verliebt warst. Stimmt das?«

Molli:
»Ja, das stimmt, mein Romeo. Pepino war meine erste große Liebe. Aber er liebt nur seinen doofen Fußball. Außerdem habe ich ja jetzt endlich meinen richtigen Traumprinzen gefunden! Dich, mein süßes Diddl-Mäuschen, hihi.«

»Aber Molli, der Pepino ist doch viel schöner und dünner als ich! Und stärker als ich ist er auch! Immer, wenn wir uns geprügelt haben, habe ich verloren. Pepino ist der stärkste Junge hier in der ganzen Nachbarschaft, da kannst du jeden fragen, und so ein tolles Mädchen wie du, Molli, braucht einen starken Krieger an ihrer Seite. Ich bin leider voll der Angsthase und Waschlappen.«

Molli:
»Da hast du Recht, Schnucki, Pepino ist schön und stark, aber er hat mir noch nie einen schönen Liebesbrief geschrieben. So wie du!«

In Calogeros Schädel ging eine Lampe auf. Sofort flüsterte er mir ins Ohr, ich solle ihm doch schnell unseren Wohnungsschlüssel geben.

»Ähm, Molli, ich muss ganz dringend kacken. Ich gehe kurz bei Manuel aufs Klo und bin dann auch gleich wieder bei dir. Manuel und Kalvin warten so lange hier mit dir, in Ordnung?«

Molli:
»Okay, aber bitte beeile dich, mein Prinz. Ohne dich kann ich nicht leben! Außerdem bekomme ich noch einen Kuss von dir!«

Ganze zehn Minuten lang mussten wir dann Mollis Liebesgeschwafel ertragen, ehe Calogero zurückkam. Ohne dass Molli es bemerkte, schob er mir einen zusammengefalteten Zettel zu. Hinterher murmelte er, dass ich bei den Priems klingeln sollte, um in Pepinos Treppenhaus zu kommen. Im obersten Stockwerk müsste ich dann auf sein Zeichen warten. Sobald ich sein Pfeifen hören würde, sollte ich den Brief aus dem obersten Treppenhausfenster hinunter auf den Hof werfen. Das klang nicht schwer. Im Anschluss lenkte Calogero Molli ab, indem er ihr versprach, sie gleich küssen zu wollen. Zeitgleich führte ich meinen Auftrag aus. Sie bemerkte nicht, wie ich mich langsam verzog. Sie hatte nur Augen für meinen Kumpel. Ich klingelte bei den Priems, sie öffneten mir die Tür und so gelangte ich, wie geplant, in das Treppenhaus. Oben angekommen erklärte ich erst einmal Rudolf, warum ich überhaupt bei ihnen geklingelt hatte. Dabei lachte er sich kaputt. Auch er kannte die nervige Molli und wünschte uns viel Glück, sie loszuwerden. Dann wartete ich gespannt auf Calogeros Zeichen. Sein schriller Pfiff von unten war kaum zu überhören. Ich schnibbelte gekonnt den Brief aus dem Fenster. In diesem Moment machte Calogero Molli unauffällig auf den nach unten segelnden Zettel aufmerksam:

»Oh, Molli, schau mal! Was fliegt denn da aus dem Fenster runter? Sieht aus wie ein Brief!«

Mollis Neugier war geweckt. Sie hob ihn auf und siehe da, ihr Name stand mit Herzen darauf geschrieben.

Molli:
»Oh, ich glaube, der ist für mich. Von wem der wohl ist?«

»Soll ich ihn für dich vorlesen, meine Liebste?«

Molli:
»Ja, bitte, mein Liebster!«

»Meine angebetete und geliebte Molli. Als ich dich eben im Hof gesehen habe, ist mein Herz wieder in Flammen aufgegangen und ich habe mich unsterblich in dich verliebt. Leider habe ich gesehen, dass du jetzt mit dem schwachen und hässlichen Calogero zusammen bist. Das hat mich wirklich sehr traurig gemacht. Bitte verlasse diesen dummen Jungen und komm zu mir zurück!«

Mit jedem Satz mehr, den Calogero vorlas, wuchs Mollis Grinsen.

»Wir zwei sind füreinander bestimmt. Ich warte oben in meinem Zimmer auf dich und träume davon, dich bald knutschen zu dürfen. Ich liebe dich mehr als jeden Fußball dieser Welt. Bitte beeile dich! Dein dich immer liebender Pepino ... Oh, mein Gott! Dieser verdammte Pepino! Deswegen hat er dich vorhin so angesehen! Jetzt verstehe ich!«

Molli:
»Oh, geliebter Romeo, ich muss dir etwas sagen.«

»Und was?«

Molli:
»Es ist aus mit uns! Ich muss dich leider verlassen! Ich kann es leider nicht ändern. Es ist meine Bestimmung.«

Calogeros Rechnung schien aufzugehen, was ihn natürlich sehr erleichterte. Vor Molli jedoch spielte er noch kurz oskarreif den Romeo mit gebrochenem Herzen.

»Oh, nein! Das kannst du mir doch nicht antun, Amore mio! Warum, Liebste? WARUM?«

Molli:
»Bitte verzeihe mir, aber Pepino ist die Liebe meines Lebens! Wir sind einfach füreinander bestimmt.«

»Ok, du hast Recht. Pepino ist der perfekte Traumprinz. Ich bin raus!«

Molli:
»Sei bitte nicht traurig, Romeo, wir können trotzdem Freunde bleiben.«

»Jaja, wir bleiben Freunde ... sag mal, hörst du das? War das gerade Pepino? Ich glaube, er hat dich gerade von oben gerufen, Molli.«

Molli:
»Wirklich? Oh, dann muss ich jetzt schnell weg. Tschüss!«

Molli rannte, ohne eine weitere Sekunde zu verlieren, schnurstracks ins Treppenhaus und ließ uns eiskalt links liegen. Mein bester Freund zwinkerte mir zu und tanzte vor meinem Bruder den Boogie. Endlich konnten wir wieder befreit aufatmen und das tun, was wir am liebsten taten. Uns in aller Ruhe Cartoons auf RTL 2 reinziehen. Kurz bevor wir zurück in unsere Wohnung gingen, konnten wir einen lauten und furchterregenden Schrei aus Pepinos Treppenhaus hören. Mein Kumpel schaute mich an und grinste dreckig.

»Mr. Lover Lover, mmm, Mr. Lover Lover, muhahahaha!«

KAPITEL 23

OKTOBER 95

DM 3,50

SCHEUßLICH BESTE FREUNDE

IN

DAS TURNIER

Keiner kann sie bremsen, keiner macht ihnen was vor ...

KAPITEL 23

Das Turnier

(Oktober 1995)

Gespannt warteten mein Bruder und ich Anfang Oktober 1995 im Hof auf Calogero, der sich gerade die vierte Ausgabe der Batman Adventures kaufte. Keine Comicreihe hatte ihn seit den Turtles so sehr in ihren Bann gezogen. Bis Oktober hatte er kein einziges Heft verpasst. Üblicherweise kam er, nachdem er das aktuellste Heft am Kiosk eingesackt hatte, dann zu uns und las meinem Bruder und mir die spannenden Geschichten vor. Doch diesmal hatte etwas anderes sein Interesse geweckt. Kurz bevor er zum Kiosk schlenderte, sah er die Werbung einer neuen Zeichentrickserie auf RTL 2, die er zufälligerweise schon aus Italien kannte. Als er dann bei uns ankam, musste er uns natürlich gleich davon berichten:

»Manuel, ab nächster Woche läuft auf RTL 2 eine meiner liebsten Zeichentrickserien. Die tollen Fußballstars. Das ist der absolute Hammer und tausend Mal besser als diese bekackten Kickers! Ich habe die Serie schon vor ein paar Jahren in Italien bei meinen Cousins gesehen.«

Manuel:
»Cool! Und was passiert da so?«

»Also, pass auf. Ein kleiner japanischer Junge namens Tsubasa Ozora zieht mit seiner Familie in eine neue Stadt, die Nankatsu heißt. Der Fußball ist sein bester Freund. In dieser neuen Stadt wird er dann ein Fußballstar, aber er hat es am Anfang nicht leicht. Es gibt außer ihm noch andere richtig gute Spieler. Er muss sich einem heißen Kampf mit dem Startorwart Genzo Wakabayashi stellen. Tsubasas Trainer ist ein Straßenpenner aus Brasilien namens Roberto. In Italien heißt die Serie Holly & Benji. Bin so gespannt, wie es auf Deutsch sein wird, aber ich bin sicher, du wirst es lieben!«

Er hatte nicht zu viel versprochen. Die Serie wurde hierzulande schnell ein Hit. Die sympathischen Charaktere, die fesselnde Handlung verknüpft mit den spannenden Fußballmatches waren der Grund, weshalb Millionen Kinder auf der ganzen Welt seit Anbeginn der Serie im Jahre 1983 durchdrehten. Ganze zwölf Jahre später war endlich Deutschland an der Reihe. Jeder kleine Junge damals im Jahre 95 kannte den Namen Tsubasa Ozora. Wirklich jeder! Wir vergötterten diesen kleinen, immer freundlichen und ehrgeizigen Jungen und verpassten keine einzige Folge. Zur Sendezeit der Serie waren absolut keine Kinder auf der Straße. Jungs zumindest. Ich kannte sogar Mädchen, die darauf standen und deswegen vormittags vor dem Fernseher saßen. Calogero versuchte, sooft es ging, die Folgen auf Video aufzunehmen. Immer nachdem wir die neueste Folge zu Ende geschaut hatten, gingen wir mit stolzgeschwellter Brust in den Park gegenüber unserem Haus und kickten mit einem meiner Lederbälle herum.

Wir waren nicht die Einzigen, die nach der neuesten Tsubasa-Episode Bock auf ein Fußballspiel hatten. Zig Kinder versammelten sich ebenfalls dort im Park zum Kicken. Inmitten der rasigen Parkfläche befand sich ein steiniger Weg. An diesem entlang standen im Abstand von ein paar Metern mehrere Parkbänke, welche beim Spielen gewaltig störten. Außerdem saßen auf ihnen mittags meist irgendwelche Säufer, Straßenpenner oder Jugendliche herum. Auf der Wiese waren überall zahlreiche Hundehaufen verstreut, da jeder Hundebesitzer der Nachbarschaft diesen Platz für die Notdurft seines vierbeinigen Freundes auserwählte. Zudem war die Parkanlage damals sehr verdreckt. Unsere Eltern hatten eigentlich etwas dagegen, uns dort spielen zu lassen, aber wir konnten uns meistens dann doch durchsetzen. Darüber hinaus war in unserem Hof das Fußballspielen, wegen der dort parkenden Autos, schon lange verboten worden.

Der Park war seitlich, zu der benachbarten Schule und Turnhalle, mit breiten Metallgitterzäunen abgetrennt. Da es keine Tore gab, benutzten wir eben diese Zäune als Tore, indem wir kleine Papierfetzen an ihnen befestigten, um so die Pfosten zu markieren. Das führte oft zu minutenlangen Diskussionen, da man nie ganz genau erkennen konnte, ob der Ball den „Pfosten" berührt hatte oder ob es doch ein gültiges Tor war.

Einer der im Park anwesenden Straßenpenner wollte gelegentlich bei uns mitspielen. Sein Name war Günther, doch die meisten nannten ihn einfach nur Günni. Er war um die Mitte 40, klein, hager und trug einen verfilzten Vokuhila und einen zerzausten Vollbart. Der nach Bier und Scheiße stinkende olivgrüne Oldschool-Bundeswehrparka, den er immer trug, war seine zweite Haut. Ich schoss einmal aus Versehen meinen Ball auf einen Baum des Parks. Der Ball steckte dann in ungefähr vier Meter Höhe zwischen den Ästen der Baumkrone. Unmöglich hätte ich ihn alleine ohne fremde Hilfe herunterholen können. Günni beobachtete das Geschehen und bot gegen einen Obolus von zwei Mark seine Dienste an. Die

Höhe, so sagte er, stelle für ihn kein Hindernis dar, da er ja schließlich ein voll ausgebildeter Soldat der Bundeswehr sei. Genau hinter dem Baum war ein Zaun mit Metallstacheln auf der oberen Kante. Günni kletterte hoch und wankte, kletterte weiter hoch, wankte immer mehr, bis er schließlich den Ball berühren konnte. Anschließend sah er überheblich auf uns herab. Während er versuchte, uns etwas zuzurufen, rutschte er plötzlich aus und schlug brechend hart vor uns auf dem erdigen Boden auf. Er hatte dabei wirklich großes Glück. Zum einen hatte er sich bis auf ein paar Prellungen nicht weiter verletzt und zum anderen verfehlte er nur knapp, um wenige Zentimeter, den Zaun mit den Stacheln. Wie sagt man doch so schön, Besoffene und Babys haben Schutzengel. Bei seinem Sturz hatte er glücklicherweise noch meinen Ball festgehalten. Zum Mitspielen aber war Günni an diesem Tag dann doch viel zu kaputt.

Einige aufregende Spiele und Tage später reichte uns der Park nicht mehr. Wir wollten auf richtige Tore schießen. Wo gab es einen halbwegs anständigen Platz in der Nähe? Auf dem Spielplatz, der wie erwähnt von allen nur Weiher genannt wurde, gab es eine kleine separate Fußballarena. Neben den Rutschen und Sandkästen führte ein kleiner Weg zu ihr hin. Die Arena war mit einem hohen Metallgitter umschlossen, damit der Ball nicht auf die danebengelegene Hauptstraße fliegen konnte. Ab und zu geschah es aber trotzdem. Um das Spielfeld herum befanden sich mehrere schräg gestapelte Gummireifen, auf denen man wie auf einer Zuschauertribüne Platz nehmen konnte. Früher als Kind kam mir die Arena riesig vor, heute überrascht es mich immer wieder, wie klein sie doch in Wirklichkeit ist.

Die Arena war einer der meistbesuchten Orte unserer Gegend. Viele harte Partien wurden dort ausgetragen. Man musste wirklich eine zähe Truppe zusammenstellen, wenn man dort antreten wollte, denn es wurde ein Fußball der etwas härteren Gangart gespielt. Ein Seitenaus gab es nicht, es wurde mit Bande gekickt. Straßenfußball mit Straßenregeln. Fünf gegen Fünf. Keine Gnade, wie im Kolosseum des alten Roms. Calogero hatte eine Vision. Wie bei unserer Lieblingsserie wollte er mit einer eigenen Fußballmannschaft gegen andere Teams antreten und Erfolge feiern. Ganz besonders die Weihermeisterschaft wollte er gewinnen.

Vier Jahre zuvor, also 1991, hatte in der Arena die letzte Weihermeisterschaft stattgefunden. Sie war von Calogeros Hausmeister Karl-Heinz und ein paar ehemaligen lokalen Vereinstrainern ins Leben gerufen worden, die sich täglich mehrere vitalisierende Getränke am Kiosk des Weihers genehmigten.

Irgendwann Mitte 87 war einer der Männer, wegen seines immer noch großen Hasses auf das WM-Finale 1986, auf die Idee gekommen, eine eigene Meisterschaft ins Leben zu rufen. Kurzerhand war die Weihermeisterschaft geboren. An diesem Turnier durften insgesamt zwölf Teams teilnehmen. Es gab vier Gruppen, je drei Mannschaften, wobei nur jeder Gruppenerste in die K.-o.-Runde einzog. Jede Partie dauerte zwanzig Minuten, zehn Minuten pro Halbzeit. Der eigens für das Turnier angefertigte Pokal war eine Augenweide. Eine vergoldete Skulptur aus vier Engeln, die gemeinsam einen aufwendig verzierten Fußball hochhielten. Sagenhaft.

Damals, 1991, war ich ja noch zu klein gewesen, um alleine zum Spielplatz zu gehen, und ohnehin war ich zu diesem Zeitpunkt noch viel zu schlecht, um an diesem Turnier teilzunehmen, jedoch nicht mein bester Freund. Laut seinen epischen Erzählungen hatte er damals bis aufs Blut gekämpft. Leider hatte sein Team jedes Spiel verloren. Pepino war einer der Hauptgründe gewesen, weshalb die Mannschaft es immer wieder verkackt hatte. Seine nichtsnutzige, egoistische Spielweise brachte sie durcheinander, sodass der Untergang, trotz Calogeros unerbittlichen Einsatzes, unausweichlich geblieben war. Diese Story schilderte mir Calogero mit leicht glasigen Augen. Man sah deutlich, dass dieses Ereignis ihn tief berührte. Er wollte unbedingt diese Meisterschaft gewinnen, erst recht, weil sein Heimatland 1990 den WM-Titel vergeigt hatte. Gleiches war ja 1994 passiert. Roberto Baggios Fehlschuss konnte er seitdem nie wieder vergessen. Wie die WM fand die Weihermeisterschaft alle vier Jahre statt.

»Dieses Jahr ist es wieder soweit und diesmal werde ich das Ding gewinnen! Ich stelle eine Mannschaft zusammen, die alles wegfegt. Wir werden wie der FC Nankatsu aus dem Nichts von ganz unten nach ganz oben kommen, so wahr ich Calogero heiße!«

Sofort konnte er mich für seine Vision begeistern. Ich selbst spielte und trainierte seit 1992 regelmäßig bei einem kleinen bescheidenen Verein unserer Stadt und wusste daher genau, dass es für uns verdammt schwer werden würde. Das stand fest. Es gab auf dem Weiher-Bolzplatz sehr viele gute Teams, die sich aus verschiedenen deutschen und ausländischen Kindern der gesamten Nachbarschaft zusammensetzten. Das Alter spielte dabei keine große Rolle. Nur das Können. Das hatte Calogero definitiv, und das, obwohl er im Gegensatz zu den anderen Kindern ein paar Kilos mehr auf den Rippen trug und nie in einem Verein gespielt hatte. Ich bin sicher, wenn er sich damals intensiver damit befasst hätte, wäre aus ihm ein super Profispieler geworden. Leider zockte er viel zu viele Videospiele und auch seine Eltern hatten sich nie besonders für seine Vorliebe zum runden Leder interessiert. Meist spielte Calogero im Sturm, doch außer dieser Position konnte er sogar die Torwartrolle übernehmen. Er war wirklich vielseitig einsetzbar. Sehr oft wurde Calogero sogar für die Torwartposition seiner Schulmannschaft nominiert, da seine Kameraden wussten, dass er ein ausgezeichneter Elfmeter-Killer war.

Neben Tsubasa, der netten und lieben Hauptfigur, und dem grandiosen Torwart Genzo Wakabayashi gab es eine weitere charismatische Hauptfigur bei den tollen Fußballstars. Kojiro Hyuga. Er war ein Junge aus dem rivalisierenden Team, der Tsubasas Erzfeind darstellte. Sein Charakter war eher von ruppiger Natur. Die Ärmel seines lilafarbenen Trikots waren immer abgerissen. Hyuga stammte aus der Unterschicht. Als Zweitklässler verlor er seinen Vater bei einem Autounfall, sodass er schon in jungen Jahren dazu gezwungen war arbeiten zu gehen und seine Mutter und seine jüngeren Geschwister zu ernähren. Der Fußball war seine einzige große Chance auf eine bessere Zukunft. Calogero liebte Tsubasa und Genzo, Hyuga aber war sein Held und absolute Lieblingsfigur.

In der Serie hatte fast jede Figur eine spezielle Schusstechnik. Hyuga trainierte seinen speziellen „Tigerschuss“ am Strand, indem er mehrere Fußbälle immer wieder gegen die gewaltig anrauschenden Wellen des Meeres schoss und diese dabei zerfetzte. Bevor Hyuga den Tigerschuss vollzog, holte er mit dem rechten Bein mächtig aus und hielt für einen Moment diese Stellung, bevor er letztlich den Schuss vollstreckte.

Genau in dieser Pose trainierte Calogero seine Schusstechnik. Die Ärmel seines T-Shirts waren dabei immer umgekrempelt, da er sonst eine mächtige Tracht Prügel hätte einstecken müssen, wenn er sie einfach wie Hyuga abgerissen hätte. Entlang unserer Hausfassade gab es mehrere Kellerfenster, die von außen mit massiven Gittern geschützt waren. An diesen feilte Calogero oft an seiner Technik. Das rechte Bein in der Luft, Spannung im Oberschenkel und seinen Blick konzentriert auf eines der Gitter gerichtet. Schuss! Der Ball verformte sich zu einer Ellipse und flog mit enormer Kraft und Geschwindigkeit gegen die Gitter und die dahinter liegenden Fensterscheiben. Ein lautes Klirren ertönte. Calogero hatte es tatsächlich geschafft, eines der Fenster zu zerstören, obwohl die schützenden Metallgitter davor waren. Die starken Gitter jedoch hatten komischerweise keinen Schaden genommen. Keine Beule, keine Kratzer, nichts. Unglaublich! Ich selbst spielte ja, wie schon erwähnt, in einem Verein und hatte bis dahin eine Menge heftiger Schüsse gesehen, aber so einen noch nie.

Das Training hatte schon nach einigen Tagen die erhoffte Wirkung erzielt. Er war soweit, dachte er sich, doch außer mir waren immer noch keine Mitspieler da. Zuallererst dachte er an Falih, doch der hatte sich leider beim Sportunterricht das rechte Knie verdreht und durfte deshalb für einige Wochen keinen Sport machen. Pepino kam sowieso nicht in Frage. So ging mein bester Kumpel zur Weiherarena, um passende Teammitglieder zu scouten. In ein paar Wochen sollte endlich das Turnier stattfinden. Die Zeit wurde knapp. Auf dem Weg zum Weiher traf Calogero Laky und Can. Er wusste, dass beide gerne Fußball spielten und dass beide sich dieses Jahr noch keiner Mannschaft für die Meisterschaft angeschlossen hatten, so dauerte es nicht lange, bis er die beiden für unser Team gewinnen konnte.

Can war wie ich zwar kein Großer, dafür im Tor aber eine wahre Mauer. Auch gegen körperlich überlegene Gegner konnte er sich klasse durchsetzen. Laky hingegen war eher der Trickser am Ball. Wie Pelé wollte er mit dem Ball Samba tanzen. Ganz so gut wie seinem Vorbild gelang es ihm jedoch nie, aber für unsere Mannschaft reichte es. Unserem Captain fehlte somit nur noch ein weiterer Spieler, ehe er die Teilnahmebescheinigung bei seinem Hausmeister abgeben konnte.

Auf dem Spielplatz bemerkte er einen großen, dünnen dunkelhäutigen Jungen, der ganz alleine in der Ecke des Bolzplatzes saß und einen alten verranzten Lederball in den Händen hielt. Traurig schaute er den anderen Kindern beim Fußballspielen zu. Keiner beachtete ihn. Can erklärte Calogero, dass seine schielenden Augen der Grund dafür seien. Viele der Kinder behaupteten, dass der Junge, der übrigens Jerry hieß und ursprünglich aus Kenia kam, wegen seiner Augen den Ball nicht richtig sehen könne. Davon wollte sich mein Kumpel selbst ein Bild machen und sprach ihn an. Irgendetwas sagte ihm, dass der Junge das Zeug dazu hatte, in seiner Mannschaft spielen zu können. Jerry freute sich wie ein Honigkuchenpferd, da sich nun endlich jemand für ihn interessierte. Mit der Entdeckung Jerrys hatte Calogero ein glückliches Händchen bewiesen. Während er seine Fähigkeiten testete, stellte sich heraus, dass Jerry exzellente Kopfbälle vollstrecken konnte. Eine Fähigkeit, die für das Turnier absolut vonnöten sein würde. Auch seine Körpergröße war im wahrsten Sinne des Wortes ein Riesenvorteil. Ein weiteres Plus war, dass Jerry wie Can und Laky in unserer Nachbarschaft wohnte und fast jeden Tag Zeit zum Trainieren hatte. Als Jerry davon erfuhr, dass Calogero ihn in seinem Team für die Weihermeisterschaft haben wollte, fiel er ihm in die Arme und bedankte sich so, als hätte mein bester Freund ihm das Leben gerettet. Dann fing er an, vor lauter Freude wild zu tanzen und zu singen. Er steckte uns alle mit seiner wunderbaren Laune an. Jerry war echt ein prima Kerl.

Wir konnten es kaum erwarten, mit dem Training zu beginnen, doch uns fehlte immer noch ein Mitspieler. Wir waren zwar schon zu fünft, doch Calogero wollte unbedingt noch einen Ersatzspieler haben. Dabei hatte Jerry eine passende Lösung für unser Problem: Im Mehrfamilienhaus, in dem er wohnte, war vor Kurzem ein deutsches Ehepaar eingezogen. Ihr Sohn spielte in der alten Stadt bereits für einen hochklassigen Fußballverein. Der Junge hieß Patrick, war fast ein Jahr jünger als Calogero und hatte einen kleinen Sprachfehler. Laut Jerry konnte es schon einmal vorkommen, dass Patrick während einer Unterhaltung stotterte. Für uns war das absolut kein Problem. Hellbraune Haare, auffällig kleiner Kopf, leichte Segelohren, dünne Stockbeine. Patricks Erscheinungsbild war sehr unscheinbar, doch auf dem Spielfeld wurde er zu einem wilden Tier. Er war außerdem ein wirklich freundlicher Kerl und sehr talentiert. Noch am gleichen Tag stellte Jerry ihm Calogero vor und sie freundeten sich sofort an.

Nun hatte mein Kumpel eine echt tolle Truppe zusammengestellt. Die Anmeldung zum Turnier gab er schnell bei seinem Hausmeister ab und das Training konnte endlich beginnen.

An fast jedem darauffolgenden Nachmittag dirigierte uns Calogero wie ein besessener Feldherr nach seinen Vorstellungen von Taktik über die vollgeschissene Parkwiese. Dabei wurde er von seinem Co-Trainer Falih kräftig unterstützt. Unser Captain wollte uns unter Extrembedingungen an unsere Grenzen treiben. Stunden um Stunden feilten wir an unserer Pass- und Schusstechnik und rannten wie die Bekloppten um den Häuserblock. Immer wieder angetrieben von Calogeros alles übertönenden und heroisch anmutenden Gesang. Beim Singen wurde er kräftig von meinem kleinen Bruder supportet.

»Keiner kann uns bremsen, keiner macht uns was vor. Immer der richtige Schuss, immer zur richtigen Zeit! Superfußball!«

Wir:
»Superfußball!«

»Fairer Fußball!«

Wir:
»Fairer Fußball!«

Kalvin:
»Callo ist unser Torschützenkönig und Held!«

Eine Woche vor der Weihermeisterschaft war unser Team schon richtig gut eingespielt. Der sizilianische Taktgeber schaffte es, uns zu einer gut funktionierenden

Mannschaft zu formen. Sein Grinsen und das strahlende Leuchten in seinen Augen zeigten deutlich, dass er zufrieden, vor allem aber auch überzeugt und hungrig genug war, diesen Pokal zu gewinnen. Sein Siegeswille übertrug sich auf all unsere Mitspieler. Jedem von uns stand nun der Wille zu siegen buchstäblich ins Gesicht geschrieben. Alles verlief nach seinem Plan.

»Jungs, ich bin so stolz auf euch! Jeder von uns hat sich in den letzten Tagen noch einmal richtig gesteigert. Ich denke wirklich, dass wir das Zeug haben, dort gewaltig aufzuräumen. Vor lauter Training haben wir aber in der Zwischenzeit etwas ganz Wichtiges vergessen. Wir haben noch keinen Mannschaftsnamen. Ich habe mir da was Passendes überlegt. Ihr werdet staunen! Da unser Team dieses Jahr bei der Weihermeisterschaft eine Premiere feiert und keiner mit uns rechnet, sind wir die Cani Randagi! Die Straßenköter.«

Wir jubelten und klatschten. Jeder von uns war ganz Calogeros Meinung. Cani Randagi. Das klang spitze! Doch er überraschte uns nicht nur mit diesem tollen Teamnamen, nein, er hatte noch eine ganz andere Überraschung auf Lager. Aus einem Pappkarton, den er bei sich trug, zückte er sechs hellblaue Trikots hervor. Zu jedem Trikot gab es eine weiße kurze Hose und hellblaue Stutzen dazu.

»Der Karl-Heinz hat mir die hier für's Turnier geliehen. Der Hammer, oder? Jetzt sind wir eine richtige Mannschaft. In den letzten fünf Tagen müssen wir noch mal ordentlich Gas geben, hört ihr?«

Es lag etwas in der Luft. Ein Duft, der verriet, dass etwas Besonderes passieren würde. Keiner von uns konnte es abwarten, endlich das Trikot überzustreifen und das Antrainierte in die Tat umzusetzen. Wir brannten!

Plötzlich, ein Tag vor der Meisterschaft, der große Schock. Beim „Wer hat Angst vorm schwarzen Mann"-Spiel im Sportunterricht rannte ich übermotiviert durch die Halle und knickte dabei mit dem linken Knöchel um. Ich wusste sofort, das war's! So sehr hatte ich mir gewünscht, mit den Jungs gemeinsam für den Pokal zu kämpfen, doch das Schicksal machte mir einen gewaltigen Strich durch die Rechnung. Das konnte doch nicht wahr sein! Warum musste ich Idiot es so übertreiben? Ich hatte mich maßlos überschätzt und das war nun die Quittung dafür. Auch Calogero war richtig davon betroffen. Vor dem Training besuchte er mich zu Hause und brachte mir trotzdem mein Trikot vorbei. Ich musste mich zwar geschlagen geben, doch würde ich während des Anfeuerns trotzdem mit Stolz unser Trikot tragen. Ich wusste, wie viel der Pokal meinem besten Freund bedeutete, deshalb versuchte ich, entgegen meiner Trauer, ihm Mut zu machen:

Manuel:
»Ist richtig doof gelaufen. Ich wünschte, ich könnte mitspielen, aber du brauchst dir keine Sorgen machen. Unsere Mannschaft ist bärenstark!«

»Das schon, aber ich hätte dich so gern dabei gehabt. Jetzt müssen wir höllisch aufpassen, dass sich keiner von uns während des Turniers verletzt. Das wäre echt übel!«

Manuel:
»Mach dir keine Gedanken! Ihr packt das schon!«

Etwas missmutig verließ Calogero unsere Wohnung und schlenderte noch einmal ganz alleine zum Spielplatz. Er wollte in aller Ruhe die Atmosphäre der Arena in sich aufnehmen. Es schien so, als würde er meditieren, Kraft sammeln.

Am Tag darauf sollte es endlich soweit sein. Alle Mannschaften mussten bis spätestens 9:00 Uhr in voller Montur auf dem Weiherspielplatz angetreten sein. Karl-Heinz führte gemeinsam mit seinem Saufkumpanen Harry akribisch eine Checkliste. Währenddessen frühschoppten sie ein paar kühle Blonde.

Eine ganze Stunde vor Beginn erschien Calogero mit dem Rest der Truppe, natürlich begleitet von meiner Wenigkeit, Falih und meinem kleinen Bruder Kalvin. Die Stimmung in unseren Reihen hätte nicht besser sein können, als wir aber eintrafen und die anderen Teams sahen, machte sich plötzlich ein wenig Nervosität bei uns breit. Es waren wirklich sehr viele gute Spieler anwesend. Eins stand definitiv fest: Die Cani Randagi mussten mit ihrem ganzen Können auftrumpfen, um siegreich zu sein.

Um 9:30 Uhr loste Harry die Gruppen aus. Unser Atem stockte. Wir erwischten die zweitstärkste Gruppe. Verdammter Harry! Hätte er doch bloß vor der Losung ein paar Biere weniger oder mehr zu sich genommen. Egal. Wer sich Weihermeister nennen wollte, musste in der Lage sein, einfach jeden Gegner zu pulverisieren.

Unser Auftaktspiel fand um 10:30 Uhr statt. Bei dem ersten Gegner handelte es sich um den FC Ledernacken, dem Vizemeister der letzten Meisterschaft. Sie waren immer noch über den zweiten Platz angepisst und wollten dieses Jahr auf keinen Fall wieder kurz vor dem Ziel scheitern. Wir bekamen es gleich mit einem

Brocken zu tun. Eine Mannschaft, die sich wie folgt zusammensetzte: Markus, der Kapitän. Ein dicker blonder Panzer von einem Jungen. Er hatte eine enorme Kraft und Ausdauer. Ein Klotz in der Abwehr.

Die sich ständig streitenden Zwillinge Niels und David. Beide sehr flink und technisch stark. Ihr Vorteil: Sie verstanden sich blind. Das große Manko jedoch war, dass sie sich oft zankten und gegenseitig boxten. Sie spielten im Mittelfeld oder abwechselnd in der Abwehr.

Rotznasen-Enrico. Ein kleiner wendiger Spielertyp, dem immerzu der Rotz aus der Nase lief. Der Vorteil daran war, dass die meisten Gegenspieler sich vor seinem angerotzten Trikot ekelten und kaum den Zweikampf suchten. Der Rotz verlieh ihm einen besonders guten Torriecher. Auf ihn musste man immer gefasst sein.

Zwischen den Pfosten stand der lange Lulatsch, Ömer. Durch seine Körpergröße von über 1,80 m konnte er fast das ganze Tor abdecken. Seine Riesenhände und katzenartigen Reflexe waren gefürchtet.

Völlig losgelöst und siegessicher traten die Ledernacken uns in ihren komplett schwarzen Trikots gegenüber und machten sich mächtig über uns lustig.

»Lasst euch von diesen Memmen nicht beeindrucken! Schaut auch nicht auf die Ergebnisse der anderen. Nur unsere Spiele zählen und ich will Siege sehen! Los geht's! Zeigt diesen Spastis, wie man Fußball spielt! Cani Randagi!«,

schrie Calogero unsere Spieler an, da er das Gefühl hatte, dass sie sich durch den Auftritt der Gegner einschüchtern ließen. Seine Worte waren ein wahrer Weckruf. Schnell waren die Jungs wieder fokussiert und bei der Sache. Leider musste ich nun auf die Tribüne. Das erste Spiel sollte jetzt beginnen.

Beide Teams liefen auf dem Spielfeld ein. Viele Zuschauer waren gekommen, darunter viele Kioskfreunde und Fans der auftretenden Mannschaften. Nur wir hatten keine richtige Fanbase. Außer Falih und meinem kleinen Bruder waren nur ein paar Freunde von Laky und Can am Start.

Peter, der Schiedsrichter und Saufkumpane Harrys, rief beide Kapitäne zu sich. Markus und Calogero traten sich in der Spielfeldmitte gegenüber. Beide sahen sich mit einem zornigen und wild entschlossenen Blick an. Keiner von beiden würde je eine einzige Sekunde daran denken zu versagen. Der Schiri warf eine 2-DM-Münze in die Luft und fing sie wieder auf. Markus entschied sich für Adler, Calogero für Zahl. Peter deckte die Münze auf. Zahl! Unser Captain wählte den Anstoß, Markus entschied sich dafür, zuerst auf das Tor zu spielen, hinter dem die Fans der Ledernacken sich versammelt hatten. Hinter dem anderen Tor sammelten sich die Fans des amtierenden Meisters, der Baller Boys. Die Anhänger beider Mannschaften hassten sich wie die Pest und wir waren mittendrin. Karl-Heinz nahm im Hintergrund die Wetteinsätze entgegen, die ausschließlich gegen uns geführt wurden. Niemand außer uns selbst glaubte an unser Team.

Die Spieler verteilten sich auf dem Feld, Peter lief mit dem Ball in die Mitte, drückte seine fertig gerauchte Zigarette auf dem Boden aus und legte den Ball darauf. Patrick und Calogero liefen zum Anstoßpunkt. Parallel dazu formierten sich direkt dahinter Laky und Jerry, während Can sich selbstsicher zwischen die beiden Aluminiumpfosten stellte. Provokant lachten die Ledernacken unseren Spielern ins Gesicht, bevor Peter eine alte verrostete Pfeife hervorkramte und das Fest mit einem schrillen Pfiff einläutete. Anstoß!

Patrick passte das Leder direkt zu unserem Captain, der wiederum den Ball nach hinten an Laky weitergab. Sofort rannte die Rotznase auf Laky zu, der dann aber Rotz-Enrico mit einer gekonnten Drehung ausspielte und sich blitzartig in Richtung Tor der Ledernacken durchtankte. Patrick und Calogero rannten hurtig mit vor das Tor der Gegner. Plötzlich wirkten die Ledernacken wie versteinert. Niels und David hatten uns offensichtlich unterschätzt. Laky konnte ohne Probleme an ihnen mit dem Ball vorbeischlendern. Doch da war jetzt Markus, der sich wie die Chinesische Mauer vor Laky breitmachte. Er hatte sich im Gegensatz zu Niels und David nicht an der Nase herumführen lassen. Mit geballter Kraft versuchte er, in Lakys Beine zu grätschen, doch kurz bevor er ihn erwischte, konnte unser Sambafan den Ball an den freigespielten Calogero abgeben und zur Seite springen. Captain Calogero hatte nun Platz und Zeit. Er hob das rechte Bein und ging in die typische Hyuga-Pose. Schuss! Ein Blitz in Ömers Gesicht. Blutspritzer. Unser Captain hatte ihm mit voller Kraft ins Gesicht geschossen. Es war zwar kein Tor, aber die Ledernacken erstarrten vor Ehrfurcht. Damit hatten sie nun wirklich nicht gerechnet. Kämpferisch rief Calogero seinen Mitspielern zu:

»Der erste Schuss muss immer volle Kanne in die Fresse vom Torwart, um ihn einzuschüchtern!«

Ömer taumelte, fing sich aber nach einigen Sekunden, wischte sich die Blutstropfen von seiner Nase und stand dann auch schon wieder auf den Beinen. Was die wenigsten dabei bemerkten, der Ball befand sich noch im Spiel! Patrick versuchte, die Kugel zurückzuergattern, während David das Gleiche vorhatte. Keine Chance! Unsere Jungs standen unter Strom. Patrick konnte sich vor David den Ball schnappen und verwertete die Kugel schlagartig weiter, an den wieder frei vor dem Torwart stehenden Calogero. Schuss! Der Ball zappelte rechts unten im Netz. Ömer hatte keine Zeit zu reagieren gehabt, es ging einfach alles viel zu schnell. Durch den strammen Schuss zuvor in sein Gesicht war seine Sicht noch etwas verschwommen gewesen. Außer seiner Nase hatte sein rechtes Auge ganz schön etwas abbekommen und war schon ein wenig angeschwollen.

»JAAAAAAAAAAAAAAAAAAAAAAAAAAA!«

Mein Bruder und ich rasteten auf der Tribüne aus. Was für ein Tor! Falih machte Luftsprünge. Die Jungs rannten alle zu meinem besten Kumpel und sprangen auf ihn drauf.

»Macht keinen Scheiß! Es wird sich erst gefreut, wenn wir gewonnen haben. Es ist noch lange nicht vorbei!«

Ein breites Grinsen konnte er sich dabei dennoch nicht verkneifen. Was für ein Tor! Laute Buhrufe ertönten nun hinter unserem Torwart. Kein Problem für Can. Provozieren konnte er auch. Frech streckte er den gegnerischen Fans die Zunge heraus und zeigte ihnen seine geballten Fäuste. Markus platze vor Wut und schrie Niels und David hysterisch an:

»Das darf doch wohl nicht wahr sein! Ihr zwei Idioten lasst euch von solchen Amateuren vernaschen? Das gibt's ja wohl nicht!«

Niels:
»Das war Davids Schuld! Er hat nicht aufgepasst. Ich habe ihm noch zugerufen, dass er hinrennen soll!«

David:
»Was redest du da? Du Mistkind bist daran schuld, dass es jetzt eins zu null für die Deppen steht und der arme Ömer ein blaues Auge hat!«

Die Zwillinge gingen aufeinander los. Markus griff sofort dazwischen und schnauzte beide an:

»Haltet die Schnauze, ihr elenden Trottel! Spart euch euren Hass für diese Flaschen auf! Wenn wir das nicht drehen, dann reiß ich euch beiden den Kopf ab! Also, los jetzt!«

Die Harmonie im Team Ledernacken war dahin. Bei unserem Team hingegen schien es immer besser zu laufen. Unsere Spieler waren im Turnier angekommen und fühlten sich jetzt pudelwohl.

»Passt auf, die sind richtig sauer! Ab jetzt wird es nicht mehr so einfach!«

Anstoß. Markus ging nun mit vor und ließ sich den Ball von Rotznase zuspielen. Laky versuchte, sofort einzugreifen, doch Markus rammte ihn mit dem linken Ellenbogen brutal zur Seite. Der Schiedsrichter ließ weiterspielen. Enriko zog eine Rotzspur in unseren Strafraum und lauerte auf einen Pass von Markus. Fehlanzeige! Jerry hatte gut mitgedacht, umkurvte die Rotzspur und stellte rasch sein Bein zwischen Markus und die Kugel. Flink passte er das runde Leder nun weiter zu Patrick. Diesmal ließen sich Niels und David aber nicht lumpen und luchsten Patrick die Kugel wieder vom Fuß. David schlug nun einen weiten Ball auf Markus, der noch immer in unserem Strafraum stand. Mit voller Wucht hämmerte er den Ball mit dem Kopf auf die obere linke Ecke unseres Tors. Can konnte rechtzeitig reagieren und wehrte den Ball mit dem rechten Unterarm ab. Eine klasse Parade! Danach griff er sofort nach und hielt den Ball sicher mit beiden Händen fest.

Die Ledernacken wurden immer aggressiver. Als Jerry nach einem Pass von Can den Ball an Laky weitergeben wollte, wurde er gleich von drei Ledernacken in die Mangel genommen. Das war eindeutig ein Foul, doch Peter hatte anscheinend keine klare Sicht auf das Geschehen. Falih und ich grölten und buhten von den Zuschauerrängen. Inzwischen eroberte Enriko auf der linken Seite den Ball, rannte zur Mitte und zog voll auf unser Tor ab. Unser Keeper war erneut sofort zur Stelle, konnte die Kugel aber leider nur abprallen lassen. Auf einmal standen die Zwillinge vor Can und schossen beide gleichzeitig auf den Ball. Unhaltbar. Unser Keeper konnte nur noch hinter sich greifen. 1:1!

Die Ledernacken-Fans atmeten ein wenig auf. Unsere Jungs schauten entsetzt. Keine Zeit zu trauern, das Spiel lief weiter. Kurz nach dem Anstoß leistete sich Jerry einen fatalen Fehlpass, der uns fast den zweiten Gegentreffer bescherte, doch zum Glück pfiff Peter kurz darauf zur Halbzeitpause. Calogero merkte nun, dass die Jungs ein wenig ins Wanken gerieten. Er konnte jetzt nicht zulassen, dass sie sich hängen ließen und appellierte an sie:

»Nicht nachlassen! Die können nix! Das war nur Glück! Wir sind die Champions! Los, Jungs, keiner kann uns bremsen, keiner macht uns was vor! Immer der richtige Schuss, immer zur richtigen Zeit!«

Das Leuchten in ihren Augen war wieder da. Sie hatten immer noch alles in der Hand. Immerhin hatte unser Team mit einem Traumtor vorgelegt. Alles war möglich.

Wenig später ertönte der Anpfiff zur zweiten Halbzeit. Nachdem Niels durch einen Pass an David die zweite Hälfte eröffnete, schoben die Ledernacken sich vor ihrem Tor den Ball hin und her und wollten so unsere Jungs aus der Reserve locken. Patrick und Calogero gingen ohne Rücksicht drauf. Im Mittelfeld ereignete sich ein zäher Kampf um den Ball. Mal erkämpften sich unsere Jungs den Ball, verloren ihn aber wieder, sobald sie in Richtung Tor der Ledernacken marschierten. Das Gleiche galt für den Gegner. Sie schafften es einfach nicht, durch unsere Abwehr durchzubrechen.

Die Zeit schwand. Keines der beiden Teams wollte sich einen Fehler erlauben oder sich mit einem Unentschieden zufriedengeben. Immer wieder hörte man die Schreie beider Kapitäne, begleitet von den Buhrufen der Zuschauer.

Dann, in den letzten zwei verbleibenden Spielminuten, auf einmal eine brenzlige Situation. Enriko schubste Jerry von hinten um, woraufhin dieser zu Boden fiel. Markus, der gerade in Ballbesitz war, hatte nun freie Bahn, dem Rotzer den Ball genüsslich vorzulegen. Enriko bekam das Leder, schielte auf das obere rechte Toreck und schoss gnadenlos drauf. Bevor Can klären konnte, warf sich Calogero mit der Brust in den Ball, als wäre er ein Bodyguard, der den Präsidenten vor einer Gewehrkugel schützen wollte. Er hatte nun endgültig genug von den Ledernacken, nahm seinen ganzen Zorn zusammen und rannte unaufhaltsam mit der Kugel in Richtung des gegnerischen Tors. Dabei hinterließ er wie der Road Runner eine dichte Staubwolke hinter sich. In seinem Kopf spielte das Lied *Don't stop me now* von Queen. Nacheinander prallten die Ledernacken wie Flummis an ihm ab. Erst Enriko, dann Niels und dann David. Für einen kurzen Moment schien es so, als hätte Calogero den Stern aus *Super Mario Bros.* eingesammelt. Markus, den Megabrocken, konnte er jedoch nicht so einfach von sich abprallen lassen. Es war ein heißer Kampf zwischen den beiden Kapitänen und es kam zum Pressball. Beide drückten mit geballter Kraft ihren rechten Fuß gegen den Ball. Wer von beiden würde als Erster nachgeben? Das Ganze hatte etwas von Armdrücken, Over the Top. Aus heiterem Himmel rief mein kleiner Bruder Calogero etwas zu:

»Immer der richtige Schuss! Immer zur richtigen Zeit!«

Das hatte unser Captain jetzt gebraucht, wie Popeye seinen Spinat. Er entfesselte unfassbare Kräfte.

»AAAAAAAAAAAHHHHHHHHHHHHHHHHHHH!«

Es gab einen lauten Knall. Eine heftige Druckwelle schleuderte Markus gegen die seitliche Bande des Spielfelds und der Ball flog mit Hyperschallgeschwindigkeit auf Ömers Tor zu. Die Kugel schien sicher in Ömers Händen zu landen, flog aber dann doch noch mal eine Kurve, kurz bevor sie ihn erreichte. Das Netz hinter Ömer zappelte. Cani Randagi 2! Ledernacken 1!

Sekunden später beendete Peter das Spiel mit einem lauten Pfiff. Wildes Gejaule auf den Rängen. Wir hatten tatsächlich das Auftaktspiel gegen den haushohen Favoriten gewonnen. Grandios! Trotz des harten Kampfes zeigten sich die Ledernacken als gute Verlierer. Markus zollte Calogero aufrichtig seinen ganzen Tribut.

Markus:
»Respekt, Calogero! Ihr seid wirklich ein guter Gegner gewesen. Ich sag es nicht gerne, aber ihr habt euch den Sieg verdient. Viel Glück bei den anderen Spielen. Ihr könnt es schaffen.«

»Danke, ihr wart auch sehr gute Gegner. Wir werden unser Bestes geben!«

Im zweiten und gleichzeitig auch letzten Gruppenspiel trafen unsere Jungs auf das Team der Jogo Bonitos, das aus folgenden Spielern bestand: Der narzisstische Portugiese Paolo im Sturm, der, wenn er wollte, sehr gut spielen konnte, jedoch war er zu oft damit beschäftigt, seine Frisur zu richten und den Zuschauerinnen imponieren zu wollen. Er kam auch selten damit klar, dass andere den Ball hatten. Wenn es nach ihm ging, sollten alle Bälle nur auf ihn gespielt werden. Wie zuvor erwähnt, sehr talentiert, aber auch sehr egoistisch.

Im Mittelfeld stand 365-Tage-Bart-Christos, den man als kleines Kind schon mit einem Vollbart sah. Ich glaube, niemand außer seiner Mutter hat je das Gesicht unter diesem Bart gesehen. Er konnte jedenfalls hervorragende Pässe und Flanken schlagen.

Die Positionen in der Abwehr und im Tor übernahmen die drei türkischen Brüder Taner, Erdem und Recep. Wenn man alle drei nebeneinander stehen sah, dachte man sofort an die Daltons. Taner war der Kleinste und Recep der Größte. Alle drei formten zusammen eine starke Einheit.

Anfangs dachten die meisten von uns, dass auch dieses Team ein harter Brocken werden würde. Aber von wegen! Das Team Jogo Bonitos gab sich zwar richtig Mühe, doch der egoistische Paolo vertändelte so viele gute Chancen, dass sie gegen uns nicht ein einziges Tor schossen. Ganz anders hingegen auf unserer Seite. Insgesamt netzten unsere Jungs viermal erfolgreich ein. Zwei davon gingen auf das Torkonto unseres Kapitäns, das dritte fiel durch einen herrlichen Kopfball von Jerry und das letzte durch eine schöne Einzelaktion von Laky. Wir schwammen auf einer Welle der Euphorie. Halbfinale! Nur noch zwei Spiele mussten gewonnen werden.

Die nächste Partie war ein Kinderspiel. 2:0! Das Halbfinale gegen die Soccer Kings, die nur mit Mühe in das Halbfinale eingezogen waren, war ohne größere Probleme geschafft. Zwei wunderschöne Treffer von Patrick beschlossen also unseren Einzug ins Finale. Der Sieg war in diesem Spiel zu keinem Zeitpunkt in Gefahr.

Es war wie in einem Traum. Wer hätte gedacht, dass wir hier als Newcomer so durchmarschieren würden? Wie gerne hätte ich auch auf dem Spielfeld gestanden, aber allein die Freude in Calogeros Gesicht nach jedem Tor zu sehen, entschädigte alles.

»Endspurt, Jungs! Im Finale wartet der amtierende Champion. Die miesen Baller Boys.«

Mit den Baller Boys wartete auch der größte Brocken des Turniers auf uns. Nicht umsonst waren sie der amtierende Meister.

Sascha Hamburger, eine kleine, hässliche, hinterhältige und miese Kreatur, die mit allen fiesen Tricks kämpfte. Er hatte schon einmal einem Gegenspieler in die Schulter gebissen. Meist schlich er sich im Strafraum des Gegners herum.

Neben Sascha glänzte der sehr begabte Ballkünstler Ahmed, der aber nie wirklich etwas aus seinem Talent machte, da er sich ständig mit den falschen Leuten herumtrieb.

Kapitän Alessandro, besser bekannt als Porco Pig, das rothaarige Schwein. Ein fetter Italiener mit Sommersprossen. Er und Calogero konnten sich auf den Tod nicht ausstehen. Das Schwein spielte im Mittelfeld oder in der Abwehr eines benachbarten Fußballvereins. Dabei war er jedoch nie wirklich gut. Er selbst hielt sich allerdings für den Fußballgott höchstpersönlich.

In der Abwehr stand Dennis, der immer so böse stank, dass selbst Ungeziefer ihn mied oder in seiner Nähe tot umfiel. Zufälligerweise war sein Vater Müllmann. So eine Art von Abwehrspieler war für jeden Topstürmer ein Dorn im Auge.

Den Kasten hütete ein Asiate namens Cho. Über Cho war nicht wirklich viel bekannt. Nur, dass er ein exzellenter Keeper war. Selten hörte man ihn reden. Ein äußerst mysteriöser Kerl.

Kurz bevor das Finale dann begann, nahm Karl-Heinz noch einmal die Wetteinsätze entgegen. Hier war spätestens klar, dass das Blatt sich gewendet hatte. Viele Fans unserer vorherigen Gegner waren plötzlich für uns. Unfassbar! Fast jeder war gegen den amtierenden Champion und stellte sich auf unsere Seite.

Alle Kräfte mussten jetzt für den letzten und wichtigsten Kampf mobilisiert werden. Die vorherigen Spiele hatten Spuren hinterlassen. Laky war leicht angeschlagen. Er hatte im letzten Spiel einen starken Tritt gegen das linke Schienbein abbekommen und humpelte nun ein wenig. Auch Jerry hatte sich ein bisschen am linken Knie verletzt. Unser Kapitän grübelte, wie er seine Mitspieler auf die letzte Schlacht einstimmen konnte. Der Sieg war zum Greifen nah. Auf keinen Fall durften wir ihn uns nehmen lassen. Dafür hatten wir zu hart und zu lange trainiert.

Bevor die Spieler zur letzten Schlacht auf das Spielfeld einliefen, hielt Calogero vor seiner gesamten Truppe noch einmal eine ergreifende Rede:

»Jungs, es ist soweit. Finale! Ich bin unglaublich stolz auf jeden Einzelnen von euch und auf das, was wir heute hier geleistet haben. Jetzt ist es an der Zeit, die wohlverdienten Früchte unseres mühevoll angepflanzten Baumes zu pflücken. Wir alleine haben es jetzt in der Hand, heute den Platz als Legenden oder als Loser zu verlassen. Wir alle haben in unseren Leben oft genug verlieren müssen, wurden oft von anderen wie Versager behandelt. Damit ist heute Schluss! Am Anfang des Turniers hielt uns jeder für Kanonenfutter. Habt ihr bemerkt, wie sie uns angesehen haben? Wie Abfall. Amateure. Verlierer. Seht nur, wie sie uns jetzt behandeln. Sie jubeln uns zu! Jungs, vor mir sehe ich einen Haufen talentierter Spieler, die heute endlich einfordern, was ihnen zusteht! Anerkennung, Respekt und Ruhm. Wir werden heute im Namen aller Straßenköter spielen. Sie mögen uns vielleicht das Leben nehmen, aber niemals unsere Freiheit! Lasst uns jetzt da raus gehen und den verdammten Pokal gewinnen! Lasst sie uns zerstören! Wir sind die Champions, wir sind die Cani Randagi!«

Die fünf umarmten sich und klatschten sich gegenseitig ab. Anschließend machte Peter sie darauf aufmerksam, dass es nun in wenigen Sekunden losgehen würde. Die Nervosität vor dem Finale wurde durch den unzerstörbaren Willen zu siegen überschattet. Immer wieder hatte Calogero ein bestimmtes Bild im Kopf. Ein Bild, auf dem er den heiß begehrten Meisterpokal zum Himmel stemmte. Seine Vision musste unbedingt Realität werden.

Beide Kapitäne standen sich jetzt gegenüber und entschieden sich jeweils für eine Seite der Münze. Peter warf diese spektakulär in die Luft und fing sie wieder auf. Zahl! Sascha, der zuvor Zahl genommen hatte, entschied sich für den Anstoß.

Calogero wählte das Tor auf der Seite der gegnerischen Fans. Eine extrem spannende Atmosphäre lag in der Luft. Peter pfiff zum Anstoß.

Sofort schoss Sascha nach einem Pass von Ahmed auf unser Tor. Er hatte zuvor bemerkt, dass Can ein paar gute Meter weit weg vom Tor stand. Keiner rechnete zu Beginn damit, dass der zweite Ballkontakt direkt mit einem Schuss auf unser Tor enden würde. Schockstarre! Can kam gerade noch so an den Ball und klärte zum Spielfeldrand, wo das Schwein Alessandro schon wartete. Laky beobachtete dies zum Glück. Schnellstmöglich versuchte er einzugreifen. Sein angeschlagenes linkes Schienbein bereitete ihm aber dabei spürbar Probleme. Alessandro nutzte dies aus und verpasste Laky einen zusätzlichen Rempler gegen das Schienbein. Aufregung auf den Rängen. Das war doch eindeutig ein Foul! Jeder der Anwesenden konnte sehen, dass Alessandro nicht den Ball spielen wollte. Diese Attacke ging gezielt auf die Verletzung unseres Mitspielers, doch Peter ließ weiter laufen. Calogero schrie fassungslos den Schiedsrichter an:

»Betrug! Das darf doch nicht wahr sein!«

Das Leder rollte weiter. Ehe unser Kapitän den Satz zu Ende bringen konnte, erreichte der Ball Ahmeds Füße, und bevor Jerry ihn daran hindern konnte, schoss Ahmed ein gewaltiges Pfund in die obere linke Ecke unseres Tors. Can war machtlos. Er konnte den Ball gerade noch so mit den Fingerspitzen streifen. 1:0 für die Baller Boys. Scheiße! Calogero rastete aus, rannte auf Peter zu und schrie ihn völlig wutentbrannt an:

»Das Tor zählt nicht! Davor gab es ein astreines Foul an Laky. Du willst uns doch verarschen! Hast du Tomaten auf den Augen? Sogar Stevie Wonder hätte gesehen, dass das ein Foul war!«

Peter zückte sofort einen vergilbten Bierdeckel aus seiner rechten Hosentasche und streckte ihn meinem besten Kumpel vors Gesicht.

Peter:
»Noch so ein Spruch und dann war's das für dich, mein Freund! So spricht man nicht mit dem Schiri! Verstanden?«

Calogero wollte gerade wieder zum Meckern ansetzen, als ihn Patrick schnell zur Seite zog.

Patrick:
»Ca...Ca...Calogero ... wi...wii...wir dürfen je...jetzt nnnn...nicht aufge...geben!«

Patrick hatte recht! Calogero durfte sich gerade jetzt nicht provozieren lassen. Voller Wut im Bauch nahm er den Ball und legte ihn auf den Mittelkreis. Das Spiel wurde fortgesetzt. Nach einem Pass von Captain Calogero sprintete Jerry auf die gegnerische Hälfte zu. Dann spielte er direkt mit der Hacke einen wunderschönen Rückpass auf Patrick. Ihm blieb nicht viel Zeit, den Ball weiterzuverwerten. Alessandro, Sascha und Ahmed rannten bereits wie eine wild gewordene Rinderherde auf ihn zu. Laky schleppte sich rasch in den Strafraum der Baller Boys, wo der stinkende Dennis schon wartete und versuchte, ihn zu decken. Patrick gelang es noch im rechten Moment, die Kugel an Laky weiterzuschicken, doch Dennis Gestank war so stark, dass Laky den Ball neben das Tor setzte. Cho holte sich schnell den Ball und warf ihn auf Ahmed, der sich mittlerweile vor unseren Torwart geschlichen hatte. Als Can schon fast den Ball sicher in den Händen hielt, rauschte zudem Sascha in unseren Strafraum und rammte sein Knie in Cans Rippen. Noch eine weitere Unsportlichkeit! Peter ließ wieder weiterspielen. Während Can auf dem Boden lag und unser Tor frei stand, brauchte Ahmed den Ball nur noch in den leeren Kasten hinein schieben. 2:0!

Die erste Halbzeit war fast vorüber. Unserer Mannschaft blieben in der ersten Hälfte nur noch fünf Minuten. Der Abstand war zwar immens, doch noch war nichts verloren. Calogero hatte unendlichen Hass in sich. Am liebsten hätte er Peter und der gesamten gegnerischen Mannschaft eine Bud-Spencer-Kopfnuss verpasst. Wenn er den Pokal gewinnen wollte, musste er jedoch ganz besonders jetzt einen kühlen Kopf bewahren. Bevor das Spiel weiterlief, flüsterte er heimlich Patrick und Jerry etwas ins Ohr.

Der Anstoß erfolge dann durch einen Pass von Calogero auf unseren Torwart Can. Jerry und Patrick rannten plötzlich auf Ahmed und Sascha los und versuchten, diese daran zu hindern, in unseren Strafraum einzudringen. Um das Schwein wollte Calogero sich ganz alleine kümmern. Unser türkischer Torwart machte einen weiten Abschlag auf den im Mittelfeld stehenden Captain der Cani Randagi. Elegant nahm er den Ball mit der Brust an und dribbelte in Richtung des fiesen Schweins. Mit dem linken Außenriss führte er dann das Leder durch die Beine seines rothaarigen Gegners, als wäre er Beckenbauer höchstpersönlich. Das Publikum verneigte sich vor diesem wunderschönen Tunnel. Der Rote glotzte nur blöd aus der Wäsche. Ein flinker Pass zu Patrick, dann ein Heber über Dennis. Der Ball war nun genau über dem Tor in der Luft. Cho sprang ab und presste sich in die Höhe, doch er hatte die Rechnung ohne Calogero gemacht. Er stieg ebenfalls in die Luft und holte zu einem graziösen Fallrückzieher aus. Es war ein Bild für die Götter. Kerzengrade lag mein bester Freund waagerecht in der Luft. Mit voller Wucht traf er perfekt den Ball und verkürzte mit einem Traumtor den Spielstand auf 2:1. Damit entfachte Calogero das Feuer von Neuem. Die Hoffnung und der Siegeswille waren wieder da. Genau rechtzeitig zur Halbzeitpause.

Laky humpelte zu Calogero. Er hatte Tränen in den Augen. Sein Schienbein hatte zu viel abbekommen. Er konnte nicht mehr richtig weiterspielen. Ausgerechnet jetzt! Was sollten wir jetzt tun? Wir hatten schließlich auch keinen Ersatzspieler mehr.

»Danke, Laky, dass du bis hierhin tapfer gekämpft hast! Mach dir keine Sorgen. Ich und die Jungs werden das schon hinbekommen. Du musst einfach nur in der Abwehr stehenbleiben, wir kümmern uns um den Rest. Die hatten nur Glück, dass Peter ihnen bei den Toren geholfen hat. Spielen können die keinen Meter!«

Jeder Spieler unseres Teams wusste nun, dass jetzt wirklich jede letzte Kraft gebündelt werden musste. Um Lakys Verletzung zu kompensieren, waren sie gezwungen, zweihundert Prozent zu geben, egal wie hoch die Erschöpfung war.

Kurz gegen Ende der Pause tauchte mein Opa am Weiher auf und erklärte mir, dass ich meinen kleinen Bruder sofort nach dem Spiel nach Hause bringen solle. Ich sagte ihm zu.

Die zweite Hälfte begann und damit entfachte ein bitterer Kampf um die Herrschaft des Mittelfelds. Die Baller Boys wurden immer rücksichtsloser. Um jeden Preis wollten sie die Führung verwalten, doch unsere Mannschaft hielt mit allem, was sie hatte, energisch dagegen. Jerry wurde mehrfach unfein gestoppt, als er den Ball nach vorne spielen wollte. Diesmal aber hatte Peter es als Foul gewertet. Eine Karte für den Gegner blieb aber aus. Eine Riesenfrechheit! Unsere Mannschaft bekam einen Freistoß, den unbedingt Patrick ausführen wollte. Wieder flüsterte Calogero Jerry etwas ins Ohr. Jerry sprintete anschließend zum rechten Pfosten des gegnerischen Tors, dann flankte Patrick den Ball in den Strafraum. Dabei flog er an allen Spielern vorbei zum langen Pfosten, wo Jerry nur noch hochsteigen, den Kopf hinhalten und einnetzen musste. Perfekt geplant, perfekt ausgeführt. Jerrys Stirn presste den Ball mit einer ungeheuren Kraft an dem anrauschenden Cho vorbei ins Tor. Ausgleich. 2:2! Wir jubelten uns die Lungen aus dem Rachen. Fortuna musste uns heute einfach hold sein, dachte ich mir. Wir konnten es wirklich schaffen. Die Schlacht um das runde Leder wurde in den letzten Minuten immer intensiver. Dabei wurde fast mehr getreten als gespielt. Peter war nun gezwungen, öfter einzugreifen. Besonders Calogero musste aufpassen, wegen seiner unnötigen Verwarnung nicht vorzeitig vom Platz zu fliegen.

Die letzten fünf Minuten des Spiels brachen herein. Ein paar Mal konnte Patrick den Ball auf das Tor der Baller Boys bringen, doch leider viel zu harmlos. Cho hatte keine Mühe, die Schüsse abzuwehren. Man sah nun beiden Mannschaften deutlich an, dass die Kräfte verbraucht waren. Jeder Spieler quälte sich auf dem Platz herum. Viele Fehlpässe wurden auf beiden Seiten gespielt. Die Konzentration ließ nach. Keines der beiden Teams traute sich mehr, einen tödlichen Vorstoß zu wagen. Dann plötzlich der Schlusspfiff.

Es blieb bei einem zwei zu zwei. Peter kündigte an, dass es zu keiner Verlängerung kommen würde. Es sollte sofort das alles entscheidende Elfmeterschießen stattfinden. Oh mein Gott, dachte ich mir. Hoffentlich würde es gut gehen. Kalvin, Falih und ich zitterten. Aber nicht nur wir drei, sondern auch unser gesamtes Team. Außer Calogero. Er schien trotz des Kraftverlustes sehr konzentriert. Er hatte so viel dafür getan, jetzt hier im Finale zu stehen. Auf einmal entschied er, selbst ins Tor zu steigen. Can gab sein Okay. Jeder von uns hatte vollstes Vertrauen in den Kapitän. Mich überraschte es auch wenig, da ich ganz genau wusste, dass Calogero neben einem Crack in der Sturmposition ein hervorragender Keeper und vor allem Elfmeterkiller war. Er wollte es in diesem Moment nicht dem Schicksal überlassen, sondern selbst Einfluss auf das Geschehen nehmen.

Das Drama nahm kurze Zeit später seinen Lauf. Der erste Schütze, Ahmed, trat an den Elfmeterpunkt. Tief atmete er mehrmals ein und aus. Auch er sah sehr angespannt aus. Calogero hingegen verzog keine Miene. Ahmed rannte auf den Ball zu, verzögerte und schoss, von ihm aus gesehen, in die untere rechte Ecke. Kein Problem für Calogero. Mit einem Hechtsprung war er sofort zur Stelle und hielt den Ball mit der linken Hand.

»Jaaaaaaaaaaaaaaaaaaaa!«

Im Hintergrund fluchte Sascha Hamburger. Der Fiesling konnte es nicht fassen und machte Ahmed richtig zur Sau.

Als nächstes waren wir dran. Patrick ging an den Elfmeterpunkt. Bevor er schoss, schaute er zu meinem besten Kumpel rüber und schrie:

Patrick:
»Ca...Ca...Calogero, d...d...der ist f...für dich!«

Boom! Der Ball schlug volle Kanne im linken oberen Winkel ein. Cho verschätzte sich und sprang in die rechte Ecke. 2:3! Lauter Jubel und Buhrufe auf den Rängen.

Alessandro, das fette Schwein, trabte ganz langsam mit dem Ball vor den Kasten. Sein Gesicht war völlig rot und total nass geschwitzt. Er war absolut am Ende. Selten war er in seinem ganzen Leben so viel gerannt wie an diesem Tag. Seine Hände zitterten, während er sich den Ball auf dem Boden zurechtlegte. Nach einem kurzen Anlauf schoss er rattig in die Mitte des Tores. Damit hatte Calogero nicht gerechnet. Er hechtete in die obere rechte Ecke. 3:3!

Nun war Jerry an der Reihe. Er fackelte nicht lange herum und schoss sofort, nachdem er den Ball auf den Boden gelegt hatte, auf Chos Tor. Wir hielten den Atem an. Tor! Mit einem strammen Schuss traf Jerry in die untere linke Ecke des Tors. 3:4! Freudenschreie aus unseren Mündern, doch nicht lange, denn der stinkende Dennis sollte es ihm gleich tun. Auch er schoss sofort den Ball in die linke untere Torecke zum 4:4.

Voller Überzeugung schnappte sich nun unser Kapitän den Ball und legte ihn sich behutsam auf den Rasen. Ein kurzer Blick aufs Tor und Schuss! Der Ball flog mit Karacho gegen die Latte. Nein! Die Baller Boys grinsten. Besonders Sascha Hamburger. Direkt ging er zu Calogero rüber und machte ihn blöd von der Seite an:

»Das geschieht euch recht! Ihr elenden Loser hattet nur Glück! Jetzt ist eure Strähne zu Ende, du fetter Roberto Baggio, hahahahaha!«

Innerlich kämpfte Calogero mit sich, um nicht auszurasten. Ausgerechnet er hatte verschossen. Doch nun gab es keine Zeit mehr zum Überlegen. Jeweils zwei Schützen beider Teams mussten noch ran. Es gab noch Hoffnung.

Cho trat ohne Mimik an den Strafstoßpunkt und verwandelte eiskalt zum 5:4. Calogero war chancenlos. Saschas Spruch hatte ihn so zornig gemacht, dass er aus dem Rhythmus kam. Can versuchte, ihn wieder zu beruhigen:

»Mach dir keine Sorgen! Den Nächsten mach ich rein, wir gewinnen das Ding!«

Wie er versprochen hatte, verwandelte er den Ball souverän zum 5:5. Sudden Death.

Nur noch Sascha und Calogero blieben als Schützen übrig. Mein bester Freund musste doppelt am Elfmeterpunkt antreten, da Laky wegen seines schmerzenden Schienbeins nicht mehr schießen konnte.

»Jetzt kommt für euch der Gnadenstoß, Fettsack!«,

rief Sascha, während er gleichzeitig auf den Ball zurannte. Schuss! Unser Captain verschätzte sich und sprang in die entgegengesetzte Richtung des Balls, doch, wie durch ein Wunder, berührte er mit den Fußspitzen noch den Ball, und zwar so, dass dieser im letzten Moment vom freistehenden Tor weggelenkt wurde. Glanzparade! Sascha explodierte. Er war sich seiner Sache doch so sicher gewesen. Entweder würde Cho den letzten Ball auch halten und das Drama würde weitergehen oder Calogero würde den Ball jetzt ohne Wenn und Aber zum legendären Sieg verwandeln.

Ein letztes Mal schaute er sich um. Bevor er den Ball aufs Tor schoss, wollte er noch einmal die Atmosphäre einsaugen. Dabei sah er die Fans der gegnerischen Mannschaft, die ihn voller Hass ausbuhten und ihm ihre dreckigen Mittelfinger zeigten. Er sah mich, meinen Bruder, Falih und die restlichen Fans, wie wir ihn mit vollstem Einsatz anfeuerten. Er sah seine völlig ausgepowerten Mitspieler, die bis dahin alles für ihn gegeben hatten und nun erwartungsvoll auf den finalen Siegesschuss hofften. Ganz kurz dachte er noch an Roberto Baggio, doch dann blendete er alles aus. Jedes Rufen, jeden Schrei. Ein letztes Mal volle Konzentration. Er durfte auf keinen Fall wie Roberto verschießen. Ohne Anlauf stellte sich Calogero vor den Ball, mimte die legendäre Hyuga-Pose und holte mit seinem rechten Bein volle Kanne aus.

»FRISS DAAAAAAAAAAAAAAAAAAASSSSSSSSSSS!«

Noch nie hatte ich so einen starken Schuss gesehen. Der Ball schlug wie eine Bombe auf Cho ein und rauschte mit ihm rückwärts ins Tor. 5:6! Sieg!

Unser Held fiel auf die Knie und schrie seine Freude so laut heraus, dass die ganze Welt ihn hören konnte. Spätestens jetzt hielt es Falih, mich und meinen Bruder nicht mehr auf unseren Plätzen. Wir rannten sofort zu Calogero und den anderen Jungs auf das Spielfeld. Unter Freudentränen fielen wir uns alle in die Arme. Wir hatten es tatsächlich geschafft. Wir waren die neuen und hochverdienten Weiherchampions! Alle Spieler der Baller Boys erwiesen sich als faire Verlierer und gratulierten uns zu unserem Erfolg. Nur Sascha Hamburger nicht.

Sascha:
»Ganz egal, ob du heute gewonnen hast, du wirst immer ein fetter Verlierer bleiben! Vergiss das nicht!«

Calogero ließ das völlig kalt. Er war vom Sieg ganz beflügelt und antwortete ihm nur trocken mit einer typischen Ace-Ventura-Grimasse:

»Häh? Hat jemand die Null gewählt? Halt's Maul und verpiss dich von hier, du elender Looooooooser!«

Ich hatte zwischenzeitlich völlig vergessen, dass ich ja noch meinen kleinen Bruder nach Hause bringen musste. Bis zur Pokalübergabe hatte ich noch ein paar Minuten Zeit und ich sagte den Jungs Bescheid, dass ich mich beeilen würde.

»Kein Problem! Wir warten auf dich!«

Rasch lieferte ich Kalvin zu Hause ab. Unterdessen ließen die anderen sich feiern und spritzten sich gegenseitig lachend mit Wasserflaschen ab.

Ungefähr zehn Minuten später kehrte ich alleine an den Weiher zurück. Jetzt würde mies gefeiert werden, dachte ich mir, doch als ich auf die Arena zulief, war keine Menschenseele mehr zu sehen. Was war hier los? Wohin waren sie alle so plötzlich verschwunden? Ich suchte und suchte den gesamten Spielplatz nach ihnen ab. Ohne Erfolg. Ich lief zum Spielplatzkiosk, wo sich üblicherweise Karl-Heinz und seine Kumpanen aufhielten, aber auch hier war niemand anzutreffen. Mich überkam ein ungutes Gefühl. Noch einmal lief ich den gesamten Weiherspielplatz auf und ab. Absolut keine Spur von den zahlreichen Leuten, die noch ein paar Minuten zuvor hier laut umhergrölten. Sehr, sehr merkwürdig. Ich beschloss, zu Calogeros Haus zu laufen und bei ihm zu klingeln. Auf dem Weg dorthin traf ich Laky.

Manuel:
»Ich war nur kurz zu Hause, meinen Bruder zurückbringen. Jetzt sind auf einmal alle verschwunden. Was ist denn passiert?«

Laky:
»So genau weiß ich das auch nicht. Nachdem du weggegangen bist, war ich kurz am Kiosk, um mir ein Sunkist zu holen. Auf einmal sehe ich von Weitem, wie Calogero vom Weiher wegrennt und von allen anderen gejagt wird. Ich bin dann auch hinterher, war aber mit meinem kaputten Bein zu langsam und hab sie alle verloren. Ich habe keine Ahnung, was da passiert ist. Ich suche auch gerade nach Can und den anderen.«

Das Ganze klang wirklich sehr komisch. Schließlich versuchte ich mein Glück bei Calogeros Haus und klingelte bei ihm. An der Sprechanlage antwortete seine Mutter kurz im wütenden Ton:

»Calogero weinen! Nixe komme raus! Bleibe zu Hause!«

Ich verstand die Welt nicht mehr. Was war denn passiert? An diesem und selbst am nächsten Tag sollte mir der Grund nicht offenbart werden.

Erst nach vier ganzen Tagen kam mein bester Freund wieder zu uns in den Hof. Ich hatte mir derweil richtige Sorgen um ihn gemacht. Natürlich musste ich ihn, als ich ihn sah, fragen, was passiert war.

»Ach nichts ... vergiss es einfach! Ist nicht so wichtig. Den Pokal habe ich leider irgendwo verloren. So ein Kackding! Naja, ist ja eh nur scheiß Fußball. Komm, wir spielen eine Runde Super Nintendo. Ich habe das neue Megaman X2 ausgeliehen bekommen. Das geht richtig ab!«

Ums Verrecken wollte er mir nicht erzählen, was wirklich vorgefallen war. Sein Stolz konnte es offenbar nicht zulassen. Es musste wirklich etwas Schlimmes gewesen sein. Selbst Falih, Jerry, Patrick und Can wollten mir später nicht offenbaren, was passiert war. Sie alle hatten Calogero geschworen, nichts zu verraten. Nun ja, vielleicht würde er ja früher oder später doch noch freiwillig mit der Wahrheit herausrücken.

KAPITEL

24

DEZEMBER 95

DM 3,50

SCHEUẞLICH BESTE FREUNDE

IN

EINE UNGLAUBLICHE WENDUNG!

KAPITEL 24

Leb wohl, Cazzo!

(Dezember 1995)

Eigentlich hatte ich bisher immer gute Noten bekommen, doch die, die ich Ende 1995 erhielt, stimmten meine Eltern alles andere als zufrieden. Besonders die Fünf in Mathe hat ihnen zu schaffen gemacht. Die Ursache des Problems war natürlich schnell gefunden: unser Fernseher und der Super Nintendo. Meine Eltern hatten dann daraufhin beschlossen, meinem Bruder und mir ein vierwöchiges Fernseh- und Zockverbot zu verpassen. Die Freude darüber war natürlich immens gewesen. Auch bei meinem besten Freund. Immerhin war unser Kinderzimmer ja so etwas wie seine letzte Bastille. Selten durfte er mal bei sich daheim SNES spielen, geschweige denn selbst das Fernsehprogramm bestimmen. Doch ab und zu, wenn die Sterne günstig standen, waren seine Eltern gleichzeitig nachmittags arbeiten gewesen und wir machten es uns heimlich vor seinem Fernsehapparat gemütlich.

Der Fernseher in Calogeros Wohnzimmer war schon sichtlich in die Jahre gekommen. Rein optisch sah er so aus, als wäre er der allererste überhaupt. Praktisch schon ein Artefakt. Die Bildröhre zeigte die Farben nicht mehr richtig an. Statt blau zeigte sie rot, anstelle von grün zeigte sie gelb. Wenn man ein paar Minuten lang auf den Bildschirm starrte und einen Film sah oder ein Spiel zockte, kam es einem so vor, als wäre man auf einem irren Drogentrip. Die bunten Bilder schienen miteinander zu verschmelzen.

Manuel:
»Ich glaube, mir wird schlecht! Bitte schalte ihn aus.«

»Jetzt stell dich nicht so an! Deine Augen müssen sich erst noch daran gewöhnen! Schau einfach noch ein paar Minuten länger drauf.«

Plötzlich, nach über 15 Jahren, gab Calogeros Fernseher den Geist auf. Während wir *Earthworm Jim* zockten, ertönte auf einmal ein lauter Knall und die Bildröhre des Fernsehers implodierte vor unseren Augen. Ein letztes Mal bot sie uns dabei ein gewaltiges Farbenspiel. Calogero geriet in Panik und verließ sofort mit mir die Wohnung. Er hatte große Angst, dass seine Eltern ihm vorwerfen würden, das alte TV-Gerät kaputtgemacht zu haben und das bisschen Taschengeld, das er bekam, wollte er auf keinen Fall gestrichen bekommen. Unsere letzte Möglichkeit zu zocken war dahin. Und ausgerechnet dann, kurz bevor *Donkey Kong Country 2: Diddi's Kong Quest* herauskam. Die Stimmung war im Keller, besser gesagt im Erdkern. Völlig gelangweilt schnappten wir uns einen alten Schaumstoffball und spielten mit ihm ein wenig in unserem Hof, während Calogero mir die besten Stellen aus *Ace Ventura 2* spoilerte.

Irgendwann kam Pepino in den Hof und fragte, ob er ein wenig mit uns mitspielen dürfe. Ausnahmsweise ließ mein bester Kumpel ihn mitmachen. Da er nicht SNES spielen konnte, war ihm alles egal. Derweil wir den Ball hin und her kickten und uns dabei über *Yoshi's Island* unterhielten, wurde Pepino immer neugieriger. Was Videospiele anging, war er ein kompletter Bauer und Hinterwäldler. Er zockte, wenn er es überhaupt mal tat, immer noch mit seinem alten NES. Für uns zu der Zeit absolut unvorstellbar. Calogeros sanfte Klänge von *Battle Toads in Battlemaniacs* und *Mortal Kombat 3* ließen ihn mit seinen Segelohren aufhorchen.

Pepino:
»Du, Callo, wenn du willst, kannst du mit deinem Super Nintendo zu mir kommen. In meinem Zimmer habe ich einen großen Fernseher stehen. Meine Eltern haben nichts dagegen.«

»Boaa, super! Na klar! Dann würde ich mal sagen, geh ich jetzt sofort zu mir nach Hause, den Nintendo holen.«

Manuel:
»Hey! Und was ist mit mir? Kann ich auch mitkommen?«

Pepino:
»Nein! Das geht leider nicht! Knirpse sind bei uns daheim nicht erlaubt.«

Dabei lachte Pepino sich breitbeinig und breit grinsend einen ab. Als er dann auch noch mit seinen Fingern in meinem Gesicht herumtätschelte, platzte mir der Kragen. Mit voller Wucht trat ich gegen sein Schienbein.

Manuel:
»Arschloch!«

Pepino:
»Ahh, ist doch schon gut, Kleiner! Ich habe dich doch nur verarscht. Du kannst auch mitkommen.«

Mit Warpgeschwindigkeit bewegte sich mein Kumpel nach Hause, holte seine SNES-Konsole und seine kostbaren Spiele. Ich war sehr gespannt, denn nach all den Jahren war es das allererste Mal, dass wir Pepinos Wohnung von innen sehen würden.

Die Wohnung von Pepinos Eltern war im obersten Stockwerk des Hauses. Da sie sehr ordentlich ausgestattet war, schienen Pepinos Eltern nicht schlecht zu verdienen. Soweit ich damals wusste, besaßen seine Eltern gemeinsam ein Reinigungsgeschäft. In Pepinos Zimmer sah es aus wie in einem Spielzeugladen. In jeder Ecke stand teures Zeugs herum, teilweise noch unausgepackt in Originalkartons. Über Pepinos großem Bett hing ein riesiges Raumschiff-Enterprise-Mobile und gleich neben seinem Bett stand er. Der Fernseher.

Pepino:
»Das ist doch ein schönes Teil, oder?«

Und was für eins! Dieser war um einiges größer als der unserer Eltern, hatte schönere Farben und ein schärferes Bild. Dazu einen eingebauten Videorekorder. Calogero und ich hätten heulen können. Diese Familie, dachte ich mir, hatte vermutlich einen Esel, der große Fernseher scheißen konnte, denn im Schlafzimmer der Eltern, im Wohnzimmer und im Zimmer der Schwester standen ebenfalls solche Monsterapparate herum. Bei all der Bewunderung um Pepinos Superglotze hätten wir fast den ganzen anderen teuren Schnickschnack in seinem Zimmer übersehen. Er hatte sogar eine große Stereoanlage mit Fünffach-CD-Wechsler. Unser kleiner Kassettenrekorder wirkte dagegen wie ein lauwarmer Furz. An den Wänden hingen zahlreiche Poster von David Hasselhoff und mehreren italienischen Fußballspielern wie Franco Baresi und Roberto Baggio. Baggio. Das war das Stichwort. Als mein bester Freund das Poster von ihm sah, wollte er es am liebsten von der Wand reißen und es entfachte eine heftige Diskussion. Natürlich auf Italienisch. Ich konnte nicht verstehen, was sie sagten, aber sie fuchtelten wild mit ihren Händen durch die Luft und schrien sich dabei hysterisch an. Jeder Satz begann mit einem lauten *„Ouuu!"*. Als das Gefuchtele und Gegröle dann endlich aufhörte, lachten sie wieder miteinander und umarmten sich. Anschließend passierte etwas völlig Unvorherzusehendes. Wir lernten Pepino nach all den Jahren von einer ganz anderen Seite kennen. Er mutierte vom Hofekel zum überfreundlichen Gastgeber. Er bot uns allerlei Snacks und literweise Cola an, wozu wir natürlich nicht Nein sagten. Dann schloss Calogero die Konsole an den Giga-Fernseher an. Als erstes zeigte er den Klassiker *Super Mario World*. Pepino war total überwältigt.

Pepino:
»Das sieht ja wie ein Zeichentrickfilm aus!«

Als der Hinterwäldler von Pepino *Lothar Matthäus Super Soccer* sah, kamen ihm fast die Tränen und sein sonst so vorlautes Maul zitterte. Unvorstellbar. Der Kerl lebte hinter dem Mond. Die Konsole war bereits über zwei Jahre auf dem Markt, doch er hatte nie etwas davon mitbekommen. Pepino hing öfters auf verschiedenen Sportplätzen rum oder versuchte, irgendwelchen Mädchen zu imponieren. Damit hatte er meistens sogar Erfolg. Nicht weil er wirklich gut war, sondern weil er eine gute Show ablieferte. Hinter der Fassade aber steckte eben nur ein Bauer. Seine Interessen deckten sich so gar nicht mit unseren, weshalb wir nie so wirklich festen Kontakt zu ihm hatten. Er war sonst immer nur gut genug, um mit uns ab und zu auf dem Hof zu spielen.

Mit *Super Mario World* und *Lothar Matthäus Super Soccer* allein sollte es das jedoch längst nicht gewesen sein. Das war lediglich das Warm-up. Calogero packte ein Ding nach dem anderen aus. *Super Metroid*, *Plok*, *Super Street Fighter II*, *F-Zero*. Man konnte ganz genau beobachten, wie Pepino von Sekunde zu Sekunde immer süchtiger wurde. Wir hatten ihn sogar schon so weit, dass er sich auch einen SNES zulegen wollte.

Am Abend bereitete die Mutter des Gastgebers jedem von uns eine selbst gemachte Pizza mit Schinken und Salami zu. Spätestens dann hatte mein Kumpel den ehemaligen Judas vollkommen in sein Herz geschlossen. Beim Abendessen erzählte uns Pepino, wie Molli damals draußen vor seiner Tür gesessen und wie ein Kojote durch das Treppenhaus geheult hatte. Die Geschichte gefiel Calogero besonders gut und er lachte sich herzhaft einen ab. Kaum hatten wir uns nach dem Abendessen verabschiedet, wurde dann auch schon prompt der nächste Besuch für den darauffolgenden Nachmittag vereinbart.

Auf dem Nachhauseweg quatschte mir mein bester Kumpel die Ohren ab. Ich muss gestehen, dabei wurde ich eifersüchtig.

»Der Pepino ist ja eigentlich ein ganz cooler Junge und seine große Schwester ist auch voll nett. Was für einen coolen großen Fernseher die haben! Der ist zum Zocken genau

richtig. Mannomann, die Pizza von seiner Mutter war auch richtig klasse! Ich muss sagen, Pepinos Mutter kann besser kochen als deine. Kein Wunder, sie ist ja auch eine Italienerin. Bei euch bekomme ich immer nur Mini-Wini-Würstchenketten. Ich freue mich schon auf morgen. Mal sehen, was sie diesmal für uns kocht. Hoffentlich macht sie Arancini.«

Manuel:
»Pepino bleibt trotzdem ein hinterlistiger Blödmann und die Pizza hat mir auch nicht so gut geschmeckt!«

»Ach, Quatsch! Das dachte ich auch immer, aber das sieht nur so aus. Der ist eigentlich gar nicht so scheiße.«

Manuel:
»Ich mag ihn trotzdem nicht!«

»Hey, sieh es mal so, jetzt müssen wir nicht ständig unsere Eltern anbetteln und können in Ruhe auf einem supergroßen Fernseher zocken. Oder hast du etwa eine bessere Lösung parat?«

Was das anging, hatte er vollkommen Recht. Um SNES zu spielen, konnte man schon mal Kompromisse eingehen.

Wie ausgemacht besuchten wir am nächsten Tag erneut Pepino. Wieder spielten wir gemeinsam mit dem Nintendo-Kasten und vergnügten uns köstlich bei *Super Mario Kart*. Die Stimmung war perfekt. Auch ich verstand mich an diesem Tag überraschenderweise blendend mit ihm, sodass er langsam auch mir immer sympathischer wurde. Wer von uns hätte je daran gedacht, dass ausgerechnet Pepino zur guten Seite der Macht wechseln würde. Und das Beste daran war, dass wir uns nie wieder Sorgen um einen Fernseher machen mussten.

Wir waren richtig glücklich. Aber immer dann, wenn man denkt, dass im Leben alles perfekt ist, passiert etwas Unerwartetes, das einen ganz schnell wieder auf den Boden der harten Realität zurückholt. Pepino erklärte uns schließlich, dass er bald mit seinen Eltern und seiner Schwester in ein eigenes Haus ziehen würde. Mein von Nintendo besessener bester Freund konnte es nicht verstehen oder wollte es nicht verstehen.

»Was macht ihr?«

Pepino:
»Wir ziehen nächste Woche von hier weg, in ein eigenes Haus.«

»Was macht ihr?«

Pepino:
»Callo, ich und meine Familie ziehen nächste Woche von hier weg!«

»Was macht ihr?«

Pepino:
»Wir ziehen von hier weg, Calogero!«

»Was macht ihr?«

Pepino:
»Sag mal, Callo, willst du mich verarschen?«

»Ich glaube, du willst mich verarschen! Wie kannst du uns das nur antun nach all der langen Zeit? Du kannst doch nicht einfach so abhauen, besonders jetzt nicht! Rede doch mal mit deinen Eltern. Die werden ihre Meinung schon ändern. Einen Versuch ist es wert!«

Pepino:
»Nein, das mach ich nicht! Warum sollte ich? Ich bekomme endlich ein größeres Zimmer.«

»Was? Das Zimmer hier reicht dir nicht? Ich habe nicht mal ein eigenes Zimmer und muss im Wohnzimmer schlafen. Mit einer kleinen Besenkammer wäre ich schon zufrieden! Komm schon, Pepino, rede mit deinen Eltern. Tu es für uns, deine besten Freunde! Rede mit ihnen!«

Auf einmal wurde Pepino wieder zu dem Ekel, das er immer gewesen war und zeigte seine hässliche Fratze.

Pepino:
»Ist mir doch scheißegal, ihr seid nicht meine besten Freunde! Ich will endlich ein größeres Zimmer, der Rest ist mir egal! Mein Vater kommt gleich von der Arbeit und fährt mich

dann ins Training. Du gehst jetzt besser wieder, Callo, und vergiss deinen kleinen Pimpf nicht!«

Der Hauch des Todes spiegelte sich in Calogeros Augen. In der Luft roch es verdächtig nach dem Crossbar-Crusher, auch wenn gerade keine Crossbar in der Nähe war. Er würde schon etwas Vergleichbares finden. Pepino spürte den kalten Schweiß im Nacken. Ihm war bewusst, dass er einen schlafenden Riesen geweckt hatte. Kurz bevor Calogero ihn packen konnte, ging die Zimmertür auf und Pepinos Schwester kam hinein. Sie wurde von den lauten Schreien aus dem Zimmer ihres Bruders angelockt.

Isabella:
»OUUU! Was ist hier los?«

Daraufhin erklärte ihr Calogero, dass Pepino einen Streit angefangen hatte und uns rausschmeißen wollte. Danach schilderte Pepino natürlich seine Version.

Isabella:
»OUUU! Vergesst den Mist und vertragt euch! Pepino, ich weiß, wie frech du manchmal sein kannst. Entschuldige dich bei deinem Freund!«

Isabellas Machtworte zeigten Wirkung. Beide vertrugen sich, wenn auch nur widerwillig. Anschließend verabschiedeten wir uns und verließen mit Calogeros Super-Nintendo-Arsenal die Wohnung. Als wir den letzten Schritt aus Pepinos Wohnung machten, wussten wir, dass uns damit auch die letzte Option auf ein ungestörtes Zocken zunichte gemacht wurde.

»Vergiss den Penner und seine verkackte Glotze! Wir brauchen den nicht! Soll er doch wegziehen. Es wird ihn eh keiner vermissen. Ich konnte dieses Mistkind noch nie besonders gut leiden und du hattest Recht! Die Pizza von seiner Mutter hat scheiße geschmeckt! Sag mal, Manuel, hast du jetzt endlich mal die Goonies gesehen?«

Es war alles wieder beim Alten. Mein bester Freund war wieder der Alte und aufs Neue waren wir auf die Gnade unserer Eltern angewiesen.

Mit Hilfe meiner Großeltern und dank ein paar guter Klassenarbeiten gaben meine Eltern dann endlich zwei Wochen später nach und rückten unseren Fernseher mit SNES wieder heraus. Zeitgleich stand auch schon mein Kumpel wieder bei uns auf der Matte. Währenddessen parkte ein großer Umzugswagen in der Hofeinfahrt. Kalvin öffnete Calogero die Tür und wir machten uns vor unserem kleinen Fernseher breit. Er war zwar nicht so megagigantisch wie der unseres eingebildeten Nachbarn, aber immerhin konnten wir spielen oder Cartoons gucken.

Derweil wir in bester Laune *Mickey Mania* zockten, klingelte es an der Tür. Ich lief zum Fenster, um zu schauen, wer es war. Draußen stand Pepino.

Pepino:
»Hey, wie geht es euch? Ich wollte mich von euch verabschieden. Wollt ihr rauskommen?«

Wütend stampfte Calogero zu mir ans Fenster und schrie aggressiv in Richtung Pepino:

»NEEEIIINNN! WIR ZOOOCKEEEEEN!«

Pepino:
»Na gut, schade. Dann wünsche ich euch beiden noch viel Glück. Macht es gut. Vielleicht sehen wir uns ja irgendwann mal wieder.«

»Hoffentlich nicht! Leb wohl, Cazzo!«

KAPITEL
25
FEBRUAR 96
SCHEUẞLICH
BESTE FREUNDE
DM 3,50
IN

DAS
VERSPRECHEN
IST DIES DAS ENDE
EINER WUNDERBAREN
FREUNDSCHAFT?

KAPITEL 25

Das Versprechen

(Februar 1996)

Fast den gesamten Februar 1996 quatschte Calogero mich von seinem neuesten Liebling voll. Es handelte sich dabei aber nicht etwa um ein Mädchen, das er kennengelernt hatte, nein, es ging natürlich um ein neues SNES-Spiel. Seitdem er es das erste Mal bei einem Klassenkameraden daheim gezockt hatte, war es um ihn geschehen. Laut seinen Erzählungen war es das beste Fußballspiel der gesamten Galaxie. Es hieß *International Superstar Soccer Deluxe* und war bereits im September 1995 erschienen. Dieses tolle Prachtexemplar kostete jedoch leider immer noch stolze 150 Mark, welche Calogero einfach nicht hatte.

»Oh mein Gott, Manuel! Ich muss dieses verdammte Spiel unbedingt haben! Da können diese Drecksspiele von FIFA und Fever Pitch Soccer einfach nicht mithalten. Ich habe meinen Kumpel schon tausendmal gefragt, aber er will es mir einfach nicht ausleihen, der Penner! Naja, ich kann ihn aber auch verstehen, wenn ich es hätte, würde ich es auch niemandem ausleihen!«

Manuel:
»Mir auch nicht?«

»Nein! Nicht einmal dir! Aber sei nicht traurig, mir selbst würde ich es auch nicht ausleihen. Soll ich dir was verraten? Ich habe schon seit langer Zeit etwas Geld zusammengespart. Nur noch ein paar Monate, dann kann ich mir das Spiel endlich selber kaufen.«

Während er das erzählte, funkelten seine Augen wie Diamanten.

An jedem verdammten Tag bis hin zu dem Tag, an dem er das Spiel endlich kaufte, laberte er mir die Ohren blutig. *ISS Deluxe* hier, *ISS Deluxe* da. Er hob jeden Artikel sämtlicher Fachzeitungen auf, die von dem Spiel berichteten, schnitt aus ihnen jeden noch so kleinen Screenshot heraus und zeigte sie mir voller Stolz in einem extra angefertigten Album. Bald würde das Spiel endlich ihm gehören, es fehlten nur noch 70 Mark und 90 Pfennig. Neben den ganzen Gedanken rund um das Spiel dachte er intensiv darüber nach, wie er schnellstens an die fehlende Kohle für das Game kommen könnte. Nur um eine Sache machte er sich überhaupt keine Gedanken. Um seine Leistungen in der Schule.

Schon fast einen ganzen Monat verschwieg er seinen Eltern, was für ein miserables Halbjahreszeugnis er bekommen hatte. Seitdem er in die Realschule aufgenommen worden war, nahm er den Fuß gewaltig vom Gaspedal runter und lernte wieder auf Sparflamme. Es war ja nicht so, als wäre er zu dumm für den Lernstoff der Realschule gewesen, nein, im Gegenteil. Er hatte einfach nur keine Lust darauf und wollte in seiner Freizeit lieber zocken.

Auch die von seinen Eltern teuer bezahlte Schülernachhilfe, die er seit Anfang der 8. Klasse in Anspruch nahm, ging er nicht mehr regelmäßig besuchen. Seine Eltern hatten ihn dort angemeldet, weil sie dachten, dass die Nachhilfe einen Einstein aus ihm machen könnte. Anstelle von drei Mal die Woche ging er nur ein Mal hin. Manchmal erschien er auch eine ganze Woche lang einfach gar nicht. Stattdessen lungerte er lieber bei Falih, bei mir oder dem Klassenkameraden mit dem neuen Fußballspiel herum. Mein Kumpel hatte großes Glück, dass die Nachhilfelehrer seine Eltern wegen des Fehlens bisher nicht informiert hatten. Calogero dachte sich, solange die Nachhilfe ihr Geld bekommt, würden sie schon ihre Klappe halten. Die einzige richtige Angst, die er hatte, war, dass er seinen geliebten SNES wieder an seine Eltern abdrücken müsste. Diese Höllenqualen konnte er unmöglich ein zweites Mal durchmachen. Es war schon schlimm genug, dass seine Eltern bislang immer noch keinen neuen Fernseher gekauft hatten.

Von daher versuchte er, das schlechte Zeugnis um jeden Preis gegenüber seinen Eltern zu verschweigen. Gerade jetzt, wo er sich doch bald *ISS Deluxe* leisten konnte. Eine Klitzekleinigkeit hatte er jedoch nicht beachtet: Das Halbjahreszeugnis musste von mindestens einem Elternteil unterschrieben und seiner Klassenlehrerin vorgezeigt werden.

Nachdem fast ein ganzer Monat seit Zeugnisvergabe vergangen war, hatte er immer noch keine Unterschrift vorgezeigt. Seine Lehrerin machte ihm schon mächtig Druck deswegen, doch Calogero nahm die Drohungen auf die leichte Schulter. Er war der festen Überzeugung, dass seine Klassenlehrerin die Angelegenheit mit seinem Zeugnis schon vergessen würde. Aus seiner Sicht gab es ernstere Probleme. Ihm fehlten schließlich noch 70 Mark und 90 Pfennig! Leider vergaß seine Lehrerin ganz und gar nicht, dass er noch eine Unterschrift vorzuzeigen hatte, und drohte ihm damit, sich telefonisch mit seinen Eltern in Verbindung zu setzen. So blieb ihm kaum etwas anderes übrig, als wie ein Meisterfälscher die Unterschrift seiner Mutter auf das Zeugnis zu kopieren. Beim Vorzeigen fiel es keinem auf. Problem gelöst.

Jetzt mussten nur noch die restlichen Kröten für das Spiel zusammengekratzt werden. Nach längerer Überlegung kam er auf eine passende Idee, wie er ganz schnell an das fehlende Geld gelangen könnte. Allerdings war dieser Einfall mit einem gewissen Risiko verbunden. Die monatliche Gebühr für seine Schülernachhilfe betrug 80 Mark. An jedem Monatsanfang gab seine Mutter ihm das Geld, damit er die Gebühr vor Ort bezahlen konnte. So dachte er sich, die Kohle für März selbst einzustreichen und die Nachhilfe einfach für den gesamten Monat sausen zu lassen. Ihm war auch bewusst, dass ihn die ultimative Hölle erwarten würde, falls es rauskommen sollte. Für *ISS Deluxe* jedoch würde er dieses Spiel mit dem Höllenfeuer gerne in Kauf nehmen. Die Sucht, das Spiel zu besitzen, war einfach zu groß. Außerdem hatte er sich einen wasserdichten Plan zurechtgelegt und war sich deshalb ziemlich sicher, dass niemand davon erfahren würde.

Nachdem er dann morgens das Geld von seiner Mutter für die Schülerhilfe eingestrichen hatte, lief er fröhlich zur Schule. Am Ende des Unterrichts traf er sich mit Falih vor dem Haupteingang der Teichschule. Danach holten mich beide von daheim ab. Mit der Erlaubnis meiner Eltern liefen wir dann großen Schrittes in die Innenstadt. Bevor wir aber das Spiel kauften, mussten wir noch zuallererst bei Calogeros Nachhilfe vorbeischauen. Dort erklärte er dann der Empfangsdame in herzergreifender Weise, dass er die nächsten vier Wochen nicht zur Nachhilfe erscheinen könne. Die Dame notierte es sich und erfragte auch gar nicht erst den Grund dafür. Genau so hatte Calogero es sich vorgestellt. Alles lief wie am Schnürchen.

Während wir dann zum Kartstadt marschierten, schwärmten Falih und Calogero unentwegt von Pierce Brosnan und seiner schauspielerischen Leistung als James Bond in *Golden Eye*. Ich selbst hatte absolut keine Ahnung, von was die beiden redeten, also hörte ich nur gespannt zu. Es klang teilweise so, als hätten die beiden sich in diesen Pierce verliebt.

Bestens gelaunt schlenderten wir wenig später durch die Technikabteilung des Karstadts zu den Glasvitrinen mit den ganzen Videospielen. Entgegen Calogeros Erwartungen hatten sie das Spiel nicht mehr vorrätig und da es zu dieser Zeit sonst nicht viele Geschäfte gab, die Videospiele verkauften, war ein anderes recht bekanntes Warenhaus namens Woolworth Calogeros letzte Hoffnung.

Woolworth hatte allerlei Waren anzubieten. Abgesehen von Haushaltsgeräten und allerlei Gebrauchsgegenständen des alltäglichen Lebens hatte dieses Kaufhaus auch eine besondere Auswahl an Spielzeugen und Videospielen im

Sortiment. Ganz im Gegensatz zum damaligen Karstadt befanden die Videospiele sich dort nicht hinter einer verschlossenen Glasvitrine. Jedes Spiel war mit seiner Verpackung in einer etwas größeren und durchsichtigen Plastikbox verschlossen. Dies diente dazu, dass die Spiele nicht gestohlen werden konnten, denn jede Box war mit einem Alarmsensor ausgestattet, der, wenn man mit der Box den Laden verließ, die Sensoren am Eingang des Ladens höllisch laut zum Heulen brachte.

Als wir dann den Woolworth betraten, stürmten wir gierig zur Videospielecke im hinteren Bereich des Geschäfts. Ich erreichte als Erster das Regal mit den SNES-Spielen. Sofort stach mir die *ISS-Deluxe*-Verpackung in die Augen. Es war genau das letzte verfügbare Exemplar. Ich bekam eine Idee und grinste dreckig. Kurz bevor Calogero und Falih ebenfalls das Regal erreichten, versteckte ich schnell das letzte *ISS Deluxe* hinter einem anderen Regal, wartete und beobachtete schadenfroh, was gleich passieren würde. Ich weiß, es war etwas sadistisch, aber dieses Verhalten hatte ich mir von meinem besten Freund abgeschaut. Es war nun mal seine Art von Humor, die diesmal eben wieder zu ihm zurückkam. Schließlich hatte er meinen Bruder und mich auch schon zahlreiche Male an der Nase herumgeführt.

Panisch durchstöberte er die vielen Plastikboxen des SNES-Regals. Nichts. Kein *ISS Deluxe*! Calogero war verzweifelt. Das konnte man ihm unschwer ansehen. Doppelt und dreifach ging er immer wieder, Stück für Stück, die Boxen durch, doch das Spiel fand er trotzdem nicht. Ein paar Minuten später realisierte er dann schlussendlich, dass seine über Wochen aufgebaute Vorfreude wie eine Seifenblase direkt vor seinen Augen in tausend kleine Spritzer zerplatzte. Er fiel auf die Knie und fing fast zu weinen an.

»Ich habe es doch schon immer gesagt, Gott hasst mich! Ich bin verflucht! Nie kann ich auch nur einmal Glück haben. Immer wenn ich mich auf etwas richtig freue, passiert in letzter Sekunde irgendeine Scheiße und das war's dann! Immer das Gleiche! Ich hasse mein Leben!«

Manuel:
»Hey, Calogero! Du bist nicht verflucht. Schau mal her. Hier ist das letzte ISS Deluxe. Ich habe es nur versteckt und wollte dich ein wenig verarschen! Hahaha! Du solltest mal dein Gesicht sehen!«

Aus dem von Gott gehassten Jungen wurde in Windeseile der glücklichste Junge der Welt. Normalerweise wäre er völlig ausgeflippt, doch diesmal interessierte es ihn nicht besonders, dass ich ihn verarscht hatte. Die Hauptsache war, er bekam endlich sein angebetetes Spiel. Seine Hände zitterten wie die eines Hardcore-Alkoholikers. Anschließend kommentierte er die Verarsche nur mit einem kurzen und trockenen

»DU PENNER!«,

und entriss mir die Box, ehe ich sie ihm richtig übergeben konnte. Wie in den Träumen der letzten Nächte schlenderte er lässig zur Kasse und bezahlte mit einem breiten Smiley-Grinsen die stolzen 150 DM für das Spiel. Ganze neun Mark und zehn Pfennig blieben ihm vom Geld seiner Mutter übrig. Seitdem seine Finger das erste Mal die Box berührt hatten, wollte er sie nicht mehr hergeben, doch die Kassiererin musste noch die durchsichtige Plastikbox mit einem speziellen Schlüssel von der Spielverpackung trennen. Mit einem drohenden Blick gab er widerwillig der Kassiererin das Spiel in die Hand. Sie legte die Box mit dem Spiel neben die Kasse und suchte nach dem Spezial-Schlüssel. Die Dame suchte und suchte und suchte, doch fand ihn nicht.

Kassiererin:
»Es tut mir leid, ich kann den Schlüssel, mit dem ich die Box aufmachen kann, leider nicht finden. Ich muss mal kurz mit dem Spiel nach hinten in unser Lager und nachschauen, ob ich dort einen finde. Entschuldigung, ich bin gleich wieder da.«

Unser Kumpel wurde ganz unruhig. Wir konnten deutlich sehen, wie er neben uns zu zappeln anfing. Seine Lippen vibrierten, sein Kiefer knirschte. Schon wenige Sekunden, nachdem die Kassiererin mit seinem Schatz im Lager verschwunden war, begann er laut herumzuschreien und die Aufmerksamkeit der restlichen Kunden auf sich zu ziehen. Falih und ich grinsten schadenfroh.

»Warum dauert das denn so lange? Ich habe 150 DM bezahlt und will jetzt verdammt noch mal mein Spiel haben! Aber pronto, sonst könnt ihr was erleben! Mein Vater kennt den Chef von Woolworth höchstpersönlich und wenn ich nicht gleich mein Spiel bekomme, werden Köpfe rollen!«

Unser Atem stockte. Keiner konnte sagen, was als nächstes passieren würde. In solch einem Zustand war Calogero alles zuzutrauen. Die nette Kassiererin beeilte sich zum Glück und kam, kurz nachdem Calogero diese Szene veranstaltet hatte, mit klatschnassem Gesicht auf uns zugerannt. Sie hatte es auch endlich geschafft, die Sicherheitsbox aufzuschließen.

»Na also! Geht doch!«

Ziemlich zügig und zackig machten wir uns auf den Weg zu mir nach Hause. Wie mein bester Freund verliebten sich Falih und ich auch auf Anhieb in dieses wunderbare und damals bahnbrechende Fußballspiel. Beim Spielen von *ISS Deluxe* verging die Zeit wie im Flug. Schnell wurde der Tag zum Abend und schließlich musste Calogero schweren Herzens wieder gehen.

Von diesem Tag an war er, sooft es ging, nach der Schule bei mir. Und an den Tagen, an denen ich im Fußballtraining war oder an denen meine Eltern es nicht erlaubten, verzog er sich zu Falih. Seit dem Kauf von *ISS Deluxe* gab es kein anderes Spiel, das mehr gedaddelt wurde. Selbst das vergötterte *Turtles in Time* wurde völlig uninteressant.

Je mehr er spielte, desto mehr wurde Calogero zu einem wahren ISS-Meister. Er beherrschte echt fiese Tricks, die uns zur Verzweiflung brachten. So konnte er mit einem Trick zum Beispiel fast jeden Eckball direkt in das Tor seines Gegenspielers jagen. Ziemlich frustrierend, da man wusste, dass jeder Eckball automatisch einen Gegentreffer bedeutete. Zudem beherrschte er einen mörderischen Schuss von außerhalb des Sechzehnmeterraums, der kurz bevor er das Tor erreichte, plötzlich eine Kurve flog. Der Torwart war völlig machtlos dagegen. Der Ball zappelte zu jeder Zeit im Netz. Selten schaffte ich es, gegen ihn zu gewinnen, geschweige denn ein Tor zu erzielen, aber wenn es mir dann einmal ausnahmsweise gelang, rastete er völlig aus und kam so gar nicht darauf klar. Er war generell ein schlechter Verlierer, aber wenn es um *ISS Deluxe* ging, bekam sein Spielverderberverhalten eine ganz neue Qualität. Ich verstand nie, warum er sich dann so sehr aufregte. Man konnte ihm in diesem Spiel ohnehin nichts vormachen und gut 98 Prozent der von uns ausgetragenen Partien gewann er ohne Probleme.

Das Leben hätte für meinen Kumpel nicht schöner sein können, aber der gute Murphy mit seinem Gesetz hatte gehörig etwas dagegen. Es kam, wie es kommen musste. Und zwar alles zusammen an einem einzigen Tag.

Bestens gelaunt und völlig ahnungslos darüber, was sich zeitgleich abspielte, besiegte Calogero mich bei *ISS Deluxe* mit 7:1. Währenddessen erhielten seine Eltern einen Anruf von seiner Klassenlehrerin. Wegen mehrfach nicht gemachter Hausaufgaben erkundigte sich Frau Rattler, ob denn alles in Ordnung sei und ob Calogero noch zur Schülernachhilfe gehen würde. Dabei kam sie auch auf sein schlechtes Zeugnis zu sprechen. Es klärte sich auf, dass seine Eltern von der Existenz dieses Zeugnisses überhaupt nichts gewusst hatten. Damit hatte Calogeros Mutter auch indirekt verraten, dass er ihre Unterschrift gefälscht hatte. Die Kacke war am Dampfen. Und zwar so sehr, dass Calogeros Versetzung in die 9. Klasse auf dem Spiel stand. Seine Klassenlehrerin war so extrem von ihm angepisst, dass sie ihn die 8. Klasse wiederholen lassen wollte. Solch ein Verhalten konnte sie ihm auf keinen Fall durchgehen lassen. Für die gefälschte Unterschrift hätte sie meinen Kumpel sogar von der Schule schmeißen können. Am Ende des Gesprächs vereinbarte sie ein persönliches Treffen mit seinen Eltern und dem Schuldirektor. Calogeros Mutter wurde zum Vulkan Ätna und rief im Anschluss sofort bei der Nachhilfe an, um sich ihren Sohn an den Apparat holen zu lassen. Statt aber dort zu sein und fleißig zu lernen, hockte er bei mir daheim vor dem Fernseher und lachte mich dreckig aus, während er mir ein Tor nach dem anderen einschenkte. Als wäre das mit dem schlechten Zeugnis und der gefälschten Unterschrift nicht schon genug gewesen, erfuhr Calogeros Mutter zudem noch, dass er sich eigenständig von der Schülerhilfe abgemeldet und die Kohle offensichtlich für sich behalten hatte. Dunkle Wolken setzten sich über Calogeros Haus fest. Nur noch wenige Stunden und für ihn würde der Tag des jüngsten Gerichts hereinbrechen.

Als er abends völlig ahnungslos zurück nach Hause kam, schwiegen seine Eltern zunächst über die Telefonate und fragten ihn erst, wie sein Tag gewesen sei und was er alles in der Nachhilfe gelernt hätte. Natürlich tischte er ihnen eine Münchhausengeschichte à la Calogero auf:

»Boa, der Tag heute war wirklich sehr anstrengend. Zuerst haben wir ein wenig Vokabeln für Englisch gelernt. Dann haben wir über den Zweiten Weltkrieg gesprochen. Diese Nazis sind das Letzte! Die restlichen Stunden habe ich wie ein Verrückter für den nächsten Mathetest gelernt. Mein Nachhilfelehrer Herr Zipfelwurst hat mir viele tolle Sachen beigebracht. Beim nächsten Mathetest schreibe ich bestimmt eine glatte Eins!«

**SKLÄTSCH*,*

und Calogero bekam von seinem Vater eine gewaltige Ohrschelle verpasst, sodass er direkt rückwärts zu Boden fiel. Derweil prasselten alle möglichen Anschuldigungen und Beleidigungen auf ihn ein. Dabei erfuhr er auch davon, dass er möglicherweise die 8. Klasse wiederholen musste. Dafür, dass er so gesehen Geld von seinen Eltern gestohlen hatte, packte sein Vater den Gürtel aus. Den Rest muss ich nicht erklären. Zum Glück hatte er seine SNES-Konsole und -Spiele gut versteckt, sonst wären sie womöglich direkt in den Mülleimer gewandert. Nachdem sein Vater ihm genauestens erklärt hatte, wie sein Leben zukünftig aussehen würde, ging Calogero zu Bett. Er fühlte, wie innerlich langsam ein Teil von ihm zu sterben begann. Wieder einmal weinte er sich in den Schlaf, nur diesmal wusste er nicht, wie er das Problem bewältigen sollte. An allem war dieses verdammte Fußballspiel schuld! So sehr er es liebte, so sehr hasste er es auch in diesem Moment. Es hatte ihm komplett den Kopf verdreht.

Wann immer Konami in Zukunft ein Fußballspiel veröffentlichte, verursachte es neben der unendlichen Freude auch immer einen riesigen Ärger. Es schien so, als seien diese Spiele verflucht.

Am nächsten Nachmittag wartete ich gespannt auf meinen besten Kumpel, doch er kam nicht. Das war untypisch für ihn. Er war sonst immer überpünktlich um 14:00 Uhr bei uns. Ich wartete eine halbe Stunde lang und rief dann bei ihm zu Hause an. Niemand nahm ab. Komisch. Vielleicht ist er ja doch zur Nachhilfe gegangen, dachte ich mir, und setzte mich mit meinem Bruder vor den Fernseher.

Abends versuchte ich dann, noch mal bei ihm anzurufen, doch auch dann nahm niemand bei ihm zu Hause den Hörer ab.

Die ganze restliche Woche über versuchte ich ihn zu erreichen, doch immer ohne Erfolg. Ich machte mir richtige Sorgen um ihn. Was war bloß wieder passiert? Hatten seine Eltern etwa das mit seinem Zeugnis und der Nachhilfe herausgefunden oder gab es ein anderes Problem? War ihm etwa etwas Schreckliches zugestoßen? Fragen über Fragen und ich bekam keine Antworten.

Am darauffolgenden Wochenende lief ich dann nach dem Mittagessen zu ihm und klingelte. Keine Reaktion. Ich wurde nervös und klingelte erneut. Wenig später ertönte endlich seine Stimme aus der Sprechanlage. Als ich sie hörte, fiel mir ein Stein vom Herzen und ich freute mich, als wäre mein Geburtstag.

Manuel:
»Hey, Calogero! Ich bin's, Manuel. Wie geht es dir? Ich habe mir schon Sorgen um dich gemacht! Habe die ganze Zeit versucht, dich zu erreichen. Ist alles in Ordnung?«

»Nein, Manuel, leider gar nicht. Ich habe Hausarrest und muss jetzt jeden Tag lernen. Meine Klassenlehrerin hat bei mir zu Hause angerufen und meinen Eltern von dem Zeugnis erzählt. Die haben rausbekommen, dass ich die Unterschrift von meiner Mutter gefälscht habe. Wir waren deswegen auch vor ein paar Tagen beim Direktor. Die wollten mich deswegen sogar schon von der Schule schmeißen. Ich darf zwar bleiben,

muss jetzt aber die verdammte 8. Klasse wiederholen. Meine ganzen Videospiele und Spielzeuge sind auch futsch. Sie haben sie leider alle gefunden. Auch das mit der Nachhilfe und dem Geld haben sie rausbekommen.«

Nachdem er das erklärt hatte, konnte ich ein leises Schluchzen durch die Sprechanlage hören.

»Ich muss dir leider noch was sagen ... wir können ... wir können uns leider nicht mehr sehen. Meine Eltern haben es mir verboten. Es tut mir so leid, ich kann nichts dagegen tun.«

Meine Knie begannen wie wild zu schlottern, mein Hals schnürte sich zu und ich konnte kaum noch atmen. Wir können uns nicht mehr sehen? Was genau hatte das zu bedeuten?

Manuel:
»Wie meinst du das, wir können uns nicht mehr sehen? Für wie lange denn?«

»Ich kann es dir leider nicht sagen. Vielleicht nie wieder. Jedenfalls so lange nicht, bis meine Eltern es wieder erlauben. Ich kann es dir wirklich nicht sagen. Glaube mir, es macht mich richtig, richtig traurig, aber ich muss leider machen, was sie sagen. Diesmal habe ich wirklich Megascheiße gebaut!«

Wie er mir das so erklärte, bekam ich auf einmal starke Bauchschmerzen und brach in Tränen aus. Ein Leben ohne meinen besten Freund konnte ich mir unmöglich vorstellen. Nach all der Zeit, die wir zusammen verbracht hatten, war er sogar mehr als nur mein bester Freund. Er war für Kalvin und mich schon so etwas wie ein großer Bruder geworden, nur von einer anderen Mutter. Mit zittriger und weinerlicher Stimme fragte ich ihn:

»Auch wenn wir uns nicht mehr sehen können, bleiben wir trotzdem beste Freunde, Calogero?«

Er antwortete mir mit ebenso weinerlicher Stimme:

»Ganz egal was passiert, Manuel, wir bleiben für immer beste Freunde! Das verspreche ich dir!«

Manuel:
»Ich dir auch, Calogero!«

Auf dem Rückweg waren meine Füße so schwer wie Felsen. Während ich nach Hause schlenderte, liefen mir unentwegt Tränen über beide Wangen. Bis dahin gab es kaum Dinge, die mich so sehr traurig gemacht hatten. Annähernd vielleicht der Tod meines Wellensittichs. Ich malte mir gedanklich aus, dass ich meinen besten Freund wohl nie wieder sehen würde und war vollkommen am Boden zerstört.

Wochen und Monate vergingen, ohne dass ich meinen besten Freund zu Gesicht bekam oder auch nur etwas von ihm hörte. Ging es ihm gut? Dachte er an uns oder hatte er Kalvin und mich bereits vergessen? Ohne ihn machte nichts mehr Spaß, selbst SNES spielen nicht. In unserem sonst so lebendigen Zimmer herrschte plötzlich eine eisige Kälte und gähnende Leere. Es fühlte sich allmählich so an, als hätte es ihn nie gegeben, als hätte ich die letzten Jahre über einen imaginären Freund gehabt. Ich vergaß sogar schon fast, wie seine Stimme geklungen hatte. Immer wieder hörte ich mir mit meinem Bruder unsere gemeinsam aufgenommenen Radio-KMC-Kassetten an. So konnte ich zumindest seinen Sprüchen lauschen und mich in alte Zeiten zurückversetzen. Irgendwann merkte ich aber, dass ich davon nicht heiterer, nein, im Gegenteil, immer trauriger wurde. Ich vermisste ihn wirklich schrecklich. All die Plastikfiguren und aus Lego zusammengebastelten Häuser und Raumschiffe, all die gemalten Bilder und aufgenommenen Kassetten und auch sonst alles in unserem Zimmer erinnerte mich an meinen besten Freund. Würden wir uns jemals wieder sehen? Bei all diesen Gedanken bekam ich erneut feuchte Augen. Als mein kleiner Bruder mich weinen sah, fing er auch an, bitterlich zu heulen. Er wusste, dass es wegen Calogero war. Auch wenn er oft von ihm geärgert worden war, vermisste er ihn genauso wie ich.

Kalvin:
»Manuel, wann kommt Calogero wieder?«

Gerne hätte ich darauf eine Antwort gehabt, doch die hatte nur der Allmächtige.

Manuel:
»Das kann ich dir leider nicht sagen, Kalvin. Ich hoffe so sehr, dass er bald wieder zu uns kommen darf. Jeden Abend bete ich zum lieben Gott, dass seine Eltern es ihm wieder erlauben.«

Der letzte Satz meines besten Kumpels, der mir immer wieder durch den Kopf ging, gab mir ein wenig Hoffnung.

»Ganz egal was passiert, Manuel, wir bleiben für immer beste Freunde! Das verspreche ich dir!«

CALOGERO WILL RETURN IN ...

AMIGO MIGUELITO

SCHEUßLICH BESTE FREUNDE

NEXT LEVEL